ENCYCLOPÉDIE
DES SCIENCES

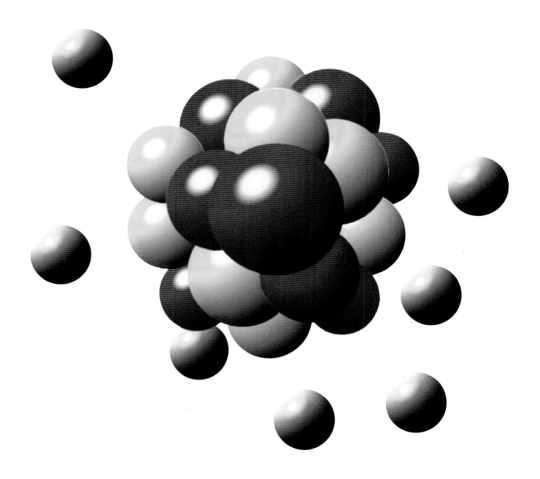

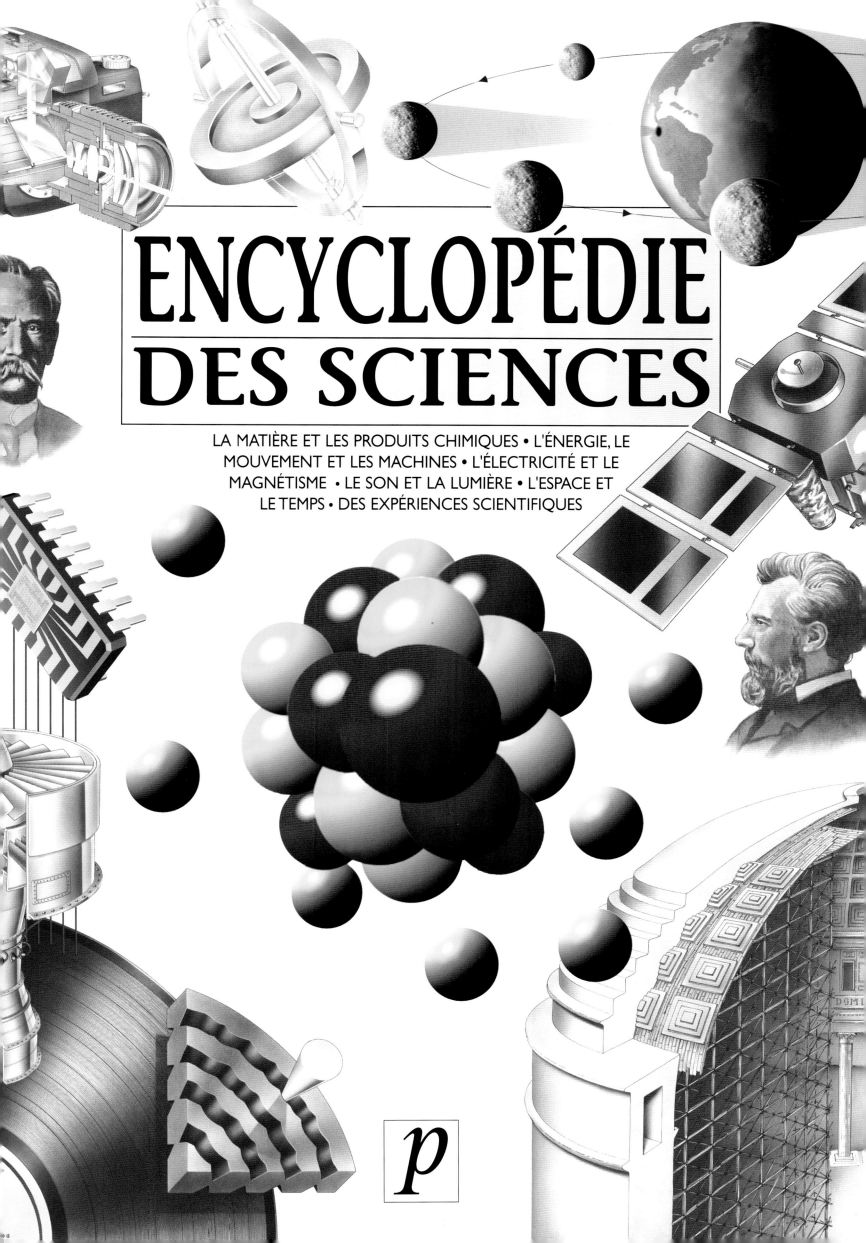

ENCYCLOPÉDIE
DES SCIENCES

LA MATIÈRE ET LES PRODUITS CHIMIQUES • L'ÉNERGIE, LE
MOUVEMENT ET LES MACHINES • L'ÉLECTRICITÉ ET LE
MAGNÉTISME • LE SON ET LA LUMIÈRE • L'ESPACE ET
LE TEMPS • DES EXPÉRIENCES SCIENTIFIQUES

p

Collaborateurs
Ian Graham, Barbara Taylor, John Farndon, Chris Oxlade

Rédaction
Steve Parker
Jenny Vaughan (Projets scientifiques)

Conception
Sarah Ponder
Full Steam Ahead (Projets scientifiques)

Maquette
Susanne Grant

Documentation iconographique
Kate Miles, Lesley Cartlidge, Janice Bracken

Coordination de l'illustration
Ian Paulyn

Reproduction des couleurs
DPI Colour Ltd

Assistante de production
Jenni Cozens

Index
Jane Parker

Direction éditoriale
Paula Borton

Direction de la conception
Clare Sleven

Directeur
Jim Miles

Traduit de l'anglais par
IDIOMA Language Services Ltd., Exeter, Angleterre

Livre publié par Parragon
Édition publiée en 2002
Parragon, Queen Street House, 4 Queen Street, Bath, BA1 1HE, Royaume-Uni
Copyright © Parragon 1999

Version anglaise produite par Miles Kelly Publishing Ltd
Bardfield Centre, Great Bardfield, Essex CM7 4SL

ISBN 0-75253-643-5

Imprimé en Corée

Sommaire

🗹 Chapitre 7
Expériences scientifiques 205

Introduction

QUAND LA SCIENCE EST-ELLE NÉE ? Sans doute il y a plus d'un million d'années, quand les premiers êtres humains ont ramassé des roches et les ont taillées pour en faire des outils de pierre. Quelqu'un a dû essayer différents types de roches. Il, ou elle, a bien dû se rendre compte qu'un certain type de roche produisait une arête plus pure et plus tranchante que d'autres. Il s'agissait là de l'une des premières expériences par essais et erreurs. Petit à petit, d'autres types de roches ont été testées et se sont avérées meilleures. Les chercheurs en matériaux procèdent de la même manière de nos jours, produisant les meilleurs alliages de métaux ainsi que des matériaux composites faits sur mesure et dans un but bien précis.

Les outils de l'âge de pierre datant de plus de 10 000 ans démontrent d'excellentes aptitudes au travail manuel et une connaissance très précoce de la science des matériaux.

La méthode scientifique

La science est supposée avancer petit à petit d'une manière logique et rationnelle que l'on appelle la méthode scientifique. Cela commence par une idée, une théorie ou une hypothèse. Celle-ci doit être formulée sous forme de prédiction. Il faut ensuite effectuer des tests et des expériences pour vérifier ces prédictions. Au cours de

La machine volante conçue par Léonard de Vinci (datant de 1500) ne fut jamais construite. De toute façon, elle aurait été bien trop lourde pour s'envoler. Mais elle illustre une grande ambition et prévoyance scientifique.

Cette carte illustre bien les idées révolutionnaires de Nicolas Copernic dans les années 1540, selon lesquelles la Terre et les autres planètes graviteraient autour du soleil.

ces expériences, il faut étudier, observer, mesurer et faire des évaluations. Ensuite, les résultats sont étudiés et analysés. S'ils s'accordent avec les prédictions, cela veut dire qu'ils supportent la théorie de départ. Après une double, voire une triple vérification des expériences et des résultats, on peut passer à l'étape suivante. C'est de cette façon que l'on bâtit progressivement un vaste ensemble de connaissances reliées entre elles qui vont des plus petites particules de matière au contenu tout entier de l'Univers.

La Grande Pyramide de Gizeh en Ancienne Égypte fut construite il y a environ 4 600 ans, et démontre à l'origine un degré de précision de quelques centimètres.

La vraie science

La réalité, cependant, est tout autre.
La science n'est pas toujours logique et rationnelle, progressant lentement mais sûrement. Les gens ont parfois des idées soudaines ou des éclairs de génie qui peuvent être à l'origine d'une révolution scientifique. Isaac Newton, par exemple, avait apparemment déjà ses idées sur la gravité quand une pomme tomba tout près ; peut-être même sur sa tête.
Ce simple incident donna lieu à sa théorie sur la gravitation universelle. Celle-ci fut si importante qu'elle constitua une nouvelle base pour les sciences physiques pendant plus de trois siècles et demi. Puis, Albert Einstein fut à l'origine d'une autre avancée scientifique au début du 20ème siècle, avec sa propre théorie de la relativité, suivie de sa théorie sur la relativité générale.

Les différents domaines de la science

Il existe plusieurs branches ou domaines dans la science. On peut les diviser en trois grandes catégories : physique, chimique et biologique.
Les sciences physiques traitent de la matière, de l'énergie, du mouvement et de la structure de l'Univers. Elles recouvrent aussi les machines et la technologie. Les sciences chimiques comprennent l'étude des substances ou produits chimiques (les éléments chimiques), leur

La Révolution industrielle, qui commença en Grande-Bretagne au milieu du 18ème siècle, mit la puissance des machines au service de l'industrie minière, de la transformation, de la production industrielle et du transport. On commença alors à voir des locomotives à vapeur envoyer des nuages de fumée à travers la campagne.

Le génie d'Albert Einstein (1879-1955) fut à l'origine d'énormes progrès scientifiques. Ses idées sur la gravité, le temps, l'espace, les particules et les forces contribuèrent à l'établissement de nouvelles bases de la théorie de la relativité.

constitution et comment ils diffèrent les uns des autres dans leurs nombreuses propriétés. Un autre domaine très important de la chimie est l'étude des changements qui interviennent quand les substances et produits chimiques sont combinés ou mis en contact les uns avec les autres.

Les sciences biologiques étudient la vie et les êtres vivants sous toutes leurs formes, des germes microscopiques aux séquoias géants en passant par la baleine bleue. Elles étudient comment ces organismes survivent, se déplacent, se nourrissent, se reproduisent et évoluent dans leurs milieux ou environnements respectifs.

Les sciences mixtes

Jusque-là, ces trois domaines de la science étaient restés bien distincts. De nos jours, ils forment plutôt un tout.

Pour faire un membre artificiel, par exemple, ou une prothèse pour le corps humain, il faut conjuguer ces trois domaines. L'articulation doit pouvoir supporter les tensions ainsi que les contraintes physiques, l'exposition chimique aux sels et fluides corporels, et le contact biologique avec les cellules microscopiques du corps.

Les différents chapitres de ce livre reflètent ces principaux domaines de la science, mais soulignent aussi les liens et rapports entre eux. Les premières pages traitent des éléments de base qui constituent la matière, les atomes, et des forces qui les maintiennent ensemble. Puis l'on passe à une échelle plus large et le livre se termine par une étude de l'Univers tout entier et de la nature du temps et de l'espace.

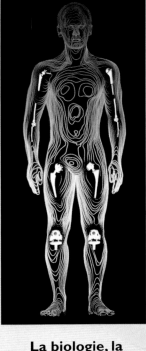

La biologie, la technologie, la science des matériaux, l'ingénierie et la conception sont combinés dans la production de membres en titanium et en plastique, tels que des prothèses articulatoires.

Les navettes spaciales à usage multiple ont permis de lancer en orbite des centaines de satellites et d'effectuer des milliers d'expériences dans la « gravité zéro » de l'espace.

Le monde rétrécit au fur et à mesure que l'échange d'informations devient plus facile et plus rapide, grâce à la science des télécommunications.

La science pour quoi faire ?

Quel est le but de la science ? C'est d'approfondir notre savoir - ce qui ne semble pas concerner de très près la vie de tous les jours. Pourtant, la science a apporté des changements considérables dans le monde moderne. Nous avons des gadgets hi-tech, comme les lecteurs de CD, les téléphones portables, les voitures, les avions, les ordinateurs et Internet. La majorité des gens vivent plus longtemps, plus confortablement et plus sainement qu'autrefois.

Et pourtant, notre planète est plus que jamais mise à risque. La pollution assombrit les cieux et imprègne le sol et l'eau. Nos ressources naturelles, telles que le pétrole, sont presque épuisées. La famine et les maladies sont très courantes dans certaines régions. La manipulation des gènes de la nature pourrait donner naissance à de super-insectes insensibles aux pesticides. Il ne s'agit pas là des conséquences de la science elle-même, mais de la façon dont elle est utilisée et appliquée.

L'explosion en 1986 du réacteur nucléaire de Tchernobyl en Ukraine a répandu un nuage radioactif nocif au-dessus d'une bonne partie de l'Europe.

Le réchauffement de la planète, les pluies acides et les fuites de la couche d'ozone font partie des menaces les plus sérieuses à notre environnement.

La richesse et le confort du monde industrialisé dépendent de terres et de ressources qui se situent souvent dans des régions moins développées. Le monde naturel en souffre aussi beaucoup.

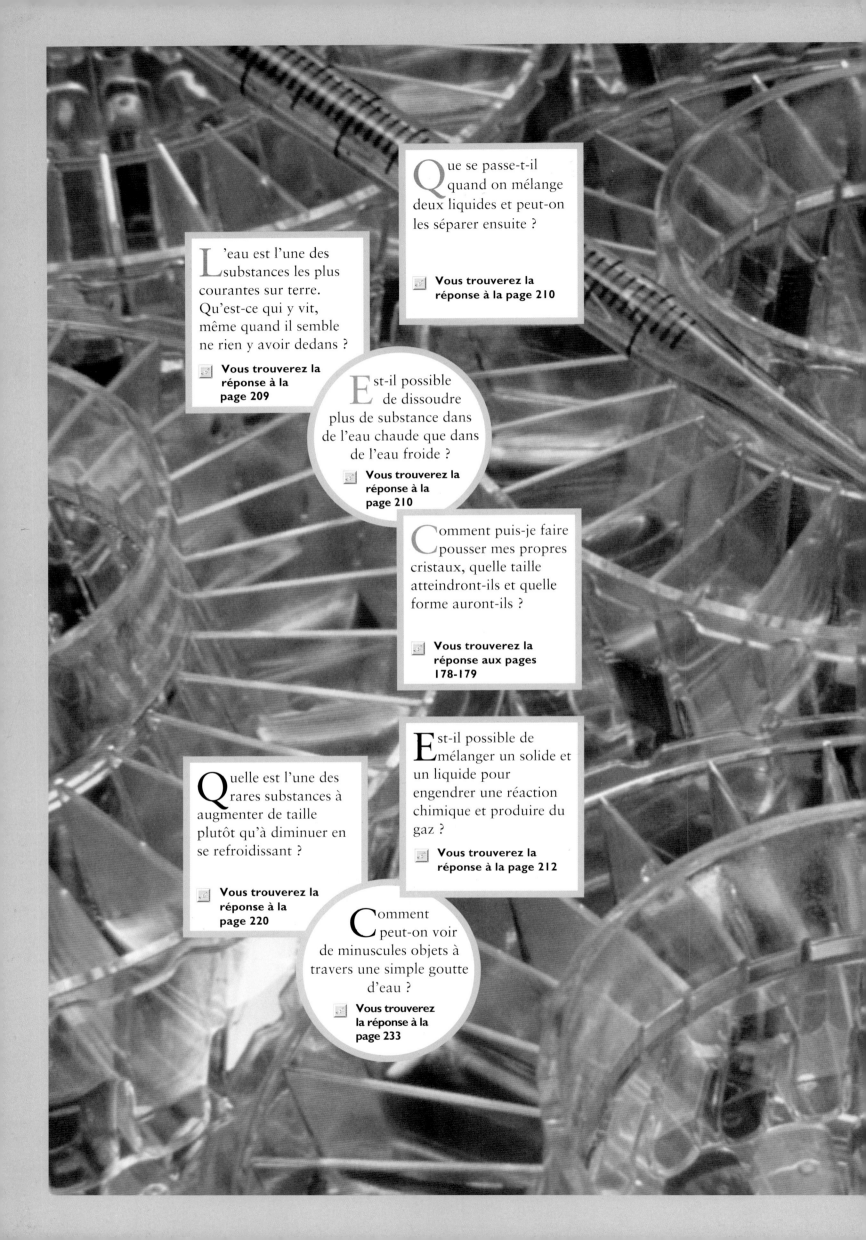

Que se passe-t-il quand on mélange deux liquides et peut-on les séparer ensuite ?

Vous trouverez la réponse à la page 210

L'eau est l'une des substances les plus courantes sur terre. Qu'est-ce qui y vit, même quand il semble ne rien y avoir dedans ?

Vous trouverez la réponse à la page 209

Est-il possible de dissoudre plus de substance dans de l'eau chaude que dans de l'eau froide ?

Vous trouverez la réponse à la page 210

Comment puis-je faire pousser mes propres cristaux, quelle taille atteindront-ils et quelle forme auront-ils ?

Vous trouverez la réponse aux pages 178-179

Est-il possible de mélanger un solide et un liquide pour engendrer une réaction chimique et produire du gaz ?

Vous trouverez la réponse à la page 212

Quelle est l'une des rares substances à augmenter de taille plutôt qu'à diminuer en se refroidissant ?

Vous trouverez la réponse à la page 220

Comment peut-on voir de minuscules objets à travers une simple goutte d'eau ?

Vous trouverez la réponse à la page 233

CHAPITRE

La matière et les produits chimiques

TOUTE SUBSTANCE, matière ou produit chimique, de la tête d'une épingle à une étoile, est faite d'atomes. En s'associant les uns aux autres, les atomes forment des molécules. Les atomes et les molécules peuvent aussi se détacher et s'assembler selon de nouvelles combinaisons. C'est ce qu'on appelle la transformation chimique. La matière existe dans trois états primaires : solide, liquide et gazeux.

Les atomes

LES GRANDS OBJETS SONT CONSTITUÉS d'objets plus petits. Une cabane en bois par exemple est faite de dizaines de troncs d'arbre. Un tronc d'arbre, lui, est constitué de millions de minuscules fibres de bois. Chaque fibre de bois est faite de fibres encore plus petites d'une substance que l'on appelle la lignine. Et la lignine est constituée à son tour de groupes de choses encore plus microscopiques - les atomes. Tout objet, qu'il s'agisse d'un gratte-ciel ou de la tête d'une épingle, est constitué de ces minuscules particules que l'on appelle les atomes ; ceux-ci sont beaucoup trop petits pour être vus à l'oeil nu. Tous les objets, éléments, matériaux, substances, produits chimiques et autres formes de la matière sont constitués d'atomes.

Un type d'atome

Un autre type d'atome

Lien ou joint entre les atomes

Les différents types d'atomes

Les atomes ne sont pas tous les mêmes. Il y en a 112 types différents. On appelle ces différents types d'atomes les éléments chimiques ; vous pouvez les voir sur les pages suivantes. Les noms de certains de ces éléments, comme l'aluminium, le fer et le calcium, vous sont sans doute déjà familiers. D'autres éléments chimiques sont moins bien connus de nom, comme le xénon, l'yttrium et le zirconium. Les atomes sont tous différents les uns des autres en fonction des éléments chimiques qu'ils constituent. Les atomes d'aluminium, par exemple, sont différents des atomes de fer, et tous les deux sont différents des atomes de calcium, et ainsi de suite. Par contre, tous les atomes d'un élément chimique sont exactement les mêmes. Un bout de fer pur contient des milliards d'atomes de fer. Chacun est identique à tous les autres. Et ils sont tous identiques à tous les autres atomes de fer où qu'ils se trouvent dans l'Univers.

GRANDES DÉCOUVERTES

Depuis très longtemps, des chercheurs scientifiques soupçonnaient que toute matière était constituée de minuscules particules. Démocrite, qui vivait en Grèce antique (environ 470 - 400 avant JC) a émis l'hypothèse selon laquelle le monde et tout ce qu'il contient est constitué de particules si petites qu'elles sont invisibles à l'oeil nu. Il croyait fermement que ces particules étaient incroyablement solides, qu'elles duraient infiniment et qu'elles étaient en mouvement perpétuel. Toutes ces idées de Démocrite ressemblent beaucoup à une partie de la théorie moderne sur les atomes.

Les atomes assemblés

Il y a des atomes qui sont tout seuls. Il y en a d'autres qui s'assemblent avec d'autres atomes pour former des groupes d'atomes associés que l'on appelle des molécules. On représente souvent ceux-ci sous forme de schémas ou de maquettes constitués de "boules et de bâtons".

Même les éléphants sont faits d'atomes

La moindre substance ou matière est faite d'atomes. Ceci comprend le sol sous nos pieds, les arbres, les voitures, les maisons, les ordinateurs, les CD, l'eau et l'air invisible qui nous entoure. Tous les êtres vivants sont aussi des atomes, y compris les oiseaux, les fleurs, les germes microscopiques, les grands arbres, les tigres, les éléphants - et même votre propre corps.

VOIR AUSSI : À L'INTÉRIEUR DES ATOMES PAGE 16, LES ÉLÉMENTS PAGE 18, LES MOLÉCULES PAGE 2[...]

Les atomes dans l'Univers

Tout ce qui existe dans notre monde, y compris la planète Terre elle-même, est fait d'atomes. Et tout ce qui existe en dehors du monde est aussi fait d'atomes. L'espace n'est pas complètement vide. Il contient de petites quantités de gaz et de poussière qui y flottent et qui sont aussi faits d'atomes. Les corps célestes, tels que les planètes, les étoiles et les comètes, sont tous faits d'atomes. Il en est de même pour nos propres satellites, nos fusées et nos vaisseaux spatiaux. L'essentiel de la matière et des éléments de l'Univers se trouve dans les étoiles, comme notre soleil. Le principal élément chimique des étoiles s'appelle l'hydrogène. L'hydrogène est donc la matière la plus courante dans tout l'Univers. Sur 100 atomes dans l'Univers, 93 sont des atomes d'hydrogène alors que seulement 7 appartiennent à d'autres types d'éléments.

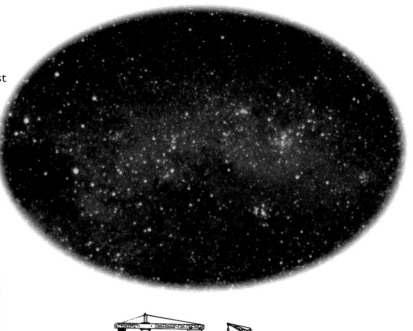

GRANDES DÉCOUVERTES

John Dalton (1766 - 1844) était un Britannique qui enseignait les sciences à l'école et qui enregistrait aussi les différents changements climatiques. Selon lui, tout élément chimique était constitué de minuscules particules, les atomes, qui étaient identiques entre eux, mais qui étaient différents des atomes d'autres éléments chimiques. Il donna aussi des noms et symboles à environ 30 éléments chimiques. Mais il pensait à tort que les atomes étaient des sphères solides, comme des billes de métal, qui ne pouvaient pas être détruites. De plus, on sait aujourd'hui que certaines substances qui, selon Dalton, étaient des éléments simples, sont en fait constituées de combinaisons d'éléments ou éléments composés.

LES SYMBOLES DES ÉLÉMENTS SELON DALTON

HYDROGÈNE	MAGNÉSIUM	ZINC
AZOTE	CHAUX	CUIVRE
CARBONE	SOUDE	PLOMB
OXYGÈNE	POTASSE	ARGENT
PHOSPHORE	STRONTIUM	OR
SOUFRE	BARYTE	PLATINE
FER		MERCURE

C'EST GRAND UN ATOME ?

▶ Non, c'est très très petit ! Un atome fait en moyenne 0,000 000 001 mètre de diamètre (c'est-à-dire un millionième de millimètre).

▶ Gonflez un ballon. On croirait qu'il ne contient rien et ne pèse absolument rien. Mais il contient à peu près cent milliards de milliards (100 000 000 000 000 000 000) d'atomes des gaz qui constituent l'air.

▶ Un minuscule grain de sable contient tellement d'atomes que si chacun d'eux avait la taille d'une tête d'épingle, le grain ferait un kilomètre et demi de diamètre.

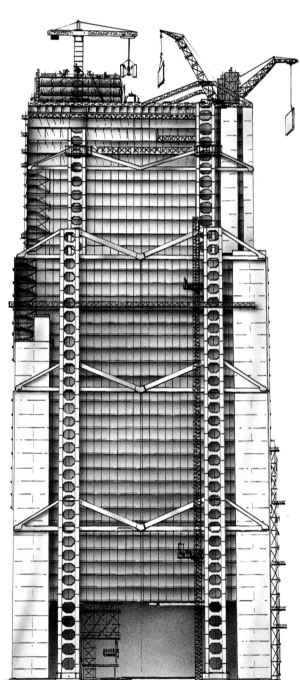

Des cubes de construction

Un gratte-ciel est fait de plusieurs unités de construction plus petites fixées les unes aux autres, telles que les traverses d'acier, les poutres et les panneaux. Une maison est faite de plusieurs unités de constructions plus petites, telles que les briques. Les atomes sont semblables, mais beaucoup plus petits. Ils sont les "cubes de construction de la matière".

À l'intérieur des atomes

LES ATOMES SONT LES ÉLÉMENTS CONSTITUTIFS ESSENTIELS de la matière. Un atome unique représente la plus petite particule d'un élément chimique qui conserve tous les attributs et propriétés de cet élément. Mais les atomes ne sont pas les particules les plus petites. Ils sont eux-mêmes constitués d'éléments encore plus petits, qui sont les particules subatomiques. Il existe trois groupes de particules subatomiques : les protons, les neutrons et les électrons. On retrouve le même type de particules dans chacun des atomes de chaque élément. Par exemple, les électrons d'un atome de fer sont exactement les mêmes que ceux d'un atome de soufre. Les protons des atomes de carbone sont les mêmes que ceux des atomes d'aluminium. Et les neutrons d'un atome de titane sont les mêmes que ceux d'un atome d'oxygène. Ce qui fait la différence entre tous ces éléments chimiques, c'est le nombre de particules subatomiques qu'ils contiennent dans chaque atome.

L'énergie dans les atomes

Les particules subatomiques des atomes peuvent être divisées ou séparées les unes des autres. Ceci libère d'énormes quantités d'énergie en une tierce seconde - c'est le principe de la bombe atomique.

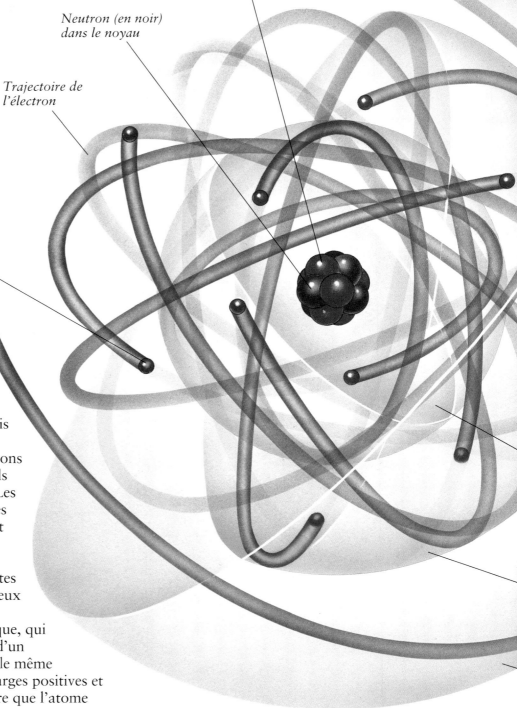

Proton (en rouge) dans le noyau

Neutron (en noir) dans le noyau

Trajectoire de l'électron

Électron de l'orbite du milieu

Électron de l'orbite externe

Un atome

Un atome contient une partie centrale que l'on appelle le noyau. Celui-ci contient les particules subatomiques connues sous le nom de protons et de neutrons. Chaque proton contient une charge électrique, presque comme une minuscule pile électrique, mais au lieu d'avoir une charge positive et négative, il n'y a que du positif. Les neutrons ont la même taille que les protons, mais ils ne contiennent pas de charge électrique. Les électrons sont beaucoup plus petits que les protons et les neutrons. Et ils ne se situent pas dans le noyau. Ils tournent autour à grande vitesse en formant ce que l'on appelle des orbites. Les électrons des orbites externes contiennent plus d'énergie que ceux situés dans les orbites internes. Chaque électron contient aussi une charge électrique, qui est négative - contrairement donc à celle d'un proton. Un atome contient généralement le même nombre de protons et d'électrons. Les charges positives et négatives sont donc égales, ce qui veut dire que l'atome tout entier a une charge électrique nulle.

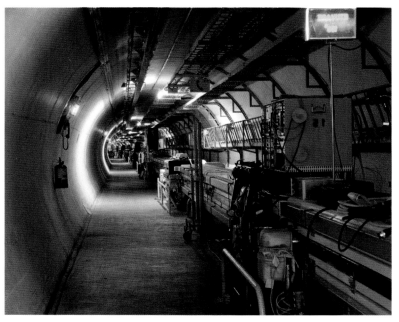

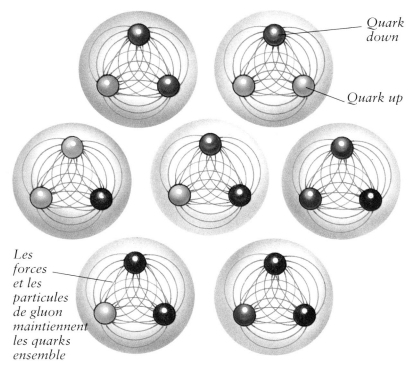

Quark down

Quark up

Les forces et les particules de gluon maintiennent les quarks ensemble

Comment savons-nous tout cela ?

L'étude des plus petites particules à l'intérieur des atomes demande un matériel scientifique de taille énorme. Ces "canons à atomes", que l'on appelle des accélérateurs de particules, sont abrités dans d'immenses bâtiments ou tunnels souterrains de plusieurs kilomètres de long. L'accélérateur donne une incroyable énergie aux atomes et à leurs particules en les faisant voyager à une vitesse prodigieuse. On fait ensuite entrer les atomes et les particules en collision les uns avec les autres pour étudier les morceaux que ces chocs produisent.

Quelles sont les plus petites particules ?

Il existe plusieurs autres particules subatomiques à part les protons, les neutrons et les électrons. Il y a les muons, les gluons, les gravitons et des dizaines d'autres. Et même les particules telles que les protons et les neutrons ne sont pas les plus petites. Elles sont constituées de particules encore plus petites - les quarks. Il y a six types de quarks, avec des noms bizarres comme up, down, strange, charmed, bottom et top. Par exemple, un proton fait deux quarks up et un quark down. Les quarks, ainsi qu'un groupe de particules nommées leptons, dont les électrons, sont sans doute les plus petites particules de matière. On les appelle des particules fondamentales ou élémentaires.

GRANDES DÉCOUVERTES

Au 18ème siècle, les scientifiques soutenaient que les atomes étaient les plus petites particules existantes, qu'ils duraient pour toujours et qu'ils étaient indivisibles. Mais les recherches effectuées vers la fin du 19ème siècle nous poussèrent à penser que les atomes n'étaient pas les plus petites particules. En 1911, des expériences avaient déjà été effectuées par Ernest Rutherford à Manchester en Angleterre, qui démontrèrent que les atomes contenaient des particules encore plus petites. Il émit l'hypothèse de l'existence d'un petit noyau lourd au centre de l'atome, avec en orbite autour de lui des particules plus petites appelées électrons (voir illustration à droite). Les électrons pouvaient tourner sans trajectoire définie autour du noyau. En 1913, Niels Bohr fit avancer cette idée en suggérant que les électrons devaient rester à une certaine distance du noyau, dans ce qu'on appelle les orbites (voir illustration à gauche). Cette idée est la même que celle qui est acceptée aujourd'hui.

Orbite de l'électron interne

Orbite de l'électron du milieu

Orbite de l'électron externe

ERNEST RUTHERFORD (1871-1937)

Noyau

Électron

L'ATOME VU COMME UN "SYSTÈME SOLAIRE" PAR RUTHERFORD

Les éléments

UN ÉLÉMENT EST UNE SUBSTANCE OU UN PRODUIT CHIMIQUE dont les atomes sont tous exactement les mêmes, avec le même nombre d'électrons, de protons et de neutrons. Il existe 112 différents éléments, comme le montre le tableau présenté dans les pages suivantes. Chaque élément a certaines propriétés physiques, telles que la couleur, la brillance et la dureté. Parmi les autres propriétés physiques, on a la température à laquelle l'élément fond (passe de l'état solide à l'état liquide) ou bout (passe de l'état liquide à celui de gaz), sa densité (la masse contenue dans un certain volume), et sa conductivité, c'est-à-dire sa capacité à conduire l'électricité. Un élément a aussi des propriétés chimiques. Parmi celles-ci, on compte la façon dont il s'assemble ou se combine avec les atomes d'autres éléments au cours de réactions chimiques, et s'il subit ces réactions facilement.

Les différentes formes d'un élément – ❶
Certains éléments peuvent exister sous différentes formes physiques. Le carbone en est un bon exemple. Si ses atomes sont comprimés les uns contre les autres, le carbone devient l'une des substances les plus dures au monde - le diamant. Mais le carbone peut aussi former d'autres substances (voir à droite).

Un élément utile

Le silicium est un élément. Le silicium pur est une substance sombre, marron grisâtre et légèrement luisante. Il a la curieuse propriété de véhiculer ou de conduire l'électricité - mais pas très bien. On l'appelle donc un semi-conducteur. On peut transformer le silicium en cristaux, pour ensuite les tailler ou les fendre en couches très minces, comme des tranches, mais plus petites qu'un ongle de doigt. Il s'agit des puces de silicium. Ensuite, on crée sur la puce des mécanismes électriques microscopiques à l'aide de diverses méthodes, comme des produits chimiques acides ou des rayons à haute puissance. On obtient alors des micropuces (des circuits intégrés). On trouve ceux-ci dans des centaines de types d'appareils différents, des ordinateurs et des chaînes stéréo aux avions et aux satellites.

La préservation des éléments
L'aluminium est un élément qui a la forme d'un métal argenté brillant. On le reconnaît facilement, car c'est le métal que l'on utilise pour faire les cannettes de boisson. À l'état naturel, on trouve l'aluminium dans les roches de la Terre. L'extraire et le purifier coûte très cher et demande beaucoup de temps et d'énergie. Réutiliser l'aluminium en recyclant les boîtes de conserve économise plus de neuf dixièmes de cette énergie et de cet argent.

Des éléments précieux
L'argent est un bel élément lisse (presque brillant). Il est facile à façonner et à polir et il résiste à la corrosion. Ces caractéristiques lui ont donné une certaine valeur depuis l'Antiquité, pour les bijoux, les objets décoratifs comme l'argenterie et les pièces de monnaie. C'est aussi un excellent conducteur et on l'utilise dans certains appareils électriques.

VOIR AUSSI : LES CRISTAUX PAGE 30, LES MÉTAUX PAGE 40, LES ORDINATEURS PAGE 106

Antoine Lavoisier (1743 - 1794) était cartographe et il inventa une nouvelle méthode pour éclairer les rues avec des lampes à gaz. Il reprit également l'activité d'une administration des impôts, ce qui lui donna assez d'argent pour poursuivre son passe-temps favori : la chimie. Lavoisier effectua des centaines d'expériences délicates et minutieuses sur différents éléments et substances. Il eut l'idée de la conservation de la matière, ce qui veut dire que les produits chimiques et les substances ne sont pas créés ou détruits comme d'habitude, mais se transforment. En 1787, il introduisit le système de nomenclature de chaque élément chimique par un symbole qui lui est propre. Cette nomenclature est illustrée dans les pages suivantes.

Les éléments et la vitesse

Les avions à réaction à grande vitesse, tels que le Lockheed SR-71 Blackbird chauffent énormément au fur et à mesure que l'air devient plus résistant. Leur revêtement extérieur contient donc des éléments capables de résister à une grande chaleur. L'un de ces éléments est le titane, allié à du fer et à d'autres éléments pour former un acier résistant à la chaleur.

Les différentes formes d'un élément – ② et ③

Lorsque des atomes de carbone sont un peu plus éloignés les uns des autres que dans un diamant (voir à gauche) et que leurs liens sont desserrés, ils forment une substance tout à fait différente. Ils constituent la matière noire et tendre que l'on appelle le charbon. Une troisième forme du carbone est la poudre douce, noire et glissante que l'on appelle le graphite.

Un élément jaune

Le soufre pur forme des morceaux jaunes et friables, des cristaux de soufre ou de la poudre jaune que l'on appelle du soufre amorphe ("sans forme"). On trouve généralement ces trois formes pures du soufre aux abords des volcans et des sources chaudes. Le soufre est extrêmement important dans l'industrie chimique, par exemple pour faire des allumettes, des feux d'artifice, du papier, des pesticides et des médicaments.

Des éléments qui brillent

Les lumières vives qui clignotent sur les panneaux publicitaires sont parfois appelées "néons". En effet, l'élément néon se retrouve dans certaines d'entre elles. Quand on passe de l'électricité à forte puissance dans un tube contenant du gaz de néon, celui-ci brille d'un rouge écarlate. On peut obtenir différentes couleurs en utilisant d'autres gaz semblables. De l'argon dans un tube produit une lumière bleue verdâtre, alors que le krypton produit une lumière d'un vert brillant. Ces éléments font tous partie d'un groupe de gaz dits inertes ou nobles. Ces gaz existent en petites quantités dans l'air normal. Ils n'ont ni couleur, ni goût, ni odeur à l'état naturel. On les appelle inertes (inactifs) car leurs atomes ne s'attachent ou ne s'assemblent presque jamais avec les atomes d'autres éléments.

La liste des éléments

GRANDES DÉCOUVERTES

L'un des ensembles de connaissances scientifiques de base est la liste des substances chimiques pures que l'on appelle les éléments. On peut présenter cette liste sous forme de tableau que l'on appelle la classification périodique des éléments. On a découvert pour le moment 112 éléments. 90 d'entre eux existent à l'état naturel à la surface et à l'intérieur du globe terrestre, ou sur d'autres planètes et étoiles dans l'espace. Les autres éléments ont été créés à partir de synthèses dans des laboratoires de physique et de chimie. La classification périodique regroupe les éléments en fonction de leurs ressemblances et de leurs différences. Celles-ci peuvent être physiques, par exemple dans le type de particules qui constituent leurs atomes, ou dans les caractéristiques physiques de l'élément lui-même, comme sa masse ou sa densité. Elles peuvent aussi être d'ordre chimique et concerner par exemple les réactions ou combinaisons chimiques qui se produisent lorsqu'un élément est associé à un autre.

Les noms des éléments

Chaque élément a un nom, comme bore, lithium ou zinc. Certains de ces noms proviennent du latin ou du grec anciens, ou d'autres langues encore. D'autres éléments sont baptisés d'après celui qui les a découverts ou d'un scientifique bien connu. L'arsenic, un élément hautement toxique, tire son nom de arsenikon, l'ancien nom grec du minéral jaune appelé "orpiment" qui est riche en arsenic. Le symbole chimique de chaque élément est constitué d'une ou de deux lettres qui proviennent généralement d'une version abrégée du nom complet. Il s'agit d'un symbole international reconnu par les scientifiques du monde entier. Le numéro atomique d'un élément (voir ci-contre) fait référence au nombre de protons présents à l'intérieur du noyau de chaque atome de l'élément. Ce nombre de protons est le même que le nombre d'électrons qui tournent autour du noyau de l'atome.

L'élément le plus léger

L'hydrogène est l'élément le plus léger, car ses atomes ont la structure la plus simple, avec le plus petit nombre de particules subatomiques - seulement deux par atome. Le noyau d'un atome d'hydrogène est constitué d'un seul proton. Le reste de l'atome n'est constitué que d'un seul électron qui tourne autour du proton.

C'est Dmitri Mendeleïv (1834 - 1907) qui fut le premier à introduire la classification périodique des éléments en 1868. Il nota les caractéristiques et les propriétés de chaque élément sur une carte, puis il essaya différents systèmes d'agencement des cartes. La meilleure disposition révéla que tous les éléments d'une même colonne (de haut en bas) avaient des propriétés très semblables.

LES GROUPES D'ÉLÉMENTS

 HYDROGÈNE, ALCALIS ET MÉTAUX ALCALINO-TERREUX, MÉTAUX PRINCIPAUX

 MÉTAUX DE TRANSITION ET AUTRES MÉTAUX

 NON-MÉTAUX ET SEMI-MÉTAUX

 GAZ NOBLES ET NON-MÉTAUX

 GROUPE DES LANTHANIDES ET DES ACTINIDES

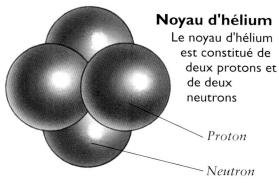

Noyau d'hélium
Le noyau d'hélium est constitué de deux protons et de deux neutrons

Proton

Neutron

He
helium
2

Symbole chimique de l'élément

Nom de l'élément

Numéro atomique (nombre de protons dans le noyau de l'atome)

Un changement d'activité
Les éléments situés tout à fait à gauche du tableau sont les plus réactifs. Ils s'assemblent ou se lient avec d'autres éléments plus facilement. La réactivité devient moins importante quand on va vers la droite. À l'extrême droite, les gaz nobles sont très inertes. Ils ne s'assemblent presque jamais avec d'autres éléments.

He hélium 2					
B bore 5	C carbone 6	N azote 7	O oxygène 8	F fluor 9	Ne néon 10
Al aluminium 13	Si silicium 14	P phosphore 15	S soufre 16	Cl chlore 17	Ar argon 18

Fe fer 26	Co cobalt 27	Ni nickel 28	Cu cuivre 29	Zn zinc 30	Ga gallium 31	Ge germanium 32	As arsenic 33	Se sélénium 34	Br brome 35	Kr krypton 36
Ru ruthénium 44	Rh rhodium 45	Pd palladium 46	Ag argent 47	Cd cadmium 48	In indium 49	Sn étain 50	Sb antimoine 51	Te tellure 52	I iode 53	Xe xénon 54
Os osmium 76	Ir iridium 77	Pt platine 78	Au or 79	Hg mercure 80	Ti thallium 81	Pb plomb 82	Bi bismuth 83	Po polonium 84	At astate 85	Rn radon 86
Hs hassium 108	Mt meitnerium 109	Uun ununnilium 110	Uuu unununium 111	Uub ununbium 112	?	??				

On pourrait découvrir de nouveaux éléments

Symbole de radioactivité

Sm samarium 62	Eu europium 63	Gd gadolinium 64	Tb terbium 65	Dy dysprosium 66	Ho holmium 67	Er erbium 68	Tm thulium 69	Yb ytterbium 70
Pu plutonium 94	Am américium 95	Cm curium 96	Bk berkélium 97	Cf californium 98	Es einsteinium 99	Fm fermium 100	Md mendélévium 101	No nobélium 102

Les molécules

LES ATOMES SONT LES ÉLÉMENTS CONSTITUTIFS ESSENTIELS de la matière. Mais ils n'existent pas isolément. Les atomes sont généralement associés à d'autres atomes. Quand un atome s'attache à un ou plusieurs autres atomes, nous avons une molécule. Certaines molécules sont faites d'un assemblage d'atomes d'un même élément. Par exemple, l'oxygène qui se trouve dans l'air qui nous entoure n'est pas constitué d'atomes d'oxygène, chacun évoluant isolément. Il est constitué plutôt de molécules d'oxygène. Chaque molécule d'oxygène est faite de deux atomes d'oxygène assemblés, et on représente cette molécule par O_2. Les molécules issues de l'association d'atomes de différents éléments sont des composés.

Noyau d'un atome d'oxygène

Électron de l'orbite interne

Électron partagé passant d'un atome à l'autre

Électron de l'orbite externe

L'ozone
Quand trois atomes de l'élément oxygène s'associent de façon covalente, il en résulte une molécule d'oxygène tri-atomique, que l'on représente par O_3 et que l'on connaît mieux sous le nom d'ozone.

Électron de l'orbite externe

Les liens entre les atomes

Les atomes peuvent s'assembler ou s'associer de plusieurs façons différentes. Il y a par exemple le lien ionique illustré à droite. Il y a aussi le lien de covalence, comme on le voit ci-dessus, où les atomes partagent un ou plusieurs électrons. Ceci se produit parce que les différentes orbites d'électrons dans un atome peuvent faire place à ou contenir un nombre limité d'électrons. L'orbite la plus proche du centre peut en contenir jusqu'à deux, et la suivante jusqu'à huit. Si l'orbite la plus à l'extérieur n'a pas assez d'électrons, elle peut parfois en "emprunter" un à un autre atome et le garder pendant un certain temps. De la même manière, si l'orbite extérieure d'un atome n'a qu'un seul électron, elle peut le prêter à un autre atome, tout en le conservant pendant un certain temps. Deux atomes qui partagent un ou plusieurs électrons de cette façon ont un lien ou un rapport de covalence.

Les liens ioniques

Parfois, un atome peut perdre ou gagner un électron. Ceci peut se produire quand il se dissout dans un liquide. Si un atome perd un électron négatif, l'atome tout entier devient positif. De la même façon, un atome qui gagne un autre électron négatif devient lui-même négatif. Quand des atomes sont positifs ou négatifs, plutôt que neutres, on les appelle des ions. Le positif attire le négatif, donc un atome positif attire un atome négatif et tous deux s'associent l'un à l'autre.

L'électron libre va vers un autre atome

Les ions positifs et négatifs s'attirent

ION POSITIF (ATOME AUQUEL IL MANQUE UN OU PLUSIEURS ÉLECTRONS)

ION NÉGATIF (ATOME AYANT UN OU PLUSIEURS ÉLECTRONS EN PLUS)

VOIR AUSSI : À L'INTÉRIEUR DES ATOMES PAGE 16, LES SOLUTIONS PAGE 34, LES CRISTAUX PAGE 36

Les molécules ordinaires

La photo ci-dessous représente de minuscules grains de sel ordinaire ou sel de cuisine vus au microscope (les couleurs ont été rajoutées par ordinateur). Chaque grain contient des milliards de molécules. Chaque molécule contient deux atomes. L'un est le sodium, Na. L'autre est le chlore, Cl. Ces deux atomes sont associés par un lien de covalence pour produire du chlorure de sodium, NaCl. En s'assemblant, les millions de molécules de sel ordinaire créent une structure régulière et produisent une forme particulière que l'on appelle un cristal, comme vous le verrez par la suite.

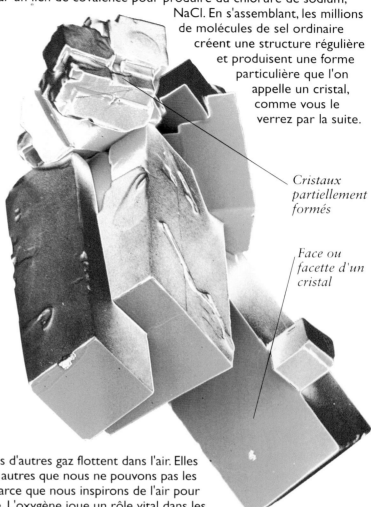

Cristaux partiellement formés

Face ou facette d'un cristal

La modification des molécules

Le fait de brûler est une transformation chimique qui se produit quand les molécules se séparent pour relâcher leurs atomes. Les atomes s'associent ou s'assemblent selon de nouvelles combinaisons. Les substances ou produits chimiques se transforment alors en différentes substances ou produits chimiques. Quand quelque chose brûle, ses molécules se combinent avec des molécules d'oxygène, ce qui produit de la lumière et de la chaleur.

Une réserve de molécules

Les molécules d'oxygène ainsi que celles d'autres gaz flottent dans l'air. Elles sont si petites et distantes les unes des autres que nous ne pouvons pas les voir. Mais nous savons qu'elles sont là parce que nous inspirons de l'air pour approvisionner notre corps en oxygène. L'oxygène joue un rôle vital dans les changements chimiques qui se produisent dans notre corps, puisqu'il décompose notre nourriture pour en faire de l'énergie dont le corps a besoin pour ses fonctions vitales. Nous ne pouvons pas respirer d'oxygène dans l'eau. Les plongeurs doivent donc emporter leur propre réserve d'oxygène dans des bouteilles.

Un déplacement constant

Lors d'une grande manifestation, les gens peuvent se déplacer pour voir qui est présent et ce qui se passe. S'ils rencontrent un groupe de gens qu'ils trouvent sympathiques, ils vont peut-être s'asseoir ensemble et rester causer un peu avant de se déplacer à nouveau. Les atomes se comportent de la même façon. Ils s'assemblent parfois pour former des molécules au cours d'une transformation chimique. Puis ils se séparent et continuent leurs déplacements. Tôt ou tard, à la suite d'autres transformations chimiques, ils se lient ou s'associent à d'autres atomes - et ainsi de suite.

À savoir aussi sur les molécules

CERTAINES MOLÉCULES SONT TOUTES PETITES. Elles ne contiennent que peu d'atomes, comme le sel ordinaire qui a un atome de sodium et un atome de chlore. D'autres molécules sont énormes et peuvent contenir des milliers d'atomes. Bien sûr, les atomes sont si petits que même une molécule qui en contient des millions n'est toujours pas visible à l'oeil nu. Mais parfois, des molécules géantes se regroupent en tas, en piles ou en paquets de millions, et on arrive alors à les voir. Un groupe de molécules très important est celui des hydrates de carbone. Ces molécules contiennent toujours des atomes de carbone (C), d'hydrogène (H) et d'oxygène (O). Les sucres que nous mangeons sous forme de tablettes de chocolat et de bonbons sont des hydrates de carbone. La coque externe dure (ou exosquelette) d'un insecte comme le scarabée est faite de chitine qui est aussi une forme d'hydrate de carbone.

Les polymères

Un polymère est une très grosse molécule faite de plusieurs unités identiques plus petites. Ces plus petites parties sont les monomères. Ils peuvent être rattachés les uns aux autres comme les maillons d'une chaîne, ou empilés comme les briques d'un mur. Un tel regroupement de molécules de sucre forme l'amidon que l'on trouve dans le pain.

La molécule de vie

L'une des molécules les plus importantes est l'ADN ou acide désoxyribonucléique. Elle a la forme d'une longue échelle avec des barreaux qui a été enroulée dans le sens de la longueur comme un tire-bouchon. On appelle cette forme une double hélice. Les barreaux de l'ADN sont de plus petites sous-unités de la molécule d'ADN principale ; on les appelle les nucléotides. Il y en a quatre différents types. La disposition des nucléotides contient des informations conservées sous forme de code chimique. Il s'agit d'informations génétiques sur les êtres vivants, sur la façon dont nos corps se développent par exemple, grandissent, se déplacent et digèrent la nourriture.

Le pivot ("échelle") de l'ADN de sous-unités de sucre

Liens transversaux ("barreaux" de sous-unités nucléotides

LA DOUBLE HÉLICE DE L'ADN

JAMES WATSON (1928-)

FRANCIS CRICK (1916-)

VOIR AUSSI : LES ATOMES PAGE 14, LES MOLÉCULES PAGE 22,

Des molécules poilues

La fourrure animale, ainsi que les poils de notre corps sont principalement constitués d'une substance que l'on appelle la kératine. Celle-ci a la forme d'une molécule très longue et fibreuse. La kératine est un polymère ; elle est faite de plusieurs sous-unités plus petites et plus simples, qui s'assemblent à la queue leu leu. Elle est aussi la matière de base de nos ongles, ainsi que des griffes, cornes, sabots et plumes des animaux.

Plein de formes différentes

Vous pouvez vous faire une idée des différents types de molécules qui existent en regardant différents types de bâtiments et les pièces qu'ils contiennent. Une maison est petite et n'a que quelques pièces. Il en est de même pour une petite molécule comme l'acide sulfurique, H_2SO_4. Un gratte-ciel par contre est comme une molécule polymère géante avec des centaines de pièces ou de sous-unités, toutes ayant la même forme et la même taille.

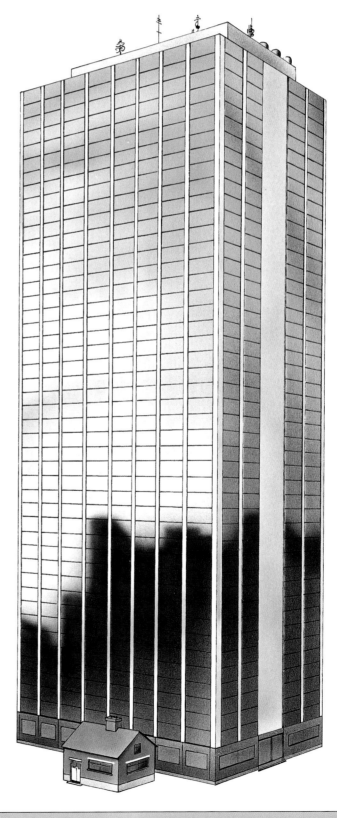

Les molécules artificielles

Il existe plusieurs types de molécules qui ne se trouvent pas à l'état naturel. Elles sont fabriquées ou synthétisées dans des laboratoires chimiques ou des usines. Citons par exemple les molécules des fibres artificielles telles que le nylon, que l'on utilise pour faire des cordes très solides, et aussi la rayonne, la viscose et l'acrylique. La plupart des plastiques sont aussi faits de molécules polymères artificielles.

LES CRISTAUX PAGE 30

Les solides, les liquides et les gaz

ON APPELLE MATIÈRE TOUTE SUBSTANCE PHYSIQUE OU OBJET qui existe dans les trois dimensions de l'espace. Cela peut être aussi gros qu'une planète ou une étoile, ou aussi petit qu'un atome - ou même aussi minuscule qu'une particule subatomique contenue dans un atome. Quelle que soit sa taille, la matière existe sous trois formes : solide, liquide ou gazeuse. On les appelle les trois états de la matière. Une brique de ciment, un bout de bois, ou une feuille de métal sont tous des solides. Le carburant que l'on met dans les voitures ou l'huile de cuisine sont des liquides. Un cylindre d'oxygène dans un hôpital ou une pièce "vide" contiennent des gaz. Chaque état de la matière a ses propres caractéristiques et propriétés. Mais les atomes et les molécules de la matière ne changent pas d'un état à un autre. Ce qui change, c'est la façon dont ils se déplacent ou sont immobilisés de force.

Des états changeants

La même matière ou substance peut changer d'état, passer de l'état solide à l'état liquide ou de l'état liquide à l'état gazeux. C'est ce qui se produit lorsque la matière fond ou bout. On en reparlera à la page suivante. Un autre changement d'état se produit quand les substances brûlent ou entrent en combustion. Dans le moteur d'un véhicule, du carburant est pulvérisé dans les cylindres du moteur en même temps que de l'air contenant de l'oxygène. Le carburant s'enflamme et brûle rapidement, en se mélangeant avec l'oxygène pour produire une mini-explosion. À la suite de cela, on n'obtient pas un autre liquide, mais plusieurs types de gaz. Ceux-ci sortent du moteur sous forme de gaz d'échappement.

Le problème causé par les gaz
Les gaz flottent et se dilatent. Ils se répandent ainsi dans toutes les directions pour remplir le récipient qui les contient. Les gaz d'échappement des véhicules se répandent donc tous dans leur récipient - l'atmosphère de la Terre. C'est pourquoi la pollution causée par les véhicules est un problème mondial.

Des solides transparents
Le vernis à la surface d'un vase brillant est une matière solide. La plupart des solides sont opaques. Vous ne pouvez pas voir à travers. Mais on peut voir à travers le verre transparent, les laques et les vernis. Le vernis protège les belles couleurs et les motifs des peintures tout en leur permettant d'être visibles.

VOIR AUSSI : LES ATOMES PAGE 14, LA FUSION ET L'ÉBULLITION PAGE 28, L'EAU PAGE 32

Le quatriéme état

▶ On connaît depuis l'antiquité les trois principaux états de la matière - solide, liquide et gazeux.
▶ Dans les années vingt, un quatrième état de la matière fut découvert. C'est le plasma.
▶ Le plasma n'existe qu'à des températures très élevées ; on le trouve par exemple lors d'expériences nucléaires ou à l'intérieur des étoiles.
▶ De petites quantités de plasma se forment également dans les éclairs.
▶ Le plasma est comparable au gaz. Mais certains de ses atomes perdent des électrons et deviennent positifs quand les électrons s'échappent.
▶ Les particules ainsi chargées sont des ions. Le plasma est donc comme un gaz constitué d'ions.

Nager à sec

Les enfants adorent jouer dans des "piscines de balles". Il peuvent se mettre sur le dos, s'y rouler, patauger et nager. C'est comme s'ils étaient vraiment dans une piscine d'eau, mais sans se mouiller. Les petites balles creuses et légères de la piscine sont une version géante des minuscules atomes et molécules d'un vrai liquide. Elles se déplacent librement. Elles éclaboussent quand on les secoue et coulent si on les verse hors d'un seau. Et comme avec un vrai liquide, on ne peut pas rapprocher des balles de force ou les comprimer.

De l'eau solide

L'eau à l'état solide est de la glace. Dans un solide, les molécules ont beaucoup de difficulté à se déplacer. Elles sont maintenues en formation serrée et dans une structure précise par les liens qui existent entre elles. Un solide garde donc la même forme, à moins qu'il ne subisse des forces puissantes, telles que la torsion ou l'écrasement.

L'eau liquide

L'eau à l'état liquide s'appelle - eh bien, de l'eau. Dans un liquide, les molécules peuvent se déplacer assez facilement. C'est pourquoi les liquides coulent et occupent l'espace du récipient où ils se trouvent. Mais on ne peut pas rapprocher les molécules d'un liquide de force ou les éloigner les unes des autres. On ne peut donc pas comprimer ou dilater des liquides.

L'eau sous forme de gaz

Cela s'appelle de la vapeur d'eau. Elle flotte dans l'air. Dans un gaz, les molécules peuvent se déplacer très facilement. C'est pour cela que les gaz flottent et prennent la forme du récipient qui les contient. Mais on peut aussi rapprocher de force ou séparer les molécules d'un gaz. Un gaz peut donc être comprimé pour tenir dans un volume plus petit ou, au contraire, dilaté pour remplir un récipient.

La fusion et l'ébullition

LA MATIÈRE PEUT CHANGER D'ÉTAT, par exemple passer de l'état solide à l'état liquide ou de l'état liquide à l'état gazeux, et inversement. Ces changements se produisent généralement quand de l'énergie est ajoutée à la matière sous forme de chaleur. La chaleur donne un supplément d'énergie aux atomes et aux molécules, ce qui augmente leurs mouvements. Quand un solide est chauffé, ses atomes ou molécules finissent par avoir assez d'énergie pour se libérer de leur structure rigide. Ils commencent à bouger de plus en plus facilement jusqu'à ce que le solide se transforme en liquide. On appelle cela la fusion. Chaque substance a une température propre à laquelle elle fond. On appelle cela le point de fusion. La même chose se produit quand un liquide est chauffé. À une certaine température, il se transforme en gaz. On appelle cette température le point d'ébullition. Pour de l'eau pure, à une température et une pression normales, le point de fusion est de 0° C et le point d'ébullition de 100° C.

Bouillant

Chaque liquide a son propre point d'ébullition. Certaines huiles de cuisine atteignent ce point et commencent à brûler à plus de 200° C, ce qui est bien plus chaud que pour l'eau qui bout à 100° C.

Sous pression

Quand un gaz devient liquide, on parle de condensation. Celle-ci peut être provoquée en retirant la chaleur du gaz, ce qu'on appelle le refroidissement. On peut aussi comprimer le gaz - en le mettant sous pression pour lui faire prendre moins de place. Les atomes et les molécules du gaz s'écrasent les uns contre les autres et font passer le gaz à l'état liquide. Ils reçoivent aussi de la chaleur, ce qui les réchauffe. Les pétroliers géants transportent du gaz naturel comprimé sous forme liquide, que l'on appelle GPL, ou gaz de pétrole liquide. C'est une façon d'économiser beaucoup de place.

GRANDES DÉCOUVERTES

Robert Boyle (1627 - 1691) est un chimiste qui effectua plein d'expériences pratiques. Il démontra que quand un gaz est maintenu à une température constante, la pression subie par le gaz est proportionnelle à son volume. Si vous comprimez donc un gaz jusqu'à la moitié de sa taille, cela fera doubler la pression. C'est ce qu'on appelle la loi de Boyle.

La roche en fusion

"Fort comme un roc" n'est pas une expression toujours vraie. Même les roches fondent à une température assez élevée. Bien au-dessous de la surface de la Terre, les températures et les pressions sont si élevées que les roches fondent ou entrent en fusion. On parle alors de magma. Quand elles s'écoulent ou jaillissent d'un volcan, coulantes et luisantes, on les appelle de la lave.

VOIR AUSSI : LES MOLÉCULES PAGE 22, L'EAU PAGE 32, LA CHALEUR ET LE FROID PAGE 58

Le patinage sur eau

Patiner sur la glace équivaut en fait à patiner sur une très fine couche d'eau. La lame d'un patin forme un U renversé. Ses deux bords très fins reposent sur la glace en exerçant une forte pression. Augmenter la pression sur une substance fait augmenter sa température. La glace se met donc à fondre et devient de l'eau pendant la tierce seconde où le patin passe dessus. Quand le patin est passé, l'eau gèle à nouveau.

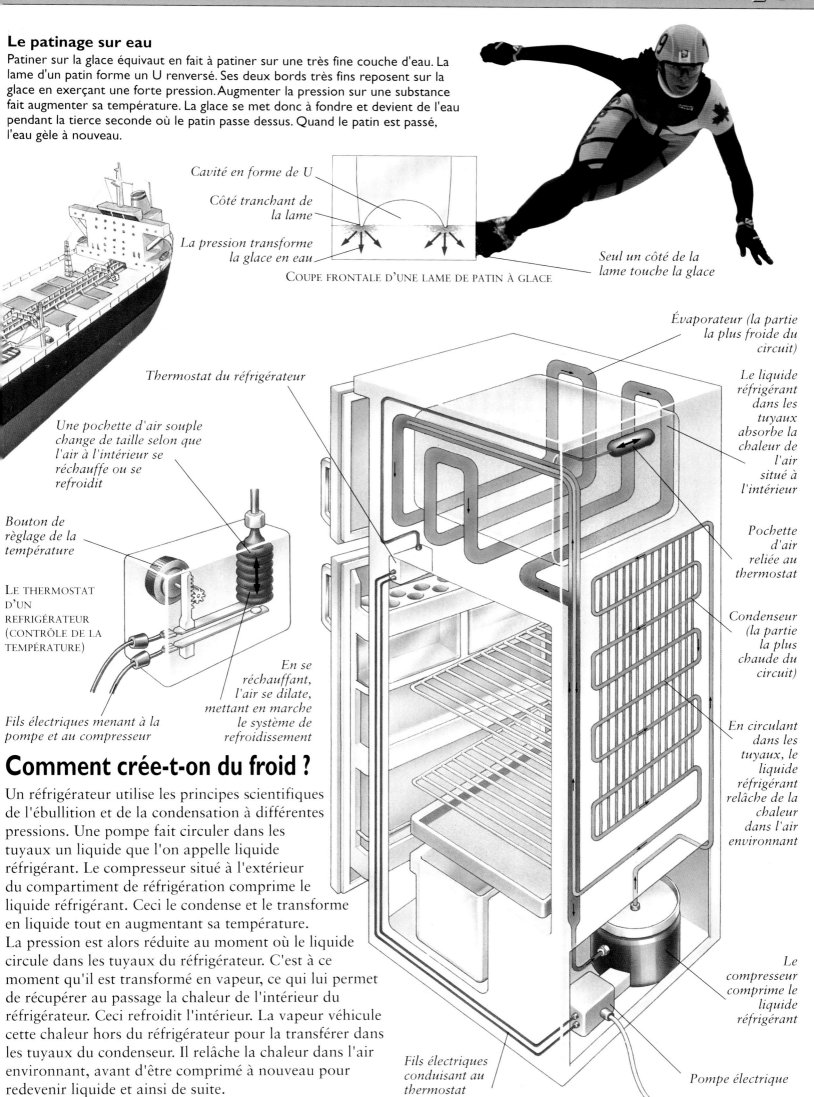

Cavité en forme de U

Côté tranchant de la lame

La pression transforme la glace en eau

Seul un côté de la lame touche la glace

COUPE FRONTALE D'UNE LAME DE PATIN À GLACE

Évaporateur (la partie la plus froide du circuit)

Le liquide réfrigérant dans les tuyaux absorbe la chaleur de l'air situé à l'intérieur

Thermostat du réfrigérateur

Une pochette d'air souple change de taille selon que l'air à l'intérieur se réchauffe ou se refroidit

Pochette d'air reliée au thermostat

Bouton de réglage de la température

LE THERMOSTAT D'UN RÉFRIGÉRATEUR (CONTRÔLE DE LA TEMPÉRATURE)

Condenseur (la partie la plus chaude du circuit)

En se réchauffant, l'air se dilate, mettant en marche le système de refroidissement

Fils électriques menant à la pompe et au compresseur

En circulant dans les tuyaux, le liquide réfrigérant relâche de la chaleur dans l'air environnant

Comment crée-t-on du froid ?

Un réfrigérateur utilise les principes scientifiques de l'ébullition et de la condensation à différentes pressions. Une pompe fait circuler dans les tuyaux un liquide que l'on appelle liquide réfrigérant. Le compresseur situé à l'extérieur du compartiment de réfrigération comprime le liquide réfrigérant. Ceci le condense et le transforme en liquide tout en augmentant sa température. La pression est alors réduite au moment où le liquide circule dans les tuyaux du réfrigérateur. C'est à ce moment qu'il est transformé en vapeur, ce qui lui permet de récupérer au passage la chaleur de l'intérieur du réfrigérateur. Ceci refroidit l'intérieur. La vapeur véhicule cette chaleur hors du réfrigérateur pour la transférer dans les tuyaux du condenseur. Il relâche la chaleur dans l'air environnant, avant d'être comprimé à nouveau pour redevenir liquide et ainsi de suite.

Le compresseur comprime le liquide réfrigérant

Fils électriques conduisant au thermostat

Pompe électrique

Les cristaux

Parmi les éléments les plus précieux au monde, on a une forme particulière de matière solide que l'on appelle les cristaux. Ceux-ci comprennent les diamants, les rubis, les saphirs, les émeraudes et plusieurs autres joyaux ou "pierres précieuses". Les atomes ou molécules à l'intérieur de ces cristaux s'adaptent les uns aux autres d'une façon particulière à cause de leur forme. Ils sont comme les briques d'un mur ou des cubes en plastique qui s'emboîtent les uns dans les autres. Ils peuvent s'assembler pour créer des structures plus grandes, mais qui gardent la même forme de base que les unités plus petites. Les côtés d'un cristal sont plats et on les appelle des facettes. Celles-ci ont des formes géométriques, par exemple des triangles, des carrés et des rectangles. Il y a des rebords droits et tranchants entre ces facettes, situés à des angles précis les uns par rapport aux autres. Les substances naturelles trouvées dans les roches de la Terre et que l'on appelle des minéraux ont souvent cette forme de cristaux. Les cristaux naturels bruts sont taillés et polis pour produire des bijoux ou des pierres précieuses.

Des cristaux polis
Un rubis ou une pierre précieuse est un cristal brut qui a été taillé et poli. Les pierres précieuses ont de la valeur à cause de leurs belles couleurs, de leur dureté, de leur transparence et de leurs surfaces brillantes.

Les cristaux bruts
Les cristaux naturels varient beaucoup en taille ; ils sont ou bien trop petits pour être vus sans l'aide d'un microscope ou aussi grands qu'une maison. Quand on les extrait du sol, il sont d'habitude ternes et ont l'air écrasés ou malformés.

Les réseaux et systèmes cristallins

Il existe sept formes de cristaux de base que l'on appelle les réseaux ou systèmes cristallins. Ceux-ci dépendent de la façon dont les différents atomes sont assemblés à l'intérieur. La forme la plus simple est la forme en boîte dont toutes les facettes constituent des carrés de taille égale. Il s'agit du réseau cubique simple. Les cristaux de ce groupe comprennent le sel ordinaire (le chlorure de sodium), le diamant et le grenat. Un cristal de sel ordinaire faisant à peu près la taille d'une tête d'épingle contient à peu près 70 millions d'atomes. La forme dite rhomboédrique comprend les cristaux de quartz, que l'on appelle communément le sable. Les grains de sable sur la plage sont de petits cristaux de quartz qui ont été usés et arrondis par le frottement et le roulement les uns contre les autres. On utilise aussi les cristaux de quartz dans les montres à "quartz" (voir ci-contre).

CUBIQUE
(SEL, DIAMANT, GRENAT)

RHOMBOÉDRIQUE
(QUARTZ, CALCITE)

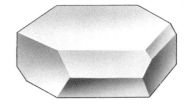

TRICLINIQUE
(FELDSPATH)

ORTHORHOMBIQUE
(BARYTE)

HEXAGONAL
(BÉRYL)

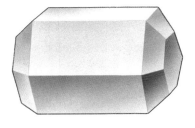

QUADRATIQUE
(ZIRCON)

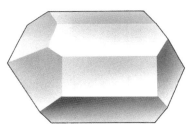

MONOCLINIQUE
(GYPSE)

Voir aussi : Les atomes page 14, Les métaux page 40, Le cycle des roches page 148

GRANDES DÉCOUVERTES

Pierre Curie (1859 - 1906) aidait sa femme dans ses recherches sur les substances radioactives. Il travaillait aussi sur les cristaux et découvrit que quand certains cristaux sont comprimés ou déformés, la quantité d'électricité qui les traverse change. Le contraire se produit aussi - un cristal change de forme quand certaines quantités d'électricité le traversent. C'est ce qu'on appelle l'effet piézo-électrique. Dans une montre à quartz, une petite pile envoie de l'électricité à travers un minuscule cristal de quartz, ce qui le fait vibrer très vite pour marquer le temps.

Forme à six côtés

Les cristaux de neige

Lorsqu'il fait très froid, en haute altitude dans les nuages, l'eau gèle et forme de minuscules cristaux de glace. Ceux-ci tombent ensuite sous forme de neige. À cause de la façon dont ils sont formés, ces cristaux ont toujours six côtés ou bras. Et pourtant, chaque cristal a une forme unique.

Chaque cristal de neige a une forme unique

Les cristaux grandissent jusqu'à occuper tout l'espace qui existait entre eux

Les cristaux de sucre

Le sucre, comme le sel ordinaire, existe normalement sous forme de cristaux. Vus au microscope, ces cristaux montrent les lignes et les motifs à partir desquels ils ont grandi. Dans certaines conditions, les cristaux peuvent "grandir" et devenir plus gros tout en gardant leur forme bien particulière de cristal aux angles tranchants.

Un échafaudage de cristaux

Les atomes ou les molécules d'un cristal s'emboîtent et s'assemblent comme les échafaudages d'un bâtiment. Plusieurs unités plus petites et régulières se nichent les unes contre les autres pour former de plus grandes structures avec des facettes angulaires et des côtés tranchants. Cependant, tailler et polir un cristal peut changer sa forme ; c'est comme si on faisait un dôme en entassant des unités d'échafaudage en forme de cubes.

DOMINUM

L'eau

L'EAU EST UNE SUBSTANCE NÉCESSAIRE à la vie sur Terre. Tous les animaux et les plantes ont besoin d'eau pour survivre. Ceux qui vivent sur la terre "sèche" puisent de l'eau dans le sol, les ruisseaux, les rivières, les lacs, les flaques, la rosée ou les gouttes de pluie. L'eau est nécessaire à l'être humain aussi. Nous recueillons et conservons de l'eau pour boire et nous laver, pour nos animaux de compagnie et de la ferme, et pour irriguer nos plantations. L'être humain a besoin d'au moins un litre et demi d'eau par jour pour rester en vie et en bonne santé. Comme beaucoup d'autres substances, l'eau peut exister dans trois états différents. L'eau est la forme liquide. La glace est la forme solide. La vapeur d'eau est la forme gazeuse. Tous ces états existent dans la nature, la glace se trouvant dans les régions froides et la vapeur d'eau invisible dans l'air qui nous entoure. La vapeur naturelle provenant des geysers et des sources chaudes est un mélange de vapeur d'eau et de minuscules gouttelettes d'eau chaude flottantes.

De la glace flottante

La plupart des substances s'élargissent ou se dilatent sous l'action de la chaleur, et se rétrécissent ou se contractent sous l'action du froid. L'eau est une exception. Elle se contracte quand elle refroidit jusqu'à 4°C. Puis, si elle refroidit un peu plus et se transforme en glace, elle se dilate à nouveau. Cela veut dire qu'un morceau de glace à 0° C pèse moins que la même quantité d'eau à 10° C par exemple. La glace, que ce soit un cube dans un verre ou un iceberg dans l'océan, flotte donc sur l'eau.

De l'eau dans un tuyau

Des liquides comme l'eau coulent le long de conduits et dans des tuyaux et des tubes. Mais ils n'y coulent pas de façon régulière. L'eau qui se trouve contre les parois internes du conduit ou du tuyau se déplace plus lentement parce qu'elle frotte contre ces surfaces. L'eau qui se situe vers le centre du conduit ou du tuyau coule plus vite. On appelle cette variation dans la vitesse du mouvement l'écoulement laminaire. La même chose se produit dans une rivière. L'eau près des berges se déplace plus lentement que l'eau qui est au milieu. L'étude de la circulation des liquides est importante dans le domaine de la science et de l'ingénierie que l'on appelle l'hydraulique. Ce domaine étudie comment les liquides circulent et appliquent des pressions à l'intérieur des tuyaux.

GRANDES DÉCOUVERTES

Daniel Bernoulli (1700 - 1782) était un expert en médecine, en botanique, en zoologie, en physique et en mathématiques. Il démontra que quand de l'eau ou un autre liquide passe d'un gros tuyau à un tuyau plus petit, la vitesse d'écoulement augmente - et le liquide exerce aussi moins de pression. Cette règle s'applique également aux gaz comme l'air. On appelle cet effet le théorème de Bernoulli. Il est appliqué dans plusieurs domaines d'ingénierie et de technologie comme dans la conception des ailes d'avions pour améliorer leur portance quand elles se déplacent dans l'air.

L'écoulement est perturbé par la courbe du tuyau

Tourbillons dans le coin

Écoulement plus rapide vers le centre

Écoulement plus lent près des parois

Une courbe du tuyau fait changer la direction de l'eau

Écoulement laminaire rétabli

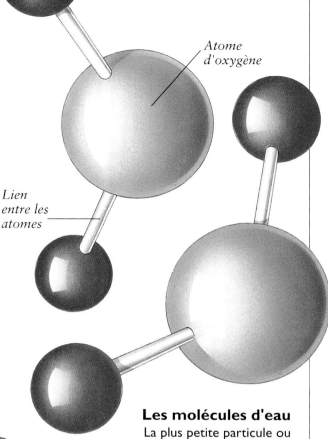

Atome d'oxygène

De l'eau pour la vie

Une oasis est une petite présence d'eau dans un endroit sec, comme un désert. L'eau peut se trouver en surface, sous forme d'étang ou de lac, ou en profondeur où peuvent l'atteindre les racines des plantes ou les puits créés par les hommes. La vie peut exister dans l'oasis et juste autour, mais pas dans le désert plus loin.

Lien entre les atomes

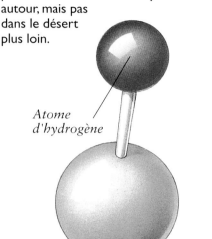

Atome d'hydrogène

CIRRUS (CRISTAUX DE GLACE)

CUMULO-NIMBUS
(PENDANT UN ORAGE)

Les molécules d'eau

La plus petite particule ou molécule d'eau est constituée de deux atomes d'hydrogène (H) et d'un atome d'oxygène (O), combinés ensemble pour former de l'H_2O. La molécule a une forme particulière que l'on appelle un dipôle. Les deux liens entre les atomes sont à un angle de 105° l'un de l'autre.

De l'eau dans le ciel

Les nuages sont en fait des milliards de gouttelettes d'eau ou de cristaux de glace. Ils sont si légers qu'ils flottent dans l'air.

Flotter et couler

Un objet flotte parce que son poids est inférieur à celui de l'eau qu'il écarte, ou déplace. Un immense vaisseau peut être fait de métal très lourd, mais il contient aussi beaucoup d'air. Dans l'ensemble, il pèse donc moins qu'une masse d'eau du même volume et il peut flotter. Un sous-marin peut changer son poids en absorbant de l'eau pour se rendre plus lourd et pouvoir ainsi plonger. Pour remonter à la surface, il expulse l'eau à l'aide d'air comprimé dans des réservoirs. Cela l'allège et il se remet à flotter.

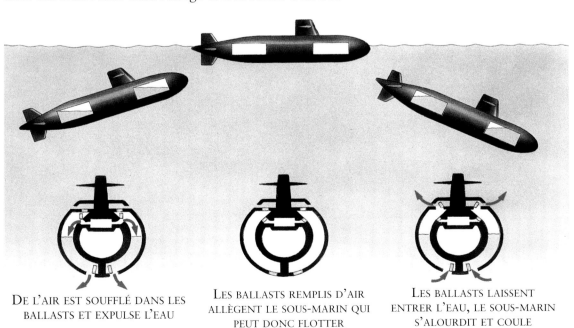

DE L'AIR EST SOUFFLÉ DANS LES BALLASTS ET EXPULSE L'EAU

LES BALLASTS REMPLIS D'AIR ALLÈGENT LE SOUS-MARIN QUI PEUT DONC FLOTTER

LES BALLASTS LAISSENT ENTRER L'EAU, LE SOUS-MARIN S'ALOURDIT ET COULE

L'énergie fournie par l'eau

Les substances et objets mouvants ont l'énergie du déplacement, l'énergie cinétique. De l'eau qui dévale une colline est donc attirée par la gravité, ce qui lui donne de l'énergie cinétique. Celle-ci peut-être exploitée et transformée en électricité dans une centrale hydroélectrique. L'énergie d'une eau qui coule de façon verticale, comme une chute d'eau, érode la roche qui se trouve dessous.

Les solutions

SI ON MÉLANGE DES GRAINS DE SUCRE dans un verre d'eau claire et propre, ils tourbillonnent pendant un instant, puis ils semblent s'évanouir. À la fin, ils disparaissent pour de bon. Mais si on sirote l'eau, on sentira toujours le sucre. Il n'a pas disparu - il s'est dissous. Ses cristaux sont devenus plus petits, puis sont progressivement retournés à leur état de molécules et d'atomes. Ceux-ci sont trop petits pour être vus à l'oeil nu, mais ils sont toutefois toujours présents et flottent parmi les molécules d'eau. La substance qui se dissout - dans le cas présent, le sucre - s'appelle le soluté. La substance dans laquelle le soluté se dissout - ici, c'est l'eau - s'appelle le solvant. Les deux pris ensemble, le soluté dans le solvant, constituent une solution. Dans la vie de tous les jours, l'eau constitue le solvant le plus commun.

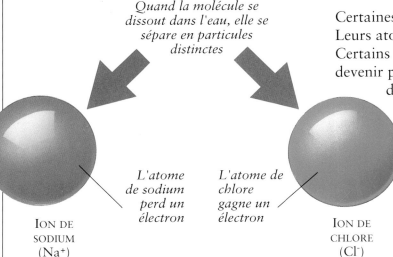

SODIUM (Na)   CHLORE (Cl)

Une molécule de deux atomes combinés, comme la molécule de sel ordinaire, le chlorure de sodium (NaCl)

Quand la molécule se dissout dans l'eau, elle se sépare en particules distinctes

L'atome de sodium perd un électron

L'atome de chlore gagne un électron

ION DE SODIUM (Na+)

ION DE CHLORE (Cl-)

Plus c'est chaud, mieux c'est

Plus un liquide est chaud, plus il peut dissoudre de soluté. Vous pouvez donc dissoudre plus de sucre dans une boisson chaude que dans une boisson froide. Dans la boisson froide, le sucre non dissous se dépose au fond.

Des atomes aux ions

Certaines substances changent légèrement quand elles se dissolvent. Leurs atomes ne restent plus neutres, c'est-à-dire ni positifs, ni négatifs. Certains atomes perdent leurs électrons, qui sont négatifs, ce qui les fait devenir positifs. D'autres atomes gagnent des électrons, ce qui les fait devenir négatifs. On n'appelle plus ces particules des atomes mais des ions. Les ions positifs sont des cations et les ions négatifs des anions. La formation d'ions est très importante pour toutes sortes de transformations et de réactions chimiques, et aussi pour produire de l'électricité, comme on le verra plus loin.

Une dissolution dangereuse

Il existe des centaines de solvants différents. Certains, comme l'eau, sont inoffensifs. Mais les puissants solvants chimiques utilisés en industrie ne le sont pas. Ils arrivent à dissoudre de nombreuses substances, y compris la peau et la chair humaines !

Dissous dans la mer

L'eau fraîche et propre qui sort de nos robinets contient très peu de substances dissoutes, à part celles qui sont ajoutées pour tuer les germes et rendre l'eau potable. Mais si on goûte un tout petit peu d'eau de mer, on se rend bien compte qu'elle contient du sel dissous. C'est le même type de sel que le sel ordinaire, ou sel de table, le chlorure de sodium. L'eau de mer contient aussi plusieurs autres substances dissoutes comme le calcium, le sulfate et la carbonate.

VOIR AUSSI : LES MOLÉCULES PAGE 22, L'EAU PAGE 32, L'ÉLECTRICITÉ D'ORIGINE CHIMIQUE PAGE

*Molécules
d'huile
regroupées en
petites
formations*

*Stalactite
tombant
du
plafond*

*Molécule
d'huile*

*Le détergent
réduit les
formations*

*Goutte d'eau
pleine de
minéraux
dissous*

*Stalagmite
montant
du sol*

La dissolution de l'huile

Normalement, l'huile ne se dissout pas et ne se mélange pas dans l'eau. Les molécules d'huiles restent groupées en gouttes et flottent à la surface de l'eau. Mais un détergent peut modifier les caractéristiques de l'eau et en faire un solvant plus puissant. Il peut morceler les gouttes d'huile en plus petits groupes ; c'est ce qu'on appelle disperser l'huile. Nous utilisons différents types de détergents pour laver nos habits, nos casseroles et nos marmites, nos ustensiles de cuisine et aussi (sous forme de savons, de mousses et de gels) nos propres corps. Des détergents puissants arrivent à disperser les marées noires polluantes.

Les limites de la dissolution

Seule une certaine quantité de soluté peut se dissoudre dans du solvant. Une solution qui est pleine de soluté est une solution saturée. Le seuil de saturation change selon la température. Un liquide chaud peut dissoudre plus de soluté qu'un liquide froid. Quand une solution chaude saturée se refroidit, une partie du soluté se détache de la solution et redevient solide.

Lorsque le soluté s'échappe de la solution

Quand l'eau de pluie imprègne le sol et s'infiltre à travers les minuscules failles de la roche, elle dissout une partie des minéraux naturels contenus dans le sol et la roche. Elle devient donc une solution minérale. Parfois, cette solution ruisselle lentement du plafond d'une grotte et tombe à terre. Chaque goutte laisse ses minéraux derrière elle. En l'espace de milliers d'années, les minéraux s'accumulent pour créer des formes rocheuses semblables à des glaçons pointus - ce sont les stalactites et les stalagmites.

Du soluté de couleur

Certaines peintures sont des solutions. Le soluté est la substance colorée, le pigment. Quand la peinture sèche, le solvant se transforme en gaz ou en vapeur et s'évapore. Les particules de pigment restent et forment la couche de peinture colorée.

Les métamorphoses chimiques

LES ATOMES NE SONT PAS FIGÉS indéfiniment dans leurs molécules. Les molécules peuvent se séparer et leurs atomes s'assembler à nouveau selon différentes combinaisons. On appelle cela une métamorphose ou transformation chimique. Les atomes des molécules d'une ou plusieurs substances brisent les liens qui les rattachent entre eux. Ils "brassent leurs partenaires" et renouent des liens avec d'autres atomes différents. Il en résulte une ou plusieurs nouvelles substances, avec différentes caractéristiques et propriétés par rapport aux substances de départ. Les métamorphoses chimiques ont besoin d'énergie, comme la chaleur, la lumière ou l'électricité pour se produire.

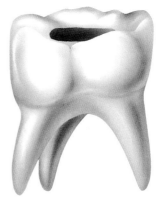

Le plombage des dents
Le mercure d'argent métal est normalement un liquide. Mais le mercure combiné avec d'autres métaux forme un amalgame qui durcit au repos et qu'on utilise pour le plombage des dents.

Un changement de couleur

En chimie, un indicateur est une substance qui change de couleur en fonction des conditions chimiques. Un bon exemple est le tournesol, que l'on utilise pour découvrir si une substance est acide ou alcaline (ces termes sont expliqués dans les pages suivantes). Les molécules de tournesol subissent des transformations chimiques quand elles sont exposées à de l'acide ou de l'alcali. Les nouvelles molécules ont une couleur différente, ce qui rend le changement visible.

Bande de papier contenant de la teinte de tournesol

SUBSTANCE NEUTRE (NI ACIDE, NI ALCALINE) - LE TOURNESOL N'EST PAS AFFECTÉ

La bande de papier est rendue rouge par l'acide

SUBSTANCE ACIDE - LE TOURNESOL DEVIENT ROUGE

La bande de papier devient bleue

SUBSTANCE ALCALINE - LE TOURNESOL DEVIENT BLEU

Des transformations ardentes
Une métamorphose chimique familière est la combustion, ou le fait de brûler. Quand une substance prend feu, les atomes de ses molécules se détachent les uns des autres. Certains s'assemblent avec l'oxygène de l'air. Par exemple, quand du bois ou du charbon brûle, les atomes de carbone contenus dans le bois ou le charbon se séparent de leurs molécules pour s'associer à l'oxygène. Ils produisent alors une nouvelle substance appelée dioxyde de carbone ou CO_2. Une façon de stopper une combustion est d'empêcher l'oxygène - contenu le plus souvent dans l'air - d'atteindre le feu. On peut pour cela utiliser une couverture d'incendie ou de la mousse carbonique. La transformation chimique qui consiste à s'associer à l'oxygène s'arrête et le feu s'éteint.

VOIR AUSSI : LES MOLÉCULES PAGE 22, LES ACIDES ET LES BASES PAGE 38, LES COULEURS PAGE 124

Les briques de construction chimiques

Dans un jeu de construction, chaque brique ou autre forme représente une unité simple. De la même façon, les atomes sont des unités simples. Tout comme les briques s'assemblent, les atomes s'associent les uns aux autres. De nombreuses petites briques doivent être assemblées pour construire un objet particulier, comme un avion. De même, différents atomes s'associent pour former les molécules d'une substance. On peut séparer les briques, puis les assembler à nouveau selon un plan différent pour construire un autre objet, comme une maison. Les atomes des molécules d'une substance peuvent aussi être séparés, puis ré-assemblés pour constituer les molécules d'une nouvelle substance, avec différentes propriétés et caractéristiques chimiques. On appelle cela une métamorphose chimique.

UN AVION FAIT DE BRIQUES

UNE MAISON FAITE DES MÊMES BRIQUES

GRANDES DÉCOUVERTES

Henry Cavendish (1731 - 1810) était maladivement timide, travaillait tout seul et avait une immense fortune qu'il ne dépensait que très rarement. Mais il fit d'importantes découvertes scientifiques. Il produisit de l'eau en faisant exploser ensemble des gaz d'oxygène et d'hydrogène. Ceci provoqua une métamorphose chimique en associant un atome d'oxygène et deux atomes d'hydrogène. Il démontra que l'eau était en fait un composé chimique, H_2O, et pas un élément comme d'autres le croyaient.

Une métamorphose très collante

Un adhésif ou une colle sert à coller des choses les unes aux autres. Quand la colle sort du tube, elle est souvent liquide. Dans un type d'adhésif, quand le liquide "sèche", il ne passe pas simplement de l'état liquide à l'état solide. Ses molécules subissent une métamorphose chimique. Leurs atomes se séparent les uns des autres, se fixent aux atomes et aux molécules des objets que l'on cherche à coller, puis se solidifient. Avec un autre type d'adhésif, la résine d'un tube est mélangée au solidifiant d'un autre tube. Les deux s'infiltrent dans les surfaces à coller, puis se combinent ou réagissent l'un à l'autre pour maintenir les surfaces collées.

L'adhésif liquide se solidifie

Rien que des métamorphoses

Un objet hi-tech comme une voiture de course de Formule 1 est le résultat de milliers de transformations chimiques. Les métaux utilisés dans les pièces du moteur ont à un moment ou à un autre été combinés avec d'autres minéraux dans les roches. Ils ont été extraits et purifiés, puis combinés avec d'autres métaux pour former des alliages avec des propriétés particulières telles que la légèreté et la résistance. Le caoutchouc des pneus est extrait d'arbres à gomme, puis chauffé et combiné chimiquement avec d'autres substances au cours du procédé de vulcanisation. Cela le rend plus dur, plus élastique et plus résistant à l'usure. Les pièces en plastique sont obtenues en transformant chimiquement les ingrédients bruts du pétrole.

Les acides et les bases

IL EXISTE DEUX TYPES DE PRODUITS CHIMIQUES PARTICULIERS que l'on appelle des acides et des bases. Un acide est une substance qui se dissout (normalement dans de l'eau) pour former des ions d'hydrogène. Cela signifie que quand l'acide se dissout, chaque atome d'hydrogène se sépare du reste de ses molécules d'acide et flotte librement dans la solution. Il perd aussi son électron unique et devient une particule positive que l'on appelle un ion d'hydrogène, qui s'écrit H^+. Ces ions d'hydrogène sont disponibles pour participer à des métamorphoses ou des réactions chimiques. Les acides puissants sont corrosifs. Ils dissolvent ou rongent chimiquement d'autres substances. Une base est "l'opposé" d'un acide. Il peut prendre de nouveaux ions d'hydrogène. Les bases fortes et les alcalis ont une consistance visqueuse et, comme les acides, sont chimiquement corrosifs. Un alcali est une base qui peut se dissoudre dans de l'eau.

Les mécanismes chimiques de la digestion

Les acides et les alcalis ne se trouvent pas que dans les laboratoires chimiques et les usines. Ils sont courants dans la vie de tous les jours et on les trouve même dans le corps humain. La surface interne de l'estomac fabrique un suc digestif qui contient un acide très puissant, l'acide chlorhydrique (HCl). Celui-ci attaque chimiquement les aliments avalés, les décompose et les dissout pour en extraire les éléments nutritifs. Un autre organe digestif, le pancréas, produit de puissants alcalis. Au moment où les aliments acidifiés quittent l'estomac pour passer dans l'intestin, les sucs alcalins du pancréas s'y ajoutent. Les acides et les alcalis se combinent et s'annulent. Cela empêche les dégâts qui pourraient être causés par ces puissants produits chimiques naturels.

GRANDES DÉCOUVERTES

Après avoir grandi dans une ferme, Humphry Davy (1778 - 1829) étudia les médicaments avant de se lancer à plein temps dans la physique et la chimie. Il étudia plusieurs acides et bases, en les mélangeant pour observer les résultats, que l'on appelle les sels. Il instaura aussi une science appelée électrochimie, qui consiste à faire passer de l'électricité dans des substances pour les diviser. En 1815, Davy inventa la lampe de sécurité utilisée dans les mines. Cette lampe avait la propriété de brûler pour éclairer les mines de charbon, sans risquer de faire exploser le gaz, appelé le grisou, qui existe dans les mines.

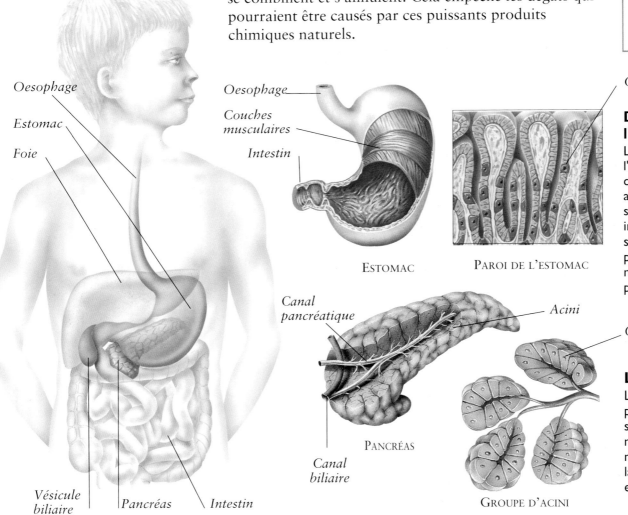

Oesophage
Estomac
Foie

Oesophage
Couches musculaires
Intestin

ESTOMAC

PAROI DE L'ESTOMAC

Cellule pariétale

De l'acide dans l'estomac

L'acide chlorhydrique de l'estomac est produit dans les cellules microscopiques appelées cellules pariétales, qui se trouvent dans la paroi interne de l'estomac. L'estomac se protège des attaques de ses propres acides par une épaisse muqueuse qui recouvre cette paroi.

Canal pancréatique
Acini

Cellule acineuse

PANCRÉAS

Canal biliaire

GROUPE D'ACINI

L'alcali du pancréas

Le pancréas fabrique ses puissants bicarbonates et autres sucs digestifs alcalins dans des milliers d'amas de cellules microscopiques. Chaque amas a la forme d'une grappe de raisins et s'appelle un acinus.

Vésicule biliaire
Pancréas
Intestin

VOIR AUSSI : LES ATOMES PAGE 14, LES SOLUTIONS PAGE 34, L'ÉLECTRICITÉ D'ORIGINE CHIMIQUE PAGE 84

LE CITRON CONTIENT DE L'ACIDE CITRIQUE $C_6H_8O_7$

LE BICARBONATE CONTIENT DU BICARBONATE DE SODIUM $NaHCO_3$

Les acides et les bases naturels

Les acides et les bases existent à l'état naturel. Le jet douloureux que la fourmi envoie de sa partie postérieure contient de l'acide formique. La fourmi mord l'intrus avec ses fortes mâchoires en forme de pinces, puis envoie un petit jet dans la morsure pour provoquer une douleur. Les alcaloïdes sont des bases naturelles que l'on trouve dans certaines plantes, surtout dans leur sève, leurs feuilles ou leurs graines. Un grand nombre d'entre eux ont des effets considérables sur le corps humain. Certains alcaloïdes sont des poisons très dangereux, même en quantité infime. D'autres peuvent être bénéfiques. Les alcaloïdes opiacés que l'on extrait de certains types de pavots ont la particularité de pouvoir soulager la douleur. Leur étude a aidé les chercheurs en médecine à mettre au point certains types d'analgésiques. L'acide acétique, dont le vrai nom est acide éthanoïque, correspond à la formule chimique CH_3COOH. Mélangé à de l'eau, à raison d'une unité d'acide pour 20 unités d'eau, il donne le vinaigre. À l'état naturel, il est créé pendant le processus de fermentation, par exemple quand les fruits se mettent à pourrir.

Le jet douloureux d'une fourmi contient de l'acide formique

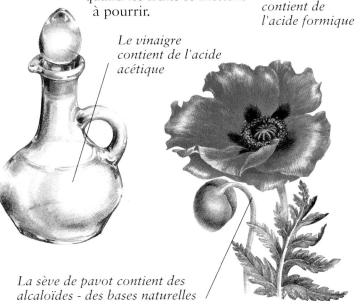

Le vinaigre contient de l'acide acétique

La sève de pavot contient des alcaloïdes - des bases naturelles

Les produits chimiques culinaires

Certaines formes de préparation et d'assaisonnement sont basées sur des réactions chimiques entre des acides ou des bases. Le jus de citron contient de l'acide citrique, qui donne le goût acide et âpre. Le citron, le citron vert, le pamplemousse et l'orange sont des agrumes et ils contiennent plein d'acide citrique. Le "bicarbonate" utilisé en pâtisserie est une base, le bicarbonate de sodium ou bicarbonate de soude. On le mélange avec de l'acide comme le vinaigre (acide acétique) ou de la crème de tartre (acide tartrique) pour former du sel - et aussi un gaz, le dioxyde de carbone. Ce gaz a la forme de minuscules bulles qui font "gonfler" le gâteau dans le four et lui donnent sa texture moelleuse.

De l'énergie pour le démarrage

La plupart des véhicules, même les énormes camions, dépendent de l'énergie électrique pour faire démarrer leur moteur. Cette électricité est produite par une batterie électrique que l'on appelle un accumulateur au plomb, illustré ci-dessous. C'est de l'acide sulfurique qui est contenu dans cette batterie ; sa formule chimique est H_2SO_4. C'est un acide très puissant. La moindre goutte peut causer des brûlures si la peau n'est pas protégée, entraînant douleur et cicatrices.

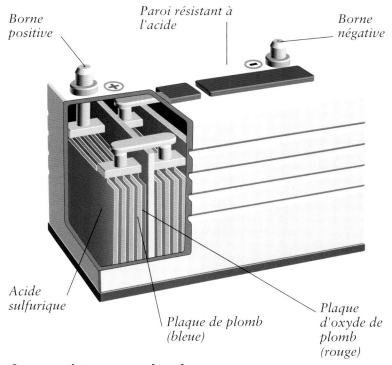

Borne positive

Paroi résistant à l'acide

Borne négative

Acide sulfurique

Plaque de plomb (bleue)

Plaque d'oxyde de plomb (rouge)

Accumulateur au plomb

Cette batterie de voiture comporte des plaques de plomb et d'oxyde de plomb qui trempent dans de l'acide sulfurique concentrée. Chaque paire de plaques constitue une cellule secondaire. Les réactions chimiques entre les plaques et l'acide font circuler l'électricité quand la batterie est reliée à un circuit.

Les métaux

ON CONNAÎT environ 112 éléments chimiques. Plus des trois quarts
d'entre eux sont des métaux. Un métal typique est dur, brillant,
résistant et il conduit, ou transporte, bien l'électricité et la chaleur. Il
existe des milliers d'utilisations des métaux dans la vie de tous les jours. Ceux-ci
sont souvent mélangés ou combinés avec d'autres métaux ou substances pour
produire des alliages. Presque n'importe qu'elle machine ou appareil contient au
moins un métal. Le métal le plus courant est le fer, mais pas à l'état pur. Il est
combiné avec de petites quantités de carbone non-
métallique, pour former un groupe d'alliages que
l'on appelle les aciers. La fabrication d'alliages est
extrêmement importante dans l'industrie. Les
alliages sont souvent plus durs et plus résistants que
le métal pur dont ils sont issus. La
science des métaux s'appelle la
métallurgie.

Le métal le plus précieux ?
L'or est bien connu comme
étant un symbole de richesse.
Mais des métaux plus rares
comme le platine et le palladium
valent plus cher dans l'ingénierie
spécialisée et pour les
utilisations électroniques.

Fort comme l'acier

Les industries dans le monde entier utilisent des millions de tonnes d'acier chaque année.
Les plaques d'acier forment les surfaces planes des machines à laver, des voitures, des trains
et des bateaux. L'acier inoxydable, utilisé pour faire les ustensiles de cuisine, est un alliage
contenant au moins un dixième d'un métal brillant extrêmement dur que l'on appelle le
chrome. Les aciers contenant du titane se retrouvent dans les avions à grande vitesse
auxquels ils procurent un revêtement léger
mais résistant. Les poutres d'acier
procurent une structure robuste aux
gratte-ciel, aux ponts et autres
grandes constructions
semblables. Parmi les
autres éléments que
l'on mélange au fer
pour obtenir des
aciers, on compte le
manganèse, le
phosphore, le silicium
et le soufre.

Fonte provenant du four

Le four a une paroi réfractaire (qui résiste à la chaleur)

Le four est basculé

Le fer purifié est mélangé aux ingrédients de l'alliage

Four à oxygène

Acier liquide

Poche de coulée

La fabrication de l'acier
Le fer est extrait de roches ferreuses, ou minerais de fer, que l'on jette
dans un four. Il en résulte de la fonte qui contient diverses impuretés.
On se débarrasse de celles-ci en soufflant de l'oxygène à travers la fonte,
une méthode que l'on appelle le procédé basique à l'oxygène. L'acier est
si chaud qu'il est en état de fusion, c'est-à-dire sous sa forme liquide.

L'acier en fusion est mis en lingots dans des moules et laissé à refroidir

VOIR AUSSI : LES ÉLÉMENTS PAGE 18, LA LISTE DES ÉLÉMENTS PAGE 20, LES SOLIDES PAGE 26

*L'aluminium
blanc argenté
ne rouille pas*

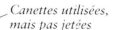

L'aluminium

L'aluminium est le métal le plus
répandu sur Terre (et le troisième élément
chimique par son abondance). De par son poids,
il compte pour un douzième de la croûte terrestre.
L'aluminium pur est très léger, mais n'est pas particulièrement
résistant. Cependant, combiné avec d'autres éléments comme le
cuivre, le magnésium ou le silicium, il produit des alliages très robustes.
Un autre avantage est qu'il ne rouille pas, contrairement à l'acier. On utilise
l'aluminium dans la fabrication des avions, des bateaux, des ustensiles de
cuisine tels que les casseroles, des canettes de boisson, du papier
aluminium de cuisine et des barquettes de plats à emporter.

*Canettes décorées
et remplies*

*De nouvelles
canettes sont
formées à partir
des minces feuilles*

*Canettes utilisées,
mais pas jetées*

*Canettes
ramassées et
écrasées
partiellement
pour
économiser de
l'espace*

Le recyclage des métaux

La plupart des métaux sont déjà
combinés avec des minéraux ou autres
substances ; ils sont disséminés dans des
roches que l'on appelle des minerais.
Cela prend beaucoup de temps et
d'énergie pour creuser et exploiter les
minerais, puis en extraire les métaux
et les purifier. Le recyclage aide à
résoudre ces problèmes. L'aluminium
recyclé n'utilise par exemple qu'un
vingtième de l'énergie nécessaire à la
production d'aluminium à partir de son
minerai. De nombreux autres métaux
peuvent être recyclés, y compris les fers,
l'acier et même l'argent et l'or utilisés
dans les circuits électriques - et dans les
fausses dents !

D'une boîte à l'autre

Il ne faut pas plus d'un mois à
une canette de boisson pour
passer par les différentes
étapes du recyclage de
l'aluminium jusqu'à devenir une
canette toute neuve.

*L'aluminium liquide est
refroidi et passé dans une
presse pour produire de
minces feuilles*

*Des milliers de
canettes
comprimées en
une grande balle*

*Les balles sont fondues
pour produire de
l'aluminium liquide*

Des mines affreuses

L'exploitation des métaux de roches de surface, que l'on appelle
l'extraction à ciel ouvert, peut être très laide et défigurer le paysage
pendant des centaines d'années.

Les métaux dans l'histoire

▶ L'un des tout premiers alliages fut le bronze, un mélange de
cuivre et d'étain. Ce fut la première substance largement utilisée
pour les outils après les roches et les pierres.

▶ Le laiton est un autre alliage très commun ; il est composé de
cuivre et de zinc.

▶ Le métal sans doute le plus connu est l'or. Il est depuis très
longtemps considéré comme ayant une grande valeur. Il garde en
effet sa brillance et sa clarté tout en permettant d'être travaillé
facilement.

▶ L'argent est un autre métal que l'on considère depuis longtemps
comme précieux. C'est le meilleur conducteur d'électricité
parmi tous les métaux. L'argent sert aussi en bijouterie, dans les
pellicules d'appareils photo et pour les pièces de monnaie.

Les composites

LA SCIENCE DES MATÉRIAUX est un domaine scientifique en rapide expansion, particulièrement dans la construction mécanique. Les techniques utilisées consistent à prendre divers ingrédients et matières premières et à les faire se mélanger, se combiner, ou réagir les uns par rapport aux autres de diverses façons pour produire un nouveau matériau ayant des propriétés particulières. Chaque ingrédient a des particularités utiles, et celles-ci s'ajoutent pour produire le matériau final. Un tel exemple est le plastique armé de fibre de verre. On l'obtient en ajoutant de minuscules fibres de verre à un certain type de plastique. Le plastique donne la masse et la souplesse d'ensemble, alors que les fibres de verre apportent plus de solidité, de rigidité et de résistance à la détérioration. Le plastique armé de fibre de verre est utilisé dans la construction des coques de bateaux et pour les pièces à la fois légères et résistantes des véhicules, des avions et de certains matériels de bureau et d'usine.

Cadre en composite

Cordes à base de nylon

Manche en composite

Des tests et encore des tests

Créer un nouveau composite demande de longues périodes d'essais et de tests. Le composite de fibre de carbone utilisé pour le turboréacteur à double flux situé à l'avant d'un moteur à réaction est soumis à des contraintes extraordinaires. Il doit subir des essais durant plusieurs centaines d'heures et même au-delà, jusqu'à sa destruction. Cela permet de s'assurer qu'il est assez résistant pour éviter une panne qui aurait des effets catastrophiques.

Des battes et des raquettes

Le cadre en composite d'une raquette de dernier cri est très léger. Mais il arrive aussi à se plier pour absorber l'énergie de la balle qui l'atteint. Puis il se détend comme un élastique pour repasser cette énergie à la balle et la renvoyer à une vitesse maximale. Les cordes sont réalisées en un autre matériau artificiel, par exemple une forme spécialisée du nylon.

Des voiles et des coques

La coque d'un voilier de course est généralement faite de plastique armé de fibre de verre. En modifiant la position des fibres de verre, on obtient un gain de force et de rigidité dans une certaine direction, avec un gain de souplesse dans d'autres directions. Les voiles sont aussi faites d'un composite, qui est assez souple pour prendre le vent sans se déchirer.

Des tuiles faites pour l'espace

Les tuiles du dessous des navettes spatiales sont faites de composites de céramique résistant à la chaleur. Quand la navette revient dans l'atmosphère de la Terre, le frottement avec l'air qui s'épaissit crée une très forte chaleur. Ces tuiles empêchent la chaleur de pénétrer à l'intérieur de la navette. On les vérifie et on les renouvelle éventuellement après chaque mission.

VOIR AUSSI : LES ÉLÉMENTS PAGE 18, LES CRISTAUX PAGE 30, LES MÉTAUX PAGE 40

Ingrédient un : les fibres

On les appelle souvent des "barbes". Les courtes fibres apportent de la souplesse. Elles peuvent plier sans se casser. On utilise souvent du carbone ou du silicium pour de telles fibres. L'énorme soufflante située à l'avant d'un turboréacteur est faite de fibres de carbone.

Ingrédient deux : la céramique

Un matériau de céramique typique est souvent composé de substances naturelles telles que l'argile, le sable, ou d'autres minéraux tirés de roches pulvérisées. On "cuit" ensuite la céramique au four ou au fourneau pour la durcir et la rendre résistante aux hautes températures, mais aussi faire en sorte qu'elle puisse se fissurer.

Ingrédient trois : le métal

Les métaux sont généralement durs et résistants, capables de supporter l'usure du temps. Ils conduisent également bien la chaleur et sont capables de disperser ou de répartir la chaleur à partir d'un point chaud. Ils se déforment aussi ou changent légèrement de forme quand la pression est forte, au lieu de se fissurer. On voit bien au microscope qu'un métal est composé de minuscules grains et de cristaux.

La fabrication d'un composite

La plupart des composites sont basés sur une matrice. Il s'agit là de la substance qui donne la consistance générale et à laquelle sont associés les divers fibres, grains, cristaux et autres ingrédients. Pour des températures normales, on utilise souvent comme matrice un type de plastique. Une matrice de métal ou de céramique peut supporter des températures plus élevées. La fabrication du composite requiert différentes méthodes telles que le mélange, le chauffage, le refroidissement, la compression à haute température, l'injection d'un courant électrique dans la substance, l'exposition à de puissants rayons ou sons et le traitement avec divers produits chimiques tels que les acides, les alcalis, ou les solvants.

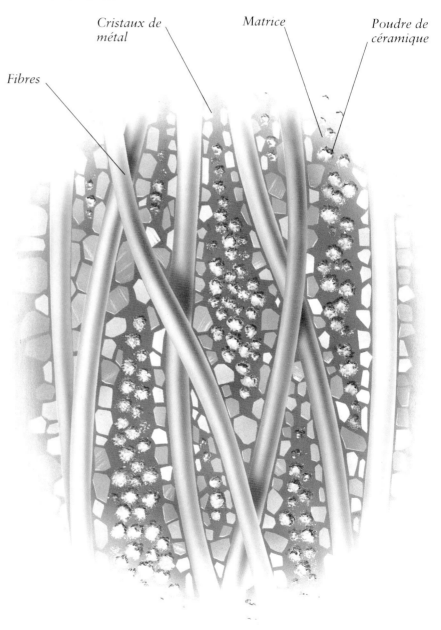

Cristaux de métal

Matrice

Poudre de céramique

Fibres

Le résultat : un nouveau composite

Les fibres, grains de poudre de céramique et cristaux de métal ont été mélangés ou combinés pour constituer un nouveau composite. Si les ingrédients sont appliqués de façon correcte et dans les bonnes proportions, le composite aura toutes les caractéristiques souhaitées. Il sera dur et résistant, mais il sera aussi souple et capable de tolérer des pressions et des contraintes considérables ainsi que des chaleurs intenses.

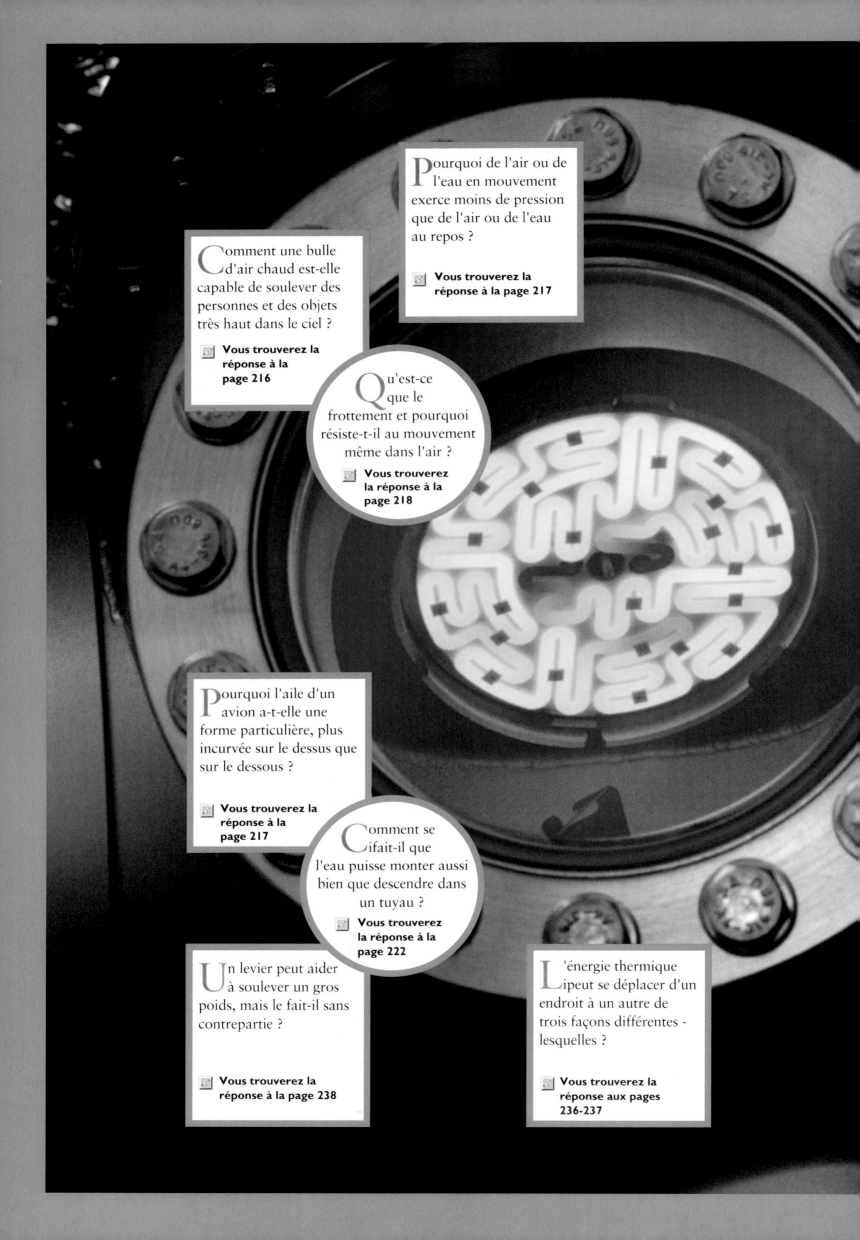

Pourquoi de l'air ou de l'eau en mouvement exerce moins de pression que de l'air ou de l'eau au repos ?

Vous trouverez la réponse à la page 217

Comment une bulle d'air chaud est-elle capable de soulever des personnes et des objets très haut dans le ciel ?

Vous trouverez la réponse à la page 216

Qu'est-ce que le frottement et pourquoi résiste-t-il au mouvement même dans l'air ?

Vous trouverez la réponse à la page 218

Pourquoi l'aile d'un avion a-t-elle une forme particulière, plus incurvée sur le dessus que sur le dessous ?

Vous trouverez la réponse à la page 217

Comment se fait-il que l'eau puisse monter aussi bien que descendre dans un tuyau ?

Vous trouverez la réponse à la page 222

Un levier peut aider à soulever un gros poids, mais le fait-il sans contrepartie ?

Vous trouverez la réponse à la page 238

L'énergie thermique peut se déplacer d'un endroit à un autre de trois façons différentes - lesquelles ?

Vous trouverez la réponse aux pages 236-237

C H A P I T R E

L'énergie, le mouvement et les machines

L'ÉNERGIE EST L'APTITUDE à provoquer quelque chose et à causer un changement. Elle existe sous diverses formes, telles que le son, la lumière, l'électricité et les produits chimiques. Les objets en mouvement possèdent aussi une certaine forme d'énergie : l'énergie cinétique. En utilisant l'énergie et les principes de la mécanique, ainsi que le mouvement, nous pouvons combiner des machines simples, telles que des leviers et des roues, pour en construire de très complexes.

À propos de l'énergie

ON NE PEUT PAS VOIR L'ÉNERGIE. On ne peut pas la toucher ni la tenir dans la main. Mais l'énergie est partout. L'énergie est l'aptitude à faire quelque chose, à provoquer les choses et les changements. Il y a différents types, ou formes, d'énergie. Une boisson chaude a de l'énergie thermique. Durant un orage, un éclair contient de l'énergie lumineuse et électrique. Le rugissement d'un lion est de l'énergie sonore. Une voiture de course qui roule à toute vitesse sur un circuit a l'énergie du mouvement, que l'on appelle l'énergie cinétique. Même un livre posé à plat sur une étagère a de l'énergie. À cause de sa position et de la force de gravité, il pèse sur l'étagère. On appelle ce type d'énergie de l'énergie potentielle.

Des représentations visuelles de l'énergie

Il existe des machines appelées scanners qui nous donnent des images de l'intérieur du corps. Elles envoient des ondes d'énergie invisibles dans le corps et mesurent comment ces ondes changent quand elles traversent, ou rebondissent sur les différentes parties du corps. Un ordinateur analyse ensuite la force et la direction des ondes modifiées et construit une image. L'image du cerveau que vous voyez à droite a été obtenue en utilisant un scanner de type IRM ou scanner à imagerie par résonance magnétique.

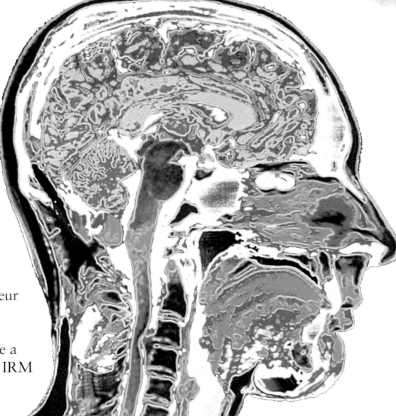

L'énergie radio

Les émissions de radio et de télévision sont captées par des antennes, qui récupèrent les ondes d'énergie invisibles envoyées par des émetteurs. Les ondes sont constituées d'énergie électrique et magnétique ; on les appelle donc des ondes électro-magnétiques. Certains émetteurs sont installés sur de hautes tours pour que les ondes radio qu'ils envoient couvrent de très longues distances.

LES FORMES D'ÉNERGIE

- ▶ L'énergie chimique contenue dans les atomes et les molécules.
- ▶ L'énergie cinétique des objets en mouvement.
- ▶ L'énergie potentielle dans la position d'un objet.
- ▶ L'énergie sonore, quand des atomes ou des objets vibrent.
- ▶ L'énergie nucléaire, quand des atomes s'associent ou se divisent.
- ▶ L'énergie électrique provenant d'électrons en mouvement.
- ▶ L'énergie magnétique due à l'attraction magnétique.
- ▶ L'énergie électro-magnétique, sous forme de rayons ou d'ondes. On compte parmi ceux-ci les ondes radio, les micro-ondes, la chaleur, la lumière, les rayons X et les rayons gamma.

VOIR AUSSI : LES AIMANTS PAGE 92, LES ONDES RADIO PAGE 136, LE SOLEIL PAGE 188

L'énergie qui nous vient du Soleil

L'énergie que nous recevons du Soleil s'appelle l'énergie solaire. Elle est constituée en majeure partie de lumière et de chaleur qui voyagent à travers l'espace. Ces formes d'énergie sont produites par l'écrasement des atomes les uns contre les autres, ou de leur fusion, au centre du Soleil. On appelle ce processus la fusion nucléaire. L'énergie qui est issue des centres ou noyaux des atomes est de l'énergie nucléaire. Le type d'énergie nucléaire que l'on utilise dans les centrales nucléaires sur notre planète est produit par la fission nucléaire, c'est-à-dire la division des atomes.

De quoi prendre son essor

Un sauteur s'élance très haut en se penchant en avant pour fendre l'air et aller le plus loin possible. Le sauteur accumule l'énergie nécessaire à un tel saut en descendant une colline à une vitesse de plus en plus grande, ce qui lui permet de transformer l'énergie potentielle en énergie cinétique, puis en prenant son essor sur le tremplin.

De l'énergie pour les robots

Les robots qui construisent les voitures ont besoin d'énergie pour mouvoir leurs bras mécaniques. C'est normalement de l'électricité qui fait marcher les moteurs électriques actionnant ces bras. Les mouvements sont commandés avec grande précision par des ordinateurs.

L'énergie du mouvement

Tout ce qui bouge a de l'énergie cinétique. La quantité d'énergie cinétique dépend directement de la vitesse et de la masse de l'objet en mouvement. Un train à grande vitesse contient énormément d'énergie cinétique quand il se déplace.

La conversion de l'énergie

L'ÉNERGIE NE PEUT ÊTRE NI CRÉÉE, ni détruite. Elle ne peut qu'être convertie. Quand quelque chose se déplace ou est altéré de quelque façon que ce soit, l'énergie change de forme. Une balle au sommet d'une pente contient de l'énergie potentielle à cause de sa position. Quand elle se met à dévaler la pente, une partie de son énergie potentielle est convertie en énergie cinétique ou énergie du mouvement. Quand un bout de bois brûle, l'énergie chimique qui est accumulée dans ses molécules se transforme en énergie sous forme de chaleur, de lumière et même de son, puisque le feu crépite. L'énergie tout autour de nous change donc de forme sans arrêt. Un simple événement peut déclencher toute une série de conversions d'énergie.

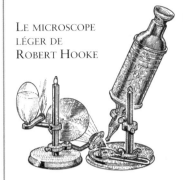

La vapeur

Un train à vapeur utilise en fait de l'énergie solaire. Il y a plusieurs millions d'années, des plantes ont emprisonné la lumière du Soleil, l'ont convertie en énergie chimique, puis sont mortes et se sont transformées en charbon. Le charbon convertit cette énergie en chaleur quand il brûle, ce qui permet de bouillir l'eau pour produire de la vapeur à haute pression qui fait tourner les roues du train.

La production d'électricité

Une centrale d'énergie produit de l'électricité en transformant l'énergie de son carburant en électricité. Une centrale au gaz brûle le gaz, et convertit son énergie chimique en chaleur. En brûlant, le gaz se dilate et essaie d'aller dans toutes les directions à la fois - il contient de l'énergie cinétique. Il arrive donc à faire tourner les pales d'une turbine, ce qui entraîne un générateur qui produit alors de l'électricité. Le gaz chaud transforme aussi l'eau en vapeur, ce qui entraîne une seconde turbine et un autre générateur. Les condenseurs ramènent la vapeur à l'état d'eau pour qu'elle puisse être utilisée à nouveau.

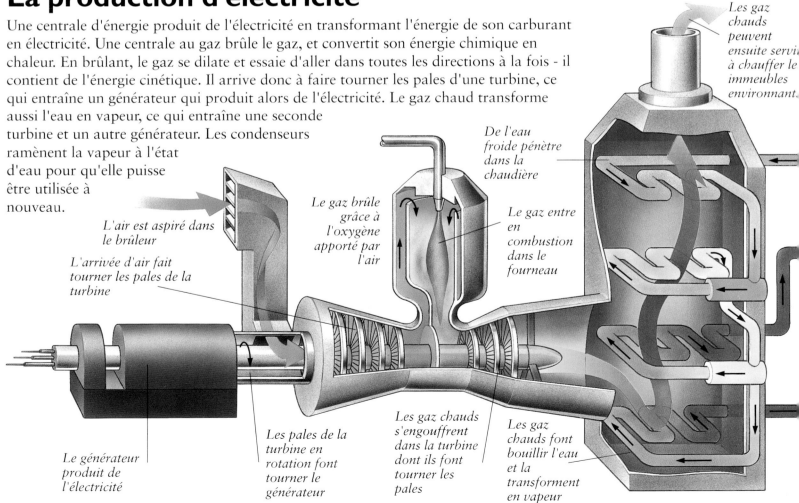

Les gaz chauds peuvent ensuite servir à chauffer les immeubles environnants

De l'eau froide pénètre dans la chaudière

Le gaz brûle grâce à l'oxygène apporté par l'air

Le gaz entre en combustion dans le fourneau

L'air est aspiré dans le brûleur

L'arrivée d'air fait tourner les pales de la turbine

Le générateur produit de l'électricité

Les pales de la turbine en rotation font tourner le générateur

Les gaz chauds s'engouffrent dans la turbine dont ils font tourner les pales

Les gaz chauds font bouillir l'eau et la transforment en vapeur

VOIR AUSSI : LES MOLÉCULES PAGE 22, LES GÉNÉRATEURS PAGE 98, LA LUMIÈRE PAGE 124

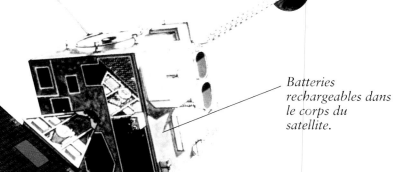

Les panneaux solaires

Un satellite a besoin d'électricité pour faire fonctionner ses instruments, ses appareils photo et son matériel de radio. La plupart des satellites captent leur énergie par le biais de panneaux solaires. Chaque panneau est recouvert de milliers de petites cellules solaires qui transforment directement la lumière du Soleil en électricité. Une partie de l'électricité est conservée sous forme chimique dans des batteries rechargeables.

Batteries rechargeables dans le corps du satellite.

Cellules solaires sur le panneau solaire

De l'énergie pour la vie

Quand on mange une glace, une pomme ou toute autre forme de nourriture, cela déclenche une série de transformations chimiques qui ont pour but de fournir de l'énergie à notre corps. Cette énergie sert à divers processus, tels que la croissance, le fonctionnement des muscles, les battements du coeur, et la production de chaleur pour maintenir notre corps à la bonne température.

De la force musculaire pour pomper

Pour regonfler la roue d'une bicyclette, vous utilisez l'énergie chimique accumulée dans vos muscles qui provient de la nourriture que vous avez absorbée. Une partie de cette énergie chimique est transformée en énergie cinétique quand vos muscles actionnent vos bras, ce qui pousse sur la poignée de la pompe et force l'air dans la chambre à air de la roue.

Poignée

Tube

Valve unidirectionnelle du piston

Valve unidirectionnelle de la chambre à air

LA POMPE SE REMPLIT D'AIR QUAND LA POIGNÉE EST RELEVÉE

L'AIR EST EXPULSÉ DE LA POMPE QUAND LA POIGNÉE EST RABAISSÉE

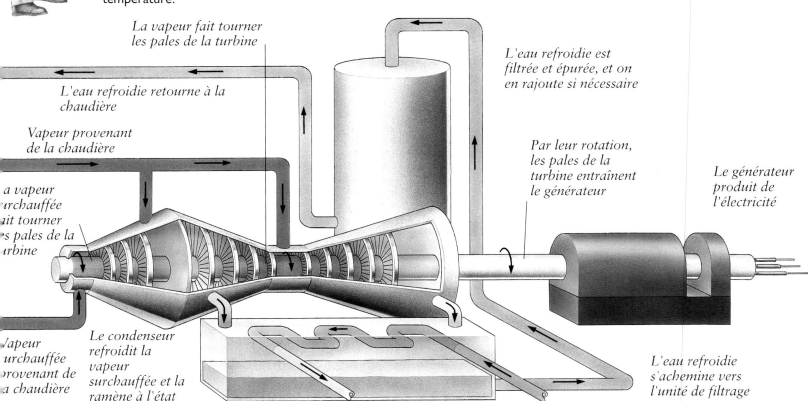

La vapeur fait tourner les pales de la turbine

L'eau refroidie retourne à la chaudière

Vapeur provenant de la chaudière

La vapeur surchauffée fait tourner les pales de la turbine

Vapeur surchauffée provenant de la chaudière

Le condenseur refroidit la vapeur surchauffée et la ramène à l'état d'eau

L'eau refroidie est filtrée et épurée, et on en rajoute si nécessaire

Par leur rotation, les pales de la turbine entraînent le générateur

Le générateur produit de l'électricité

L'eau refroidie s'achemine vers l'unité de filtrage

L'énergie cinétique

TOUT CE QUI SE DÉPLACE AMASSE de l'énergie cinétique. Mais pour qu'un objet immobile se mette en mouvement, il a besoin d'une certaine quantité d'énergie. Plus il est gros et lourd, plus il a besoin d'énergie. Cette résistance au mouvement s'appelle l'inertie. Une fois qu'un objet commence à bouger, il a tendance à continuer dans sa lancée. Cette résistance à l'arrêt s'appelle l'élan ou la force vive. L'inertie et l'élan démontrent tous les deux le même principe : qu'un objet se déplace ou qu'il reste immobile, il a tendance à vouloir continuer à le faire. Les disques ou les roues accumulent de la force vive en tournant sur eux-mêmes, ce qui leur donne une caractéristique particulière : plus ils tournent vite, plus ils sont difficiles à incliner. On appelle cela l'effet gyroscopique, et les roues qui exploitent cette caractéristique s'appellent des gyroscopes.

GRANDES DÉCOUVERTES

Jusqu'à la fin du 19ème siècle, les scientifiques pensaient que les ondes d'énergie se déplaçaient de manière uniforme et continue, comme des vagues sur l'eau. Mais en 1900, Max Planck (1858-1947) avança l'idée que les ondes d'énergie, comme les rayons X et la lumière, seraient faites de minuscules amas d'énergie distincts appelés des quanta. Cela signifie que l'onde d'énergie ressemble plus à une chaîne montante et descendante, composée de petits maillons individuels, qu'à une corde qui fait la même chose. La théorie quantique de Planck permit à d'autres savants de faire de nombreuses autres découvertes.

Des gyroscopes pour jouer

Si on essaie de faire tenir une toupie debout, elle tombe. Mais dès qu'on commence à la faire tourner, elle semble défier la gravité. Elle se tient debout toute seule et elle reste ainsi tant qu'elle continue à tourner. C'est parce qu'une toupie qui tourne arrive à résister à la gravité et ne se penche pas. C'est aussi un genre de gyroscope. Un vrai gyroscope contient un disque lourd qui tourne à l'intérieur d'une armature et qui se tient en équilibre sur un point infime.

Armature

Disque en rotation

Raccords pivotants

Quand la vitesse peut tuer

Des figures mécaniques d'êtres humains sont utilisées pour étudier les conversions d'énergie qui se produisent lors d'un accident de la route. Les blessures qui surviennent dans ce type d'accident sont causées quand l'énergie cinétique contenue dans le corps des occupants se convertit trop vite en d'autres formes d'énergie. L'élan emmagasiné dans le corps le fait continuer sur sa lancée jusqu'à ce qu'il cogne l'intérieur de la voiture. Les ceintures de sécurité et les air bags permettent de ralentir ces conversions d'énergie. Des voitures occupées par des mannequins sont délibérément projetées contre des murs ou d'autres véhicules. Les mannequins sont équipés de détecteurs internes et externes qui mesurent les forces et les pressions en jeu.

SIMULATION D'UNE COLLISION FRONTALE

Des gyroscopes pour la course

Un coureur motocycliste est obligé de se pencher sur le côté de sa moto quand il prend les virages. Il doit utiliser le poids de son corps pour forcer la moto à s'incliner car les roues sont lourdes, et en tournant très vite, elles fonctionnent comme des gyroscopes et résistent à toute inclinaison ou tout changement de direction, comme les toupies.

VOIR AUSSI : LES DIFFÉRENTES FORMES D'ÉNERGIE PAGE 46, LES MOTEURS PAGE 66, LES MOTEURS ÉLECTRIQUES PAG

Le transport de combustibles nucléaires

Les combustibles utilisés dans les centrales nucléaires sont dangereux et ne doivent être ni secoués, ni renversés. On les transporte donc dans des conteneurs appelés des châteaux de transport, conçus pour résister à pratiquement n'importe quel accident. Ils sont construits en acier et pèsent plus de 100 tonnes chacun. Avec une taille et une masse pareilles, de tels objets peuvent absorber d'énormes quantités d'énergie suite à des collisions ou des incendies, sans se déformer ou se fissurer. Pour réduire les risques d'accident, on les déplace généralement la nuit quand le réseau ferroviaire est plus dégagé.

L'UNE DES TOUTES PREMIÈRES LOCOMOTIVES, *LOCOMOTION* (1825)

Chaudière   *Volant*

Garder son équilibre

Les objets placés en hauteur ont plus d'énergie potentielle, ou énergie de position, que ceux qui sont au sol. Par conséquent, un funambule marchant sur une corde raide a plus d'énergie potentielle qu'un spectateur au sol ! Si par malchance le funambule tombait, une partie de son énergie potentielle se transformerait en énergie cinétique au cours de la chute.

Les machines à vapeur

La vapeur occupe beaucoup plus de place que l'eau. Par conséquent, quand l'eau bout et se transforme en vapeur, celle-ci s'échappe dans toutes les directions. Une machine à vapeur canalise la vapeur dans un conduit creux ou un cylindre, où elle appuie sur un piston et le fait avancer. Le piston fait alors tourner un arbre de transmission ou les roues directement. Le mouvement de va-et-vient du piston est saccadé ; on utilise donc un volant pour le rendre plus régulier, comme cela est expliqué ci-dessous.

Les volants

Un volant est une grosse roue très lourde. Une fois qu'il se met à tourner, il accumule plein d'énergie cinétique et arrive à tourner sans secousses pendant très longtemps. On utilise les volants pour rendre plus souples et plus réguliers les petits mouvements saccadés de certains moteurs comme les moteurs à piston. Un volant en rotation rapide emmagasine aussi beaucoup d'énergie sous forme d'énergie cinétique. La génératrice-volant, dans laquelle c'est de l'énergie électrique qui fait tourner la roue à plus de 1 000 tours par seconde, joue le rôle de moteur électrique. Une fois lancée, elle peut continuer à tourner pendant des heures, emmagasinant ainsi plein d'énergie cinétique ; puis elle fonctionne comme une génératrice électrique et convertit à nouveau l'énergie cinétique en énergie électrique.

Coque extérieure de la taille d'un ballon de basket

L'air est extrait pour réduire la friction à l'intérieur

Une bobine joue le rôle de moteur ou de génératrice

Aimants puissants

Volant sphérique très lourd

Palier magnétique à faible friction

Les forces et le mouvement

LES FORCES POUSSENT, TIRENT, COMPRESSENT et déplacent les objets. Les forces ont une taille, ou puissance, ainsi qu'une direction. Une force s'applique toujours sur un objet dans une certaine direction. Si un objet n'est pas entravé, il se déplace, ou accélère, dans la direction d'application de la force. Quand quelque chose ne peut se déplacer, comme une noix dans les mâchoires d'un casse-noix, la force peut modifier la forme de l'objet ou même le briser complètement. Quand une force s'exerce contre une surface, il en résulte une pression. Plus la force appliquée est grande et la surface petite, plus la pression est importante.

Les forces qui nous amusent

Un enfant sur un toboggan descend en glissant doucement au sol. La force créée par le poids de l'enfant s'exerce du haut vers le bas. Mais l'angle de la partie glissante divise cette force en deux, l'une agissant vers le bas et l'autre poussant l'enfant sur le côté. Plus le toboggan est raide, plus la force s'appliquant vers le bas augmente ainsi que la vitesse de descente de l'enfant.

Les lois du mouvement

Quand on donne un coup de pied dans un ballon de football, on le force à se déplacer. Une fois qu'il commence à se déplacer, le ballon essaie de conserver sa trajectoire et sa vitesse. Mais deux forces agissent sur lui pour affecter sa vitesse et sa trajectoire. Il s'agit de la résistance de l'air et de la gravité. Le simple fait de donner un coup de pied dans un ballon illustre trois des idées scientifiques les plus fondamentales, qui sont les lois du mouvement.

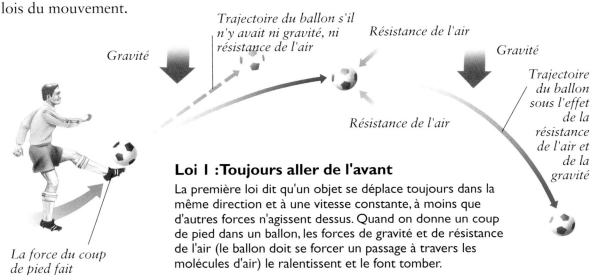

Gravité — *Trajectoire du ballon s'il n'y avait ni gravité, ni résistance de l'air* — *Résistance de l'air* — *Gravité* — *Trajectoire du ballon sous l'effet de la résistance de l'air et de la gravité* — *Résistance de l'air*

La force du coup de pied fait décoller le ballon

Loi 1 : Toujours aller de l'avant
La première loi dit qu'un objet se déplace toujours dans la même direction et à une vitesse constante, à moins que d'autres forces n'agissent dessus. Quand on donne un coup de pied dans un ballon, les forces de gravité et de résistance de l'air (le ballon doit se forcer un passage à travers les molécules d'air) le ralentissent et le font tomber.

GRANDES DÉCOUVERTES

Isaac Newton (1642-1727) fut l'un des scientifiques les plus brillants de tous les temps. Une de ses plus grandes réussites est d'avoir compris les lois universelles de la gravité et du mouvement. Ces lois affectent tout ce qui se trouve dans l'Univers, des atomes aux galaxies, en passant par les grains de sable, la Terre, la Lune et les étoiles. Newton inventa aussi une nouvelle forme de mathématiques appelée le calcul.

Loi 2 : Une plus grande force donne plus de vitesse
La seconde loi du mouvement dit que plus la force appliquée à un objet est grande, plus cet objet se déplace vite. En d'autres termes, l'accélération d'un objet est proportionnelle à la force qui lui est appliquée. Par conséquent, il faut taper fort si l'on veut que le ballon aille plus vite.

Un petit coup de pied produit peu de force - le ballon roule doucement

Un coup de pied plus puissant produit plus de force - le ballon roule plus vite

Deux ballons roulent l'un vers l'autre de directions opposées

Des forces égales mais opposées font rebondir et revenir les ballons

Loi 3 : Le rebond
La troisième loi du mouvement dit que quand un objet en rencontre un autre, le second produit une force égale, mais dans une direction opposée. En d'autres termes, pour toute action, il y a une réaction de force égale mais dans une direction opposée. Si deux ballons de football se rencontrent en roulant à la même vitesse de directions diamétralement opposées, ils rebondissent et retournent chacun vers leur point de départ.

VOIR AUSSI : LA MESURE DE LA FORCE ET DU MOUVEMENT PAGE 54, LA GRAVITÉ PAGE 56, LA FRICTION PAGE 7

Lutte à la corde

Quand deux équipes se livrent une lutte à la corde, les participants tirent avec les bras, mais ils se penchent aussi en arrière autant que possible. Ceci augmente leur force de traction en ajoutant le poids de leur corps à la force des muscles des jambes qui poussent sur le sol.

Des câbles lèvent le mouton

Le battage des pieux

Certains bâtiments sont fixés au sol par des poutres d'acier appelées des pieux ; ceux-ci sont enfoncés dans le sol à l'aide d'une machine appelée sonnette de battage. Le poids utilisé dans la sonnette, appelé mouton, joue le rôle d'un énorme marteau qui s'abat sur le pieu de façon répétée avec une force prodigieuse, et l'enfonce ainsi de plus en plus profondément dans le sol. Élever la hauteur de chute du mouton augmente la force du coup ; c'est pour cela que les sonnettes comportent une si haute tour. Au fur et à mesure que le pieu s'enfonce, le mouton bénéficie d'une plus grande distance de chute.

Des forces écrasantes

Un broyeur d'automobiles exerce des forces si élevées qu'il arrive à comprimer une automobile jusqu'à en faire un cube de métal. Ceci économise de l'espace dans les décharges. Mais une meilleure solution serait de recycler un peu plus.

La partie la plus profonde de la trace est plus sombre

Les pistes d'animaux

Les traces laissées sur un sol mou indiquent le passage d'un animal. La pression du poids de l'animal exercée par ses pattes a été supérieure à la force de résistance du sol, et l'animal s'est légèrement enfoncé. Un animal avec le même poids mais des pieds plus petits laisserait des traces plus profondes, parce que le même poids s'appliquerait sur une surface réduite, exerçant une pression plus forte.

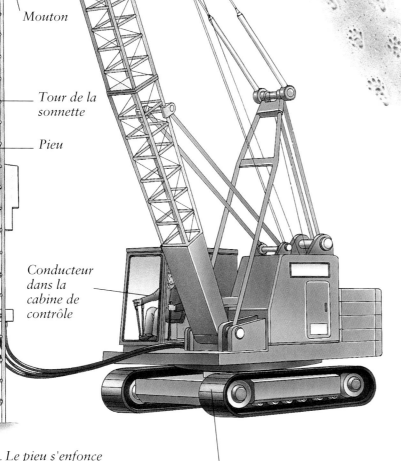

Mouton

Tour de la sonnette

Pieu

Conducteur dans la cabine de contrôle

Le pieu s'enfonce progressivement dans le sol

Les chenilles empêchent l'enlisement dans le sol mou

Des chenilles créent moins de pression

Les gros véhicules qui doivent se déplacer sur des terrains mous sont équipés de "chenilles". Celles-ci répartissent le poids du véhicule sur une plus grande surface, par rapport aux roues normales, et cela empêche les véhicules de s'enliser. Les animaux de trait, comme les bœufs et les zébus, ont de larges sabots pour les mêmes raisons.

La mesure de la force et du mouvement

UNE FAÇON DE MESURER UNE FORCE est de voir la façon dont elle affecte un objet. On se fait une idée de l'importance d'une force chaque fois que l'on soulève quelque chose, en voyant quel effort doit être fourni pour vaincre son poids. Une balance de salle de bain mesure la force de pression ou d'extension exercée par le poids du corps sur un ressort. On exprime le mouvement en termes de vitesse, qui est la distance qu'un objet couvre en un temps donné. La vélocité est la vitesse dans une certaine direction. Un changement de vélocité s'appelle une accélération quand il s'agit d'une augmentation, et une décélération quand il s'agit d'une réduction.

Arriver à se diriger sous l'eau

Comment les membres d'un équipage de sous-marin arrivent-ils à savoir où ils sont ? Il n'y a aucun panneau indicateur sous l'eau pour montrer le chemin ! Ils arrivent à déterminer leur cap à l'aide de gyroscopes et d'accéléromètres. Un accéléromètre est un poids très lourd, avec beaucoup d'inertie quand il est immobile et beaucoup de force vive quand il est en mouvement. Chaque fois que le sous-marin tourne ou s'incline, le poids, lui, tend à continuer en ligne droite. Des détecteurs en forme de ressorts indiquent les forces provoquées par la différence entre les déplacements du poids et ceux du sous-marin autour de lui. Un ordinateur se sert de ces informations pour déterminer la position du sous-marin, sa direction et son cap.

Blaise Pascal (1623-1662) a effectué d'importants travaux en mathématiques et en physique. Il démontra qu'un gaz ou un liquide s'échappe avec une force égale dans toutes les directions. On appelle cela la Loi de Pascal. Les systèmes hydrauliques à haute pression (utilisant des fluides), dans des machines telles que les tractopelles mécaniques, fonctionnent selon la Loi de Pascal.

Le sous-marin peut se déplacer dans trois dimensions : verticalement, latéralement et horizontalement

Le cap et la position s'affichent sur l'écran de l'ordinateur de bord

Des fils relient les détecteurs à l'ordinateur

Gros poids de l'accéléromètre

Les mouvements horizontaux sont détectés ici

Des ressorts de détection ou des cristaux spéciaux mesurent les changements de force

Les mouvements latéraux sont détectés ici

Les mouvements verticaux sont détectés ici

1 : Le sous-marin accélère

3 : Le ressort avant s'étire, le ressort arrière se comprime

Gros poids de l'accéléromètre

2 : L'inertie du poids le fait résister au mouvement

VOIR AUSSI : LES FORCES ET LE MOUVEMENT PAGE 52, LA GRAVITÉ PAGE 56, LES ONDES SONORES PAGE 112

Des forces latérales

Quand une voiture prend un virage à toute allure, le corps du chauffeur tend à vouloir continuer tout droit, en vertu de la première loi du mouvement. La voiture fait donc pression sur le corps avec ce qu'on appelle la force centrifuge.

Les forces G

▶ La gravité attire vers le bas tout ce qui est à la surface de la Terre avec une force de un g, ou 1 g (g comme gravité).

▶ Un pilote assis dans un avion à réaction qui vire à toute vitesse subit une force supérieure à cause du changement de direction soudain. Cette force peut atteindre 6 g. Cela veut dire que le corps semble être 6 fois plus lourd.

▶ Le corps humain ne peut normalement pas supporter de telles forces. Par exemple, le cœur n'arriverait pas à surmonter cette force pour pomper du sang jusqu'à la tête et au cerveau. Une personne soumise à de telles forces pendant quelques secondes pourrait donc s'évanouir.

Le club part d'une position de repos

Le club ralentit jusqu'à l'arrêt complet

Le club est à sa vitesse maximum au moment de frapper la balle

Un maximum de force

Un golfeur décrit une courbe avec son club pour donner un maximum d'accélération à son extrémité, ou tête. L'idée est de faire en sorte que la tête du club atteigne sa vitesse maximum en arrivant au bas de la courbe. C'est là qu'elle frappe la balle. Plus la vitesse de la tête est élevée à ce point, plus la force exercée sur la balle est grande. Celle-ci ira donc plus loin. Les forces sont mesurées en unités appelées newtons. Une pomme normale pèse dans la main, à cause de la gravité, avec une force d'un newton à peu près. La tête d'un club de golf frappe la balle avec une force de plus de 100 newtons.

La balle reçoit le maximum de force

Plus rapide que le son

Le 15 octobre 1997, le Thrust SSC (voiture supersonique) est devenu le premier véhicule terrestre à dépasser la vitesse du son. Ses deux moteurs à réaction, copiés sur ceux des avions de combat, l'ont propulsé à la vitesse record de 1 228 km/h sur le sable dur du désert de Black Rock. À la fin de la course, un large parachute a été déployé à l'arrière de la voiture pour l'aider à ralentir.

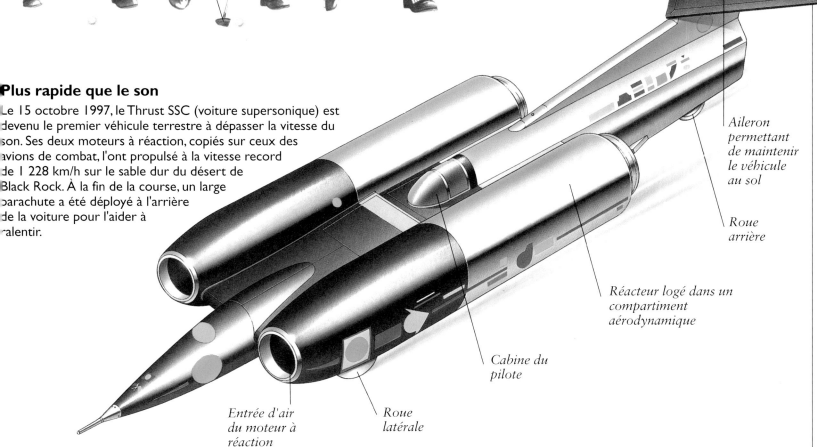

Aileron permettant de maintenir le véhicule au sol

Roue arrière

Réacteur logé dans un compartiment aérodynamique

Cabine du pilote

Entrée d'air du moteur à réaction

Roue latérale

La gravité

QUAND ON SAUTE EN L'AIR, on retombe tout de suite au sol. Et si on lance un ballon en l'air de toutes ses forces, il redescend quand même. La force invisible qui attire vers le bas tout ce qui est sur Terre s'appelle la gravité. Mais d'autres objets ont aussi de la gravité. En fait tous les objets ont de la gravité, cette force que l'on appelle l'attraction gravitationnelle. Celle-ci attire les autres objets. Par conséquent, un ballon en l'air attire aussi la Terre vers lui. Mais parce que la Terre a une masse beaucoup plus grande que lui, et donc une plus grande inertie (la résistance au mouvement), c'est la balle qui se déplace. Les objets tels que les étoiles sont si grands qu'ils ont une énorme attraction gravitationnelle. La force de gravité du Soleil maintient toutes les planètes, y compris la Terre, en orbite autour de lui.

La Terre et la Lune

La Terre et la Lune s'attirent, mais la Terre a une masse plus importante. Elle reste donc quasiment stationnaire par rapport à la Lune, alors que la Lune gravite autour d'elle.

La mesure de la gravité

La force de gravité de la Terre attire les objets vers sa surface. On peut mesurer cette force en observant l'étirement produit sur le ressort d'un peson à ressort. On parle communément de poids et on le mesure en kilogrammes ou en livres. Mais en termes scientifiques, le poids est une force et on devrait donc le mesurer en newtons. Les objets plus grands ayant une masse plus grande (plus de matière ou d'atomes) sont attirés avec plus de force vers la Terre. En d'autres termes ils sont plus lourds.

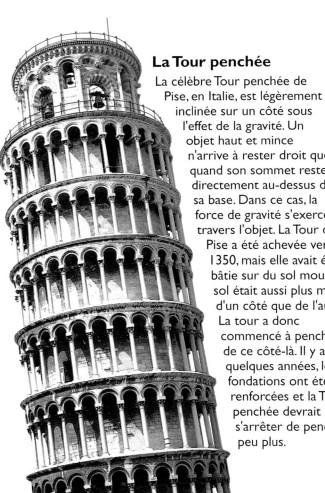

La Tour penchée

La célèbre Tour penchée de Pise, en Italie, est légèrement inclinée sur un côté sous l'effet de la gravité. Un objet haut et mince n'arrive à rester droit que quand son sommet reste directement au-dessus de sa base. Dans ce cas, la force de gravité s'exerce à travers l'objet. La Tour de Pise a été achevée vers 1350, mais elle avait été bâtie sur du sol mou. Le sol était aussi plus mou d'un côté que de l'autre. La tour a donc commencé à pencher de ce côté-là. Il y a quelques années, les fondations ont été renforcées et la Tour penchée devrait s'arrêter de pencher un peu plus.

En chute libre

Les parachutistes subissent une accélération constante vers le sol jusqu'à ce que la force de gravité qui les attire soit contrebalancée par la force de résistance de l'air qui pousse contre eux vers le haut. Quand ces deux forces s'équilibrent, les parachutistes arrêtent d'accélérer. Leur vitesse maximum finale est de 160 km/h ; on l'appelle leur vitesse limite de chute.

VOIR AUSSI : LA GRAVITÉ PAGE 56, LA PLANÈTE TERRE PAGE 142, L'EXPLORATION DE L'ESPACE PAGE 176

Un engin spatial qui marche à la gravité

La sonde spatiale Cassini-Huygens a été lancée en 1997 pour explorer la planète lointaine géante, Saturne. Mais même la fusée la plus grande ne pourrait lancer un quelconque engin directement vers Saturne. Elle utilise donc la méthode de la fronde (voir ci-dessous).

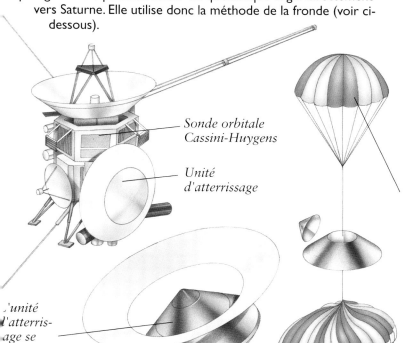

Sonde orbitale Cassini-Huygens

Unité d'atterrissage

L'unité d'atterrissage se détache

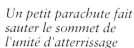

Un petit parachute fait sauter le sommet de l'unité d'atterrissage

Les anneaux de Saturne

La sonde spatiale Cassini-Huygens devrait atteindre la planète Saturne et ses impressionnants anneaux en 2004. La gravité de la planète va attirer la sonde vers elle à une vitesse croissante. Mais l'angle d'approche de l'engin sera tel qu'il entrera en orbite autour de Saturne. Puis il lâchera son unité d'atterrissage. Celle-ci enverra des signaux radio à la partie en orbite de l'engin qui les transmettra vers la Terre.

La méthode de la fronde

La sonde spatiale Cassini-Huygens a été lancée non pas vers Saturne, mais vers Vénus. La gravité de Vénus l'attire vers elle jusqu'à ce qu'elle décrive une courbe autour de cette planète et se propulse à nouveau vers la Terre. La gravité de la Terre lui donne encore plus d'élan et elle est catapultée autour du Soleil, de Vénus à nouveau, et finalement de Jupiter avant d'arriver à Saturne.

Un grand parachute s'ouvre

Le balancement du temps

Les horloges à pendule fonctionnent grâce à la gravité. Un poids est suspendu à une corde qui est enroulée autour d'un tambour. La gravité attire le poids vers le bas ce qui entraîne le tambour. Chaque fois que le pendule se balance, il permet au tambour de tourner d'un cran, en utilisant un système d'échappement. Le pendule subit aussi un effet de "retour en arrière" produit par le tambour. Ce léger retour fournit assez d'énergie pour que le balancement du pendule se reproduise et pour que l'horloge fasse tic-tac pendant des semaines et même des mois.

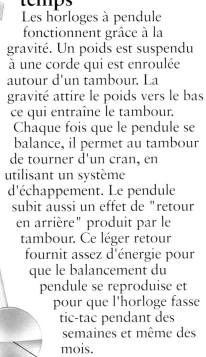

Tambour

Corde

Poids

Pendule

L'unité d'atterrissage s'enfonce lentement dans les gaz denses de la planète Saturne

Le bouclier thermique de l'unité d'atterrissage est dirigé vers le bas

La chaleur et le froid

LA CHALEUR EST UNE FORME D'ÉNERGIE CINÉTIQUE. C'est l'énergie cinétique ou énergie de mouvement des atomes d'une substance ou d'un objet. Quand quelque chose se refroidit, ses atomes vibrent très peu. Au fur et à mesure que la substance ou l'objet chauffe, ses atomes vibrent de plus en plus. La température et la chaleur sont deux choses différentes. La chaleur est une forme d'énergie alors que la température est une mesure de la quantité de chaleur contenue dans un objet, ou son degré de chaleur ou de froid par rapport à autre chose. Cet "autre chose" est en mesures normales de température le moment où l'eau se transforme en glace à 0 °C (ou 32 °F), ou se transforme en vapeur à 100 °C (ou 212 °F). Il s'agit là des échelles de température Celcius (°C) et Farenheit (°F).

Point chaud pour les as de l'air

À des vitesses élevées, la friction ou le frottement contre l'air provoque une énorme chaleur. Les avions très rapides ont donc un revêtement externe composé de métaux tels que l'acier de titane qui peuvent résister à des températures très élevées.

La mesure des températures

Une mesure très précise de la température peut se faire grâce à un appareil appelé thermocouple. Cet appareil consiste en un circuit formé de deux fils composés de métaux différents et soudés à leurs extrémités. Les deux points de soudure s'appellent des brasures. Si ces brasures sont à des températures différentes, l'électricité passe d'un fil à l'autre. L'ampleur du courant électrique dépend de la différence de température : plus celle-ci est grande, plus il y a de courant. Si on maintient une brasure à une température connue, par exemple 0 °C (32 °F), la température de l'autre brasure peut être calculée en fonction de l'ampleur du courant électrique.

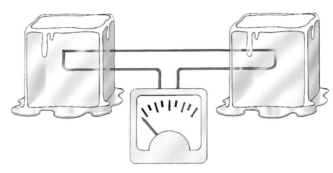

LES DEUX BRASURES SONT À LA MÊME TEMPÉRATURE : PAS DE COURANT

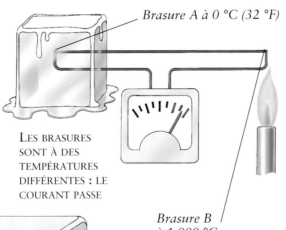

Brasure A à 0 °C (32 °F)

LES BRASURES SONT À DES TEMPÉRATURES DIFFÉRENTES : LE COURANT PASSE

Brasure B à 1 000 °C (1 800 °F)

GRANDES DÉCOUVERTES

James Joule (1818-1889) fut le premier à démontrer qu'une certaine quantité d'effort mécanique, comme tourner une poignée, produit une certaine quantité de chaleur. En d'autres termes, l'effort mécanique et la chaleur sont deux formes différentes d'une seule et même chose : l'énergie. Les recherches de Joule sur la chaleur furent à l'origine d'une nouvelle branche scientifique appelée la thermodynamique, qui étudie comment l'énergie passe d'une forme à l'autre.

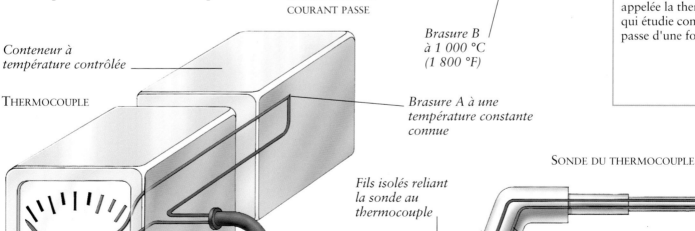

Conteneur à température contrôlée

THERMOCOUPLE

Brasure A à une température constante connue

SONDE DU THERMOCOUPLE

Fils isolés reliant la sonde au thermocouple

Brasure B l'intérieur l'extrémité de la sonde

Fils faits de métaux différents

Un compteur d'électricité affiche la température

VOIR AUSSI : LA FRICTION PAGE 70, L'ÉLECTRICITÉ PAGE 82, LES RAYONS INFRAROUGES PAGE 136

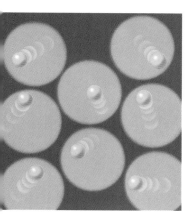

Substance très chaude

À une température élevée, les atomes ou molécules d'une substance se déplacent beaucoup. Les atomes ne se contentent pas d'osciller, comme de minuscules pendules. Ils foncent dans toutes les directions, comme une petite balle (en vert) qui rebondit à l'intérieur d'une plus grande balle (en orange).

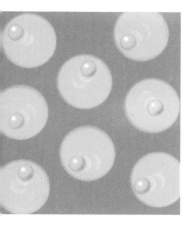

Substance refroidie

Quand la chaleur contenue dans une substance diminue, cela veut dire que les atomes et les molécules de cette substance se déplacent moins. Nous savons que la quantité de chaleur a diminué car la substance est plus froide au toucher et un thermomètre indique que sa température a baissé.

Substance très froide

Une substance qui est très froide contient très peu d'énergie thermique. Cela veut dire que les atomes et les molécules de cette substance se déplacent à peine. À la température la plus basse, qui est le zéro absolu, ils arrêtent complètement de bouger et sont parfaitement immobiles.

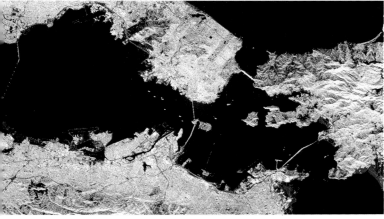

Des images de la chaleur

Quand on regarde les objets, nos yeux détectent des rayons lumineux. Ceux-ci constituent une forme de radiation électromagnétique. Comme on le verra plus loin, la chaleur qui voyage d'un point à un autre est aussi une forme de radiation électromagnétique, que l'on appelle rayons infrarouges. Certains appareils photographiques de satellites détectent les rayons infrarouges plutôt que les rayons lumineux. Ils prennent des images par rayonnement thermique, comme celle de la ville ci-dessus. Les parties en rouge sont les plus chaudes, celles en bleu et en noir les plus froides.

S'isoler de la chaleur

Les substances qui permettent à la chaleur de ne les traverser que très lentement s'appellent des isolants thermiques. Les couches en fibres de verre que l'on trouve dans les toits des maisons sont des isolants thermiques qui conservent la chaleur à l'intérieur. Les combinaisons des sapeurs pompiers sont aussi faites d'un matériau d'isolation thermique qui a la propriété d'être souple. Elles ont aussi une surface lisse qui renvoie une partie de l'énergie thermique. Cette surface réfléchit aussi la lumière, ce qui fait briller les combinaisons.

L'échelle des températures

Dans la vie de tous les jours, nous sommes soumis à de très faibles variations de températures. Une nuit froide pourrait atteindre -10 °C (15 °F) alors qu'une journée chaude se situerait autour de 32 °C (90 °F). L'unité scientifique de mesure de la température est l'unité Kelvin. Le zéro absolu est 0 K (moins 273,15 °C ou moins 459,67 °F). L'eau bout à 373,15 K (100 °C ou 212 °F).

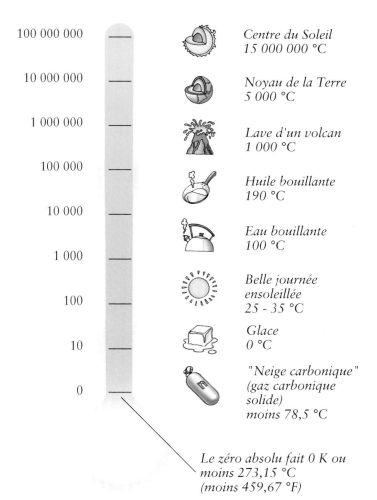

TEMPÉRATURE EN KELVIN — TEMPÉRATURE EN DEGRÉS CELSIUS

100 000 000	Centre du Soleil 15 000 000 °C
10 000 000	Noyau de la Terre 5 000 °C
1 000 000	Lave d'un volcan 1 000 °C
100 000	Huile bouillante 190 °C
10 000	
1 000	Eau bouillante 100 °C
100	Belle journée ensoleillée 25 - 35 °C
10	Glace 0 °C
0	"Neige carbonique" (gaz carbonique solide) moins 78,5 °C

Le zéro absolu fait 0 K ou moins 273,15 °C (moins 459,67 °F)

Les machines utiles

IL EST DIFFICILE D'IMAGINER UN MONDE sans machines. La vie serait sans doute moins confortable et plus difficile, et tout le monde travaillerait plus dur. Les machines nous facilitent le travail et le font même parfois à notre place. Elles soulèvent des objets lourds, déplacent des grosses charges, fixent des choses ensemble, en séparent d'autres, lavent les vêtements, transportent des gens et du fret, et font ou fabriquent des choses : des clous et ressorts, aux voitures, avions, et autres machines. Mais il y a un coût à tout cela. En construisant et en faisant fonctionner des machines, on appauvrit les ressources de la Terre, surtout les matières premières et les carburants.

Le progrès par les machines
Il est possible de mesurer le "progrès" de manière fiable en observant les types de machines que nous utilisons. Une région où les gens ont les modèles les plus sophistiqués de voitures, d'avions, de chaînes hi-fi, d'ordinateurs, d'outils à moteur et de gadgets domestiques allégeant le travail est considérée comme étant moderne, développée et à la pointe du progrès. Mais les machines démodées ou dépassées peuvent aussi avoir un certain charme et intérêt.

Les outils simples
Autrefois, la récolte se faisait simplement par la force musculaire humaine, en s'aidant d'outils simples comme des faucilles et des faux.

Les outils complexes
L'ordre dans lequel les tâches sont effectuées à l'intérieur d'une moissonneuse-batteuse est représenté par les numéros. Un seul conducteur peut réaliser avec cette machine le travail d'une centaine de personnes travaillant au champ en n'utilisant que des outils manuels. Mais l'engin lui-même dépend de plusieurs autres personnes. Il nécessite des dessinateurs, des ouvriers spécialisés pour l'assemblage et le soudage, du personnel de vente et des techniciens pour le service et l'entretien.

La moissonneuse-batteuse

La moissonneuse-batteuse combine toutes les tâches liées à la récolte de céréales telles que le blé. C'est une machine énorme et complexe. En fait, il s'agit de plusieurs machines travaillant ensemble. Un gros moteur diesel fournit l'énergie nécessaire pour faire avancer la machine sur la route ou dans le champ, et pour faire tourner toutes les roues, les lames, les engrenages, les courroies et autres parties mobiles. Le mécanisme de coupe arrache le blé ou toute autre céréale. Les secoueurs et les trieuses trient ou battent les précieux grains pour les séparer des autres parties telles que la balle et les tiges (la paille). Les grains sont conservés dans des réservoirs de bord au fur et à mesure que la moissonneuse se déplace dans le champ.

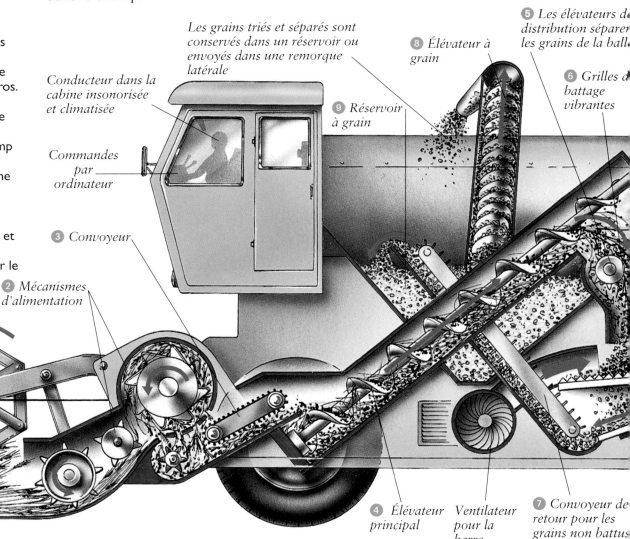

Les grains triés et séparés sont conservés dans un réservoir ou envoyés dans une remorque latérale

Conducteur dans la cabine insonorisée et climatisée

Commandes par ordinateur

❸ *Convoyeur*

❷ *Mécanismes d'alimentation*

Rabatteur

❶ *Barre de coupe*

❽ *Élévateur à grain*

❾ *Réservoir à grain*

❺ *Les élévateurs de distribution séparent les grains de la balle*

❻ *Grilles de battage vibrantes*

❹ *Élévateur principal*

Ventilateur pour la barre

❼ *Convoyeur de retour pour les grains non battus*

VOIR AUSSI : LES MACHINES SIMPLES PAGE 62, LES MOTEURS PAGE 66, LA TERRE EN DANGER PAGE 170

Câbles stabilisateurs

Bras principal

Contrepoids

Chariot du bras

Une grue qui se construit toute seule

La grande grue est une vision familière dans les chantiers. Cette machine très utile soulève de lourds objets et les dépose plus loin à un endroit situé dans un rayon très large. Le bras de la grue tourne autour de la tour principale, et le petit chariot se déplace le long du bras pour atteindre les charges situées près ou loin de la tour. La grue se construit aussi toute seule. Elle soulève un segment de la tour, l'insère au-dessus du segment précédent, puis s'élève par-dessus le nouveau segment.

Nouveau segment de tour

Les ascenseurs et les escalators

Un ascenseur est une petite pièce suspendue par des câbles, qui monte et qui descend. Les câbles s'enroulent autour d'un tambour qui est actionné par un moteur électrique. Un escalator est un escalier mobile, formant une boucle qui tourne indéfiniment sur elle-même.

Cheminée d'échappement du moteur diesel

Carter du moteur diesel

La balle et les autres matières inutiles (l'andain) sont rejetées

Roue arrière

GRANDES DÉCOUVERTES

Certaines découvertes scientifiques, ainsi que les inventions qui en découlent, sont si importantes qu'elles changent la vie des gens partout dans le monde. En 1903, deux frères de Dayton en Ohio, parvinrent à résoudre un problème que d'autres n'avaient pu surmonter pendant des centaines d'années. Il s'agit des frères Wilbur et Orville Wright et le problème était comment construire une machine volante. Les frères Wright effectuèrent plusieurs études scientifiques sur les formes des ailes, le fonctionnement des hélices, et le moyen de contrôler un appareil en l'air. Ils accomplirent le premier véritable vol aérien motorisé le 17 décembre 1903 dans la zone des dunes côtières de Kitty Hawk, en Caroline du Nord. Leur invention de l'avion révolutionna le monde.

Le premier avion des frères Wright, le Flyer, fonctionnait grâce à un petit moteur à essence que les frères avaient conçu eux-mêmes. Ils savaient que les moteurs à

essence de l'époque, construits pour les premières automobiles, étaient trop lourds pour un engin volant. Dans les années qui suivirent, ils construisirent des versions perfectionnées du Flyer et accomplirent des vols plus longs.

Peu après les premiers vols des frères Wright, plusieurs autres appareils s'élancèrent à la conquête du ciel. Le premier à voler au-dessus de la Manche entre la France et l'Angleterre fut Louis Blériot en 1909. Peu de temps après, les gens commencèrent à entrevoir les possibilités offertes par le transport aérien des passagers, et ceci marqua le début de l'ère du voyage rapide sur longues distances.

Les machines simples

TOUT APPAREIL MÉCANIQUE, même le bulldozer géant le plus complexe, est constitué de seulement quatre différents types de machines très simples. Il s'agit du levier, du plan incliné ou rampe, de la roue avec son essieu, et de la poulie. Le levier est une tige ou une barre raide qui pivote sur ce que l'on appelle un point d'appui. Si le point d'appui est plus près d'une extrémité que de l'autre, vous pouvez vous servir du levier pour soulever une charge lourde plus facilement. Le plan incliné (rampe ou pente) est aussi une machine. Il est généralement plus facile de faire monter un objet lourd en le faisant glisser le long d'une pente qu'en le soulevant directement. Si on place deux plans inclinés dos à dos, ils forment un biseau, comme dans une lame de couteau, une hache ou un burin. Un biseau que l'on enroule autour d'une tige, dans la forme de tire-bouchon appelée hélice, forme une vis. Les vis servent à soulever des choses ou à les fixer ensemble. (Les roues et les poulies seront décrites dans les pages suivantes.)

La construction des pyramides

Les pyramides furent construites en Égypte ancienne il y environ 4 500 ans, en utilisant des milliers de blocs de pierre, certains pesant plusieurs tonnes. Ceux-ci furent peut-être mis en place à l'aide de leviers, ou tirés le long d'une pente bâtie le long de la pyramide, ou roulés sur des rondins. Personne n'est tout à fait sûr.

GRANDES DÉCOUVERTES

Le mathématicien et inventeur grec Archimède (287-212 avant J-C), découvrit le principe de l'amplification de la force mécanique qui s'applique aux leviers et aux poulies. Ces machines simples ne donnent pas quelque chose sans contrepartie. Un levier permet de soulever un objet lourd plus facilement qu'en utilisant directement la force musculaire, mais il ne permet pas de le déplacer bien loin. En fin de compte, déplacer directement le poids sur une certaine distance ou le faire avec un levier, utilise la même quantité totale d'énergie.

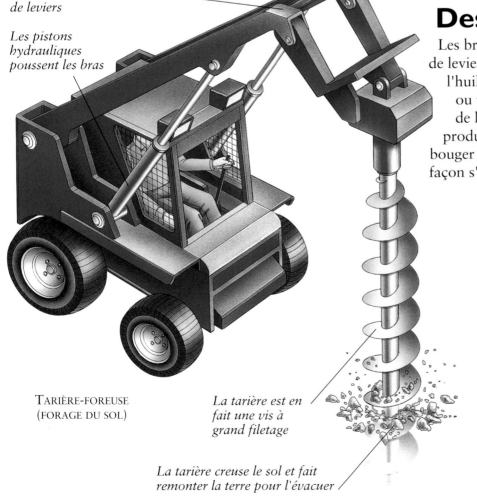

Les bras de la tarière servent de leviers

Les pistons hydrauliques poussent les bras

TARIÈRE-FOREUSE (FORAGE DU SOL)

La tarière est en fait une vis à grand filetage

La tarière creuse le sol et fait remonter la terre pour l'évacuer

Des leviers à l'œuvre

Les bras d'une tractopelle sont constitués d'un ensemble de leviers reliés ensemble. Les bras sont actionnés par de l'huile pompée à très forte pression dans des tuyaux ou tubes, pour aboutir dans un cylindre. La pression de l'huile pousse le piston le long du cylindre et cela produit la force, ou l'effort, nécessaire pour faire bouger le bras. Les cylindres et pistons utilisés de cette façon s'appellent des pilons hydrauliques.

Le piston hydraulique incline la benne

La tige de poussée relie le piston à la benne

Grosse benne

Bras de la benne

Pivot

VOIR AUSSI : LES LIQUIDES PAGE 26, D'AUTRES MACHINES SIMPLES PAGE 64, LES MOTEURS PAGE 66

Les différents genres de leviers

Il y a trois façons différentes de répartir l'effort exercé par un levier, ou sa force de déplacement, son point d'appui, ou point de pivot, et sa charge, c'est-à-dire l'objet à déplacer ou à comprimer. On parle communément des trois genres de leviers. Plus la charge est proche du point d'appui, plus il est facile de la déplacer. Mais on ne gagne aucun avantage dans l'ensemble puisque la charge couvre une distance plus courte.

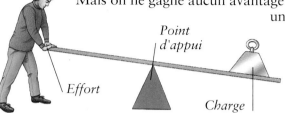

Point d'appui

Effort

Charge

LEVIER DE PREMIER GENRE

Point d'appui

Charge

Effort

LEVIER DE DEUXIÈME GENRE

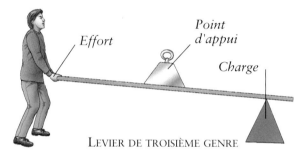

Point d'appui

Effort

Charge

LEVIER DE TROISIÈME GENRE

Dans le levier de premier genre, l'effort et la charge sont réparties aux deux extrémités alors que le point d'appui se trouve au centre, comme avec une bascule ou une pince à levier. Deux leviers de ce type partageant le même point d'appui peuvent former une paire de ciseaux ou des pinces.

Dans le levier de second genre, l'effort s'exerce au centre alors que le point d'appui et la charge se trouvent aux deux extrémités. Le bras d'une tractopelle utilise ce principe.

Dans le levier de troisième genre, la charge se trouve au centre, entre le point d'appui et l'effort, comme avec une brouette ou un casse-noisettes.

La force du biseau

Un sculpteur taille un bloc de pierre à l'aide d'un maillet et d'un burin. En frappant sur le burin, la force du maillet est transférée dans la lame du burin qui est fine, tranchante et en forme de biseau. La grande force du coup de maillet se concentre sur une toute petite zone au bout de la lame, ce qui produit une énorme pression. La pierre cède et se fend.

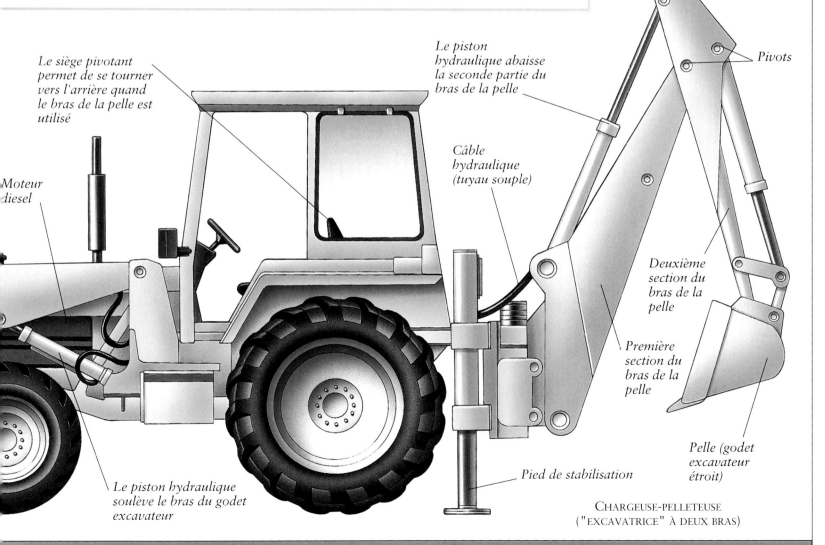

Le siège pivotant permet de se tourner vers l'arrière quand le bras de la pelle est utilisé

Le piston hydraulique abaisse la seconde partie du bras de la pelle

Pivots

Câble hydraulique (tuyau souple)

Moteur diesel

Deuxième section du bras de la pelle

Première section du bras de la pelle

Le piston hydraulique soulève le bras du godet excavateur

Pied de stabilisation

Pelle (godet excavateur étroit)

CHARGEUSE-PELLETEUSE ("EXCAVATRICE" À DEUX BRAS)

D'autres machines simples

LA ROUE EST UNE MACHINE SIMPLE. Elle fonctionne comme un levier. Mais au lieu de se balancer sur un pivot ou point d'appui, elle tourne autour d'un axe. Les roues nous permettent de déplacer des objets lourds plus facilement qu'en les tirant ou en les faisant glisser. Une poulie est une roue avec une rainure le long de la jante où l'on peut placer une ficelle, une corde, un câble ou une chaîne. En attachant la corde à une lourde charge et en la passant autour de la poulie, on peut soulever la charge en tirant la corde vers le bas. Cela est plus facile que de tirer vers le haut, car on peut aussi utiliser le poids de son corps pour augmenter la force de traction.

Les premières roues

L'invention de la roue a facilité le transport terrestre des personnes et des marchandises. Les premières charrettes avaient des roues faites de planches de bois. Les premiers chars dotés de roues à rayons datent de 5 000 ans.

Une machine à enfourcher

Une bicyclette constitue un excellent exemple d'un ensemble de machines simples. Elle est constituée de biseaux, de leviers, de vis, de roues, de poulies, de ressorts et d'engrenages. Chacun a une forme et une taille légèrement différentes, ce qui lui permet d'effectuer sa tâche tout en supportant les pressions et contraintes qui s'exercent dessus.

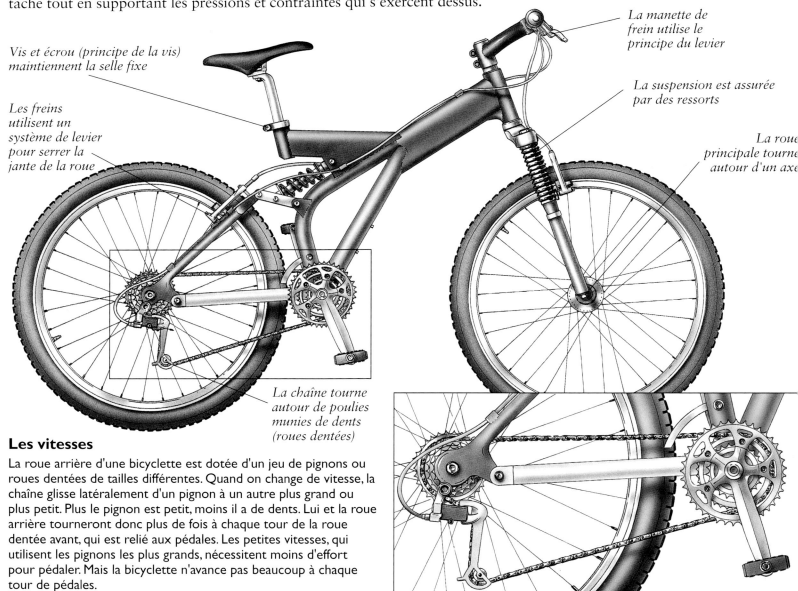

Vis et écrou (principe de la vis) maintiennent la selle fixe

Les freins utilisent un système de levier pour serrer la jante de la roue

La manette de frein utilise le principe du levier

La suspension est assurée par des ressorts

La roue principale tourne autour d'un axe

La chaîne tourne autour de poulies munies de dents (roues dentées)

Les vitesses

La roue arrière d'une bicyclette est dotée d'un jeu de pignons ou roues dentées de tailles différentes. Quand on change de vitesse, la chaîne glisse latéralement d'un pignon à un autre plus grand ou plus petit. Plus le pignon est petit, moins il a de dents. Lui et la roue arrière tourneront donc plus de fois à chaque tour de la roue dentée avant, qui est relié aux pédales. Les petites vitesses, qui utilisent les pignons les plus grands, nécessitent moins d'effort pour pédaler. Mais la bicyclette n'avance pas beaucoup à chaque tour de pédales.

VOIR AUSSI : LES MACHINES UTILES PAGE 60, LES MACHINES SIMPLES PAGE 62, LES MOTEURS PAGE 66

Ça tourne dans l'air

L'hélice d'un avion est une machine très simple : il s'agit tout simplement d'une vis. Elle tourne dans l'air et propulse l'avion vers l'avant en rejetant l'air vers l'arrière. Cet avion, le Raven, a un moteur humain. C'est le pilote qui actionne l'hélice en pédalant sur une bicyclette.

Les véhicules à chenilles

Les roues d'un bulldozer jouent le rôle de poulies. Seules deux d'entre elles sont actionnées par le moteur. Les autres roues servent à guider les chenilles dans leur mouvement de boucle sans fin. Pour tourner à gauche ou à droite, les chenilles de ce côté sont ralenties par rapport à celles de l'autre côté.

Vous montez ou vous descendez ?

Le moteur qui actionne un ascenseur utilise deux principes de machines simples. L'un est la poulie, ou plutôt les poulies. Le câble qui retient l'ascenseur passe par plusieurs poulies et est enroulé par un moteur électrique. Les poulies permettent aussi de changer facilement la direction d'une force : d'abord vers le haut, puis latéralement, puis vers le bas. Le second principe est celui de l'amplification de la force mécanique apportée par le levier. Encore une fois, des poulies entrent en jeu. Le câble s'enroule autour d'une poulie au-dessus de la cabine d'ascenseur, puis est fixé au sommet de la cage d'ascenseur. Cela facilite doublement le travail du moteur qui doit faire remonter la cabine, par rapport à un câble qui serait fixé directement à la cabine. Mais à chaque tour de la poulie du moteur, le câble ne couvre que la moitié de la distance qui serait parcourue si le câble était attaché directement à la cabine.

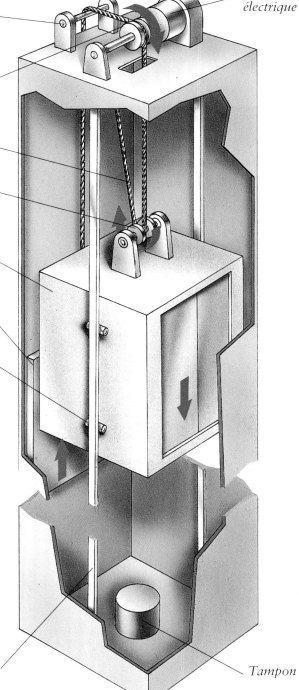

Traverse du contrepoids
Treuil électrique
Poulie d'entraînement
Câble en acier
Poulie de la cabine
Cabine
Contrepoids
Mécanisme de verrouillage de sécurité
Rail de sûreté
Tampon

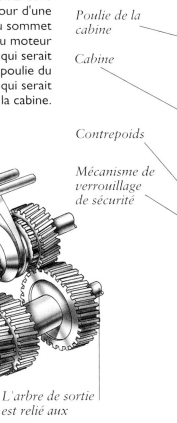

Levier de changement de vitesse
L'arbre primaire tourne sous l'action du moteur
L'arbre de sortie est relié aux roues

Plusieurs vitesses

L'arbre de transmission d'une voiture lui permet de se déplacer à différentes vitesses, même si le moteur tourne à un rythme constant. La transmission est munie de roues dentées qui peuvent être connectées de plusieurs façons différentes. L'arbre primaire est entraîné par le moteur. L'arbre de sortie fait tourner les roues de la voiture.

De l'énergie pour les machines

CERTAINES MACHINES FONCTIONNENT grâce à l'énergie musculaire. Mais il y a beaucoup de machines qui utilisent des moteurs. Pour faire fonctionner une machine, un moteur a besoin d'énergie, sous forme de carburant, qu'il transforme en énergie cinétique de mouvement. Les moteurs électriques convertissent l'énergie électrique pour transmettre de l'énergie de mouvement et faire tourner l'arbre de transmission. D'autres moteurs utilisent l'énergie chimique emmagasinée dans les carburants tels que l'essence, le diesel, le kérosène (carburant pour avions), le gaz, le charbon et le bois. L'énergie se libère quand le carburant brûle ou entre en combustion. Les machines à vapeur brûlent leur carburant dans un fourneau (ou foyer) situé à l'extérieur du moteur. Les moteurs à essence et diesel brûlent leur carburant à l'intérieur, et on les appelle donc des moteurs à combustion interne.

Sous le capot

La plupart des voitures ont leur moteur sous le capot, à l'avant du véhicule. Le réservoir de carburant se trouve à l'arrière et il est conçu spécialement pour résister aux chocs de façon à éviter les fuites.

Le moteur à essence

Dans un moteur à essence, un piston en forme de baguette descend à l'intérieur d'un cylindre creux, y aspirant de l'air en même temps qu'un fin jet de carburant par la soupape d'admission (1). La soupape se referme et le piston remonte, écrasant ou comprimant le mélange de carburant et d'air dans le cylindre (2). Une étincelle produite par une bougie électrique provoque la combustion de ce mélange (elle l'allume ou l'enflamme). Comme la combustion se produit sous forme d'une petite explosion courte et brusque, elle entraîne une dilatation qui abaisse le piston dans le cylindre (3). C'est cette force qui fait tourner les roues de la voiture. Finalement, le piston remonte à nouveau et expulse les gaz brûlés par une soupape de sortie ou d'échappement (4). Plusieurs pistons, généralement quatre ou six, travaillent de manière séquentielle pour faire tourner le moteur sans à-coups.

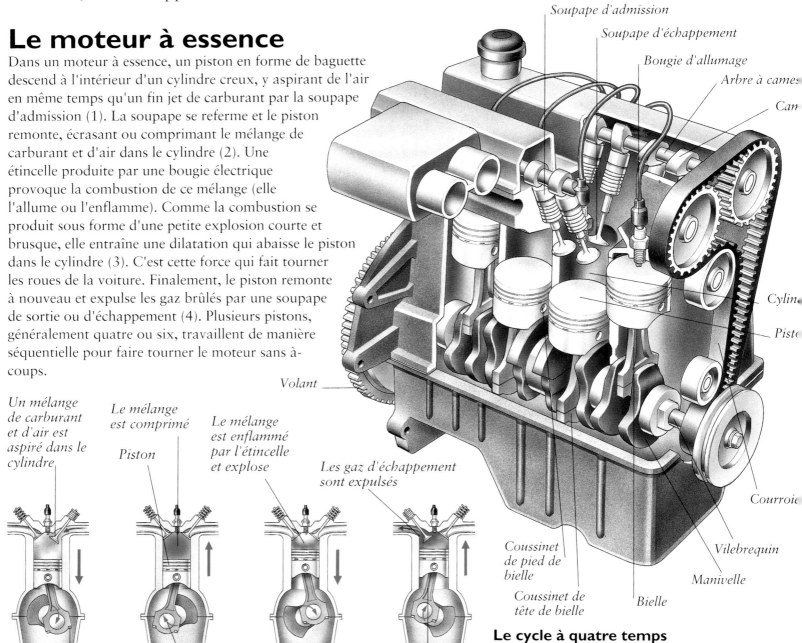

Soupape d'admission
Soupape d'échappement
Bougie d'allumage
Arbre à cames
Cam
Cylin
Pisto
Courroie
Vilebrequin
Manivelle
Bielle
Coussinet de pied de bielle
Coussinet de tête de bielle
Volant

Un mélange de carburant et d'air est aspiré dans le cylindre

Le mélange est comprimé

Piston

Le mélange est enflammé par l'étincelle et explose

Les gaz d'échappement sont expulsés

Manivelle   *Vilebrequin*   *Bielle*

❶ ASPIRATION   ❷ COMPRESSION   ❸ ALLUMAGE   ❹ EXPULSION

Le cycle à quatre temps

Chaque mouvement du piston à l'intérieur du cylindre, vers le haut ou vers le bas, s'appelle un temps. Dans un moteur à essence normal, le cycle de déplacement d'un piston comprend quatre temps, d'où son nom, moteur à quatre temps.

VOIR AUSSI : LES MÉTAMORPHOSES CHIMIQUES PAGE 36, LES MOTEURS ÉLECTRIQUES PAGE 96

L'ingénieur Karl Benz (1844 - 1929) inventa une machine qui révolutionna le monde : il s'agit de l'automobile. Il existait auparavant plusieurs machines à vapeur et à essence, mais elles étaient peu fiables et même dangereuses. En 1885, Benz construisit la première voiture à essence fiable. C'était un véhicule à trois roues avec une vitesse maximum de 29 km/h. Mais il inaugura une nouvelle ère du voyage.

Affichage de lecture

Totalisateur de quantités

Conduit d'échappement des vapeurs et des gaz

Éliminateur de bulles d'air et de gaz

Filtres

Pompe rotative

Moteur électrique

Qu'est-ce que l'essence ?

Faire le plein à une station service est un geste normal de la vie de tous les jours. L'essence et le diesel qui alimentent les moteurs des voitures sont obtenus à partir du pétrole brut. La substance noire et épaisse qui provient des réserves souterraines est de peu d'utilité à l'état naturel. Elle est convertie en des matériaux plus utiles dans des raffineries. Les produits issus du pétrole comprennent le bitume pour le revêtement routier, le diesel, l'essence, le kérosène pour les avions à réaction, les gaz naturels, et toute une gamme de matières plastiques, d'huiles et autres matériaux utilisés par les industries chimiques.

Poignée dotée d'un clapet antiretour d'évidement

Tuyau souple

Gicleur

Tuyau d'admission venant du réservoir de stockage

La pression

Durant la Révolution Industrielle, à partir du 17ème siècle à peu près, des machines à vapeur, telles que ce moteur stationnaire à balancier, fournissaient de l'énergie à différents types de machines dans des usines et des fermes. Du bois ou du charbon est brûlé dans le fourneau, ou foyer, pour faire chauffer l'eau de la chaudière. De la vapeur à haute pression (1) s'engouffre dans le cylindre et entraîne le piston (2 - 3). Dès le début du 20ème siècle, plusieurs machines à vapeur furent progressivement remplacées par des moteurs à combustion interne et des moteurs électriques.

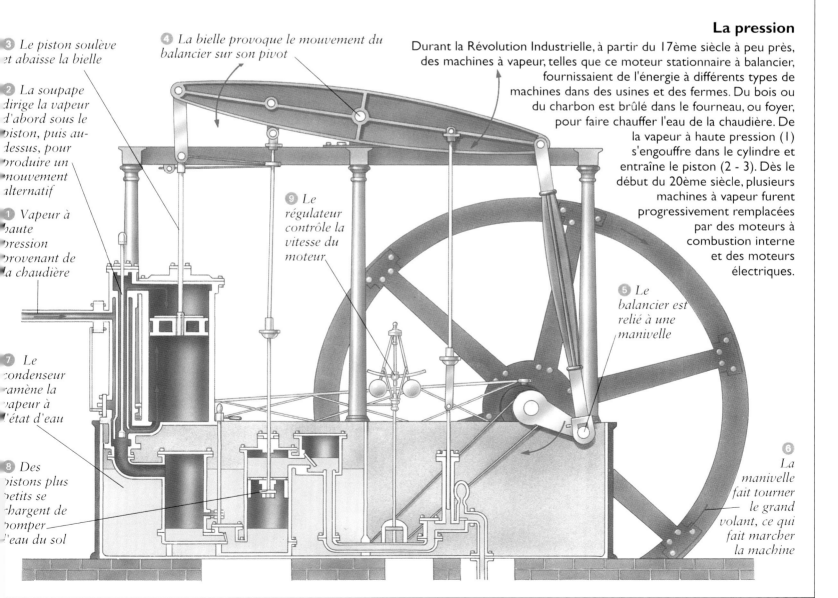

❸ *Le piston soulève et abaisse la bielle*

❷ *La soupape dirige la vapeur d'abord sous le piston, puis au-dessus, pour produire un mouvement alternatif*

❶ *Vapeur à haute pression provenant de la chaudière*

❼ *Le condenseur ramène la vapeur à l'état d'eau*

❽ *Des pistons plus petits se chargent de pomper l'eau du sol*

❹ *La bielle provoque le mouvement du balancier sur son pivot*

❾ *Le régulateur contrôle la vitesse du moteur*

❺ *Le balancier est relié à une manivelle*

❻ *La manivelle fait tourner le grand volant, ce qui fait marcher la machine*

Encore plus d'énergie

DES EXPLOSIONS CONTINUES SE PRODUISENT à l'intérieur des moteurs à réaction et des fusées. Un réacteur brûle du kérosène, ce qui produit un jet de gaz chauds. Ceux-ci s'échappent à l'arrière du réacteur et propulsent celui-ci - ou l'avion, ou la voiture, ou tout ce qui pourrait y être fixé, vers l'avant. Un réacteur doit aspirer l'air de l'atmosphère, car il contient l'oxygène dont il a besoin pour brûler son carburant. Les réacteurs ne peuvent donc fonctionner que dans l'atmosphère de la Terre. Au-delà de l'atmosphère, dans l'espace, il n'y a pas d'air. Les moteurs des engins spatiaux doivent emporter leurs propres réserves d'oxygène, sous forme d'un produit chimique appelé oxydant, pour brûler leur carburant. Ils décollent en utilisant le moteur le plus puissant qui soit : le moteur-fusée.

GRANDES DÉCOUVERTES

Vers la fin des années vingt, Frank Whittle (1907-1996) se rendit compte qu'un réacteur pouvait propulser un engin à une vitesse beaucoup plus élevée que les moteurs à pistons utilisés jusque-là pour faire tourner les hélices. En Angleterre, Whittle mit au point dès 1937 un prototype opérationnel de réacteur qu'il fixa sur le banc d'essai de son atelier. Mais c'est l'avion allemand Heinkel He178 qui effectua le premier vol à réaction en août 1939.

Des cellules solaires recouvrent presque toute la voiture

Carrosserie en plastique très léger

LA VOITURE SOLAIRE
HONDA DREAM

L'énergie solaire

Des véhicules utilisant l'énergie lumineuse du Soleil, c'est-à-dire l'énergie solaire, seraient beaucoup plus écologiques que ceux dotés de moteurs à essence ou diesel. L'énergie solaire ne cause aucune pollution de l'air. Les cellules solaires fixées sur la voiture transforment la lumière du Soleil en électricité qui alimente le moteur électrique.

Le moteur à réaction

Le type de moteur à réaction utilisé dans la plupart des grands avions de passagers est le turboréacteur à double flux. L'énorme soufflante à l'avant aspire l'air à l'intérieur. Une partie de l'air pénètre dans le moteur et est comprimé par un compresseur rotatif à pales multiples. Un jet de carburant est ajouté à l'air compressé, et le mélange brûle. Il se dilate et s'échappe du moteur par une turbine qui entraîne le compresseur et la soufflante en tournant. La combustion des gaz provoque la poussée principale.

Carter du ventilateur

Aubes de la soufflante

Le cône arrière contient les paliers de l'arbre principal

Carter du moteur principal

À l'intérieur du réacteur

L'énorme soufflante à l'avant d'un turboréacteur à double flux fonctionne comme une hélice. Elle souffle de l'air aussi bien dans la partie centrale qu'autour du réacteur. L'air de dérivation contribue à la poussée vers l'avant. Il fonctionne aussi comme une "couverture d'air" qui refroidit le moteur principal et le rend plus silencieux.

Chambre de combustion

Arbre principal

Conduites de carburant

Turbines d'échappement des gaz

Turbines de compression

VOIR AUSSI : LA FRICTION PAGE 70, L'EMPLOI DE LA LUMIÈRE PAGE 132, L'EXPLORATION DE L'ESPACE PAGE 176

Les machines à mouvement perpétuel

Avant que la science de l'énergie fût bien comprise, certains pensaient qu'il pourrait être possible de fabriquer une machine qui, une fois lancée, continuerait à fonctionner sans fin et sans carburant. On l'appellerait une machine à mouvement perpétuel. Malgré des milliers d'essais, aucune machine de ce genre n'a jamais pu être construite. C'est parce que même le mécanisme le mieux huilé perd de l'énergie, par exemple par la friction (le frottement) et la chaleur. Elle a donc besoin d'alimentation en énergie pour continuer.

Cette machine à "balles tombantes" peut fonctionner pendant plusieurs jours - mais pas pour toujours.

Un minimum de résistance

Les bateaux, les automobiles, les avions et les trains à grande vitesse ont tous des lignes effilées et aérodynamiques. Ceci minimise le problème de la résistance ou de la friction avec l'air qui se produit quand ils se fraient un chemin à travers ses molécules de gaz. La forme aérodynamique permet de passer à côté des molécules plutôt que de les cogner. L'effet de ralentissement produit par la résistance de l'air s'appelle la traînée. Une réduction de la résistance permet d'atteindre de plus grandes vitesses et d'utiliser le carburant de façon plus économique.

La science des fusées

Dans un moteur de fusée, le carburant brûle avec de l'oxydant chimique dans la chambre de combustion. Les gaz chauds se projettent en arrière et propulsent la fusée vers le haut, en vertu de la troisième loi du mouvement - toute action provoque une réaction égale et opposée. Une fusée doit atteindre une vitesse de 28 000 km/h. Ce n'est qu'à cette vitesse qu'elle peut pénétrer dans l'espace et entrer en orbite autour de la Terre. Une fusée à plusieurs étages contient plusieurs groupes de moteurs et de réservoirs de carburant. Ceux-ci se détachent les uns après les autres, réduisant le poids de la fusée en même temps que le gain d'altitude diminue la force de gravité ; moins d'énergie est donc nécessaire.

Tour de secours en cas d'urgence

Charge utile (capsule spatiale, satellite ou autre chargement)

Oxydant du second étage

Carburant du second étage

Moteur du second étage

Carburant du premier étage

Oxydant du premier étage

Carburant des propulseurs

Oxydant des propulseurs

Propulseurs de lancement

Moteur du premier étage

Le cône avant assure l'admission régulière d'air dans la soufflante

Soufflante principale

La friction

LA FRICTION EST UNE FORCE de résistance au mouvement. Elle agit toujours dans la direction contraire du mouvement. La friction est causée par les protubérances et les bosses sur deux surfaces, qui frottent et s'accrochent quand l'une glisse contre l'autre. Même les surfaces les plus lisses ont ces minuscules bosses. La friction entraîne un ralentissement des objets et une perte d'énergie cinétique. Cette énergie ne disparaît pas, mais se transforme en chaleur. Frottez vos mains ensemble et sentez le résultat ! Dans les machines, où les pièces glissent constamment les unes contre les autres, une fine pellicule d'huile ou de graisse entre les pièces réduit le frottement, la friction et l'usure. Cette utilisation d'huile ou de graisse pour réduire la friction s'appelle la lubrification.

Descente lente

Un alpiniste glisse ou descend en rappel en toute sécurité le long d'une corde. La corde est enfilée dans des anneaux d'acier attachés à son harnais. La friction contrôlée entre les anneaux et la corde empêche l'alpiniste de descendre trop vite.

Le roulement à billes

Un roulement est une pièce de machine spécialement conçue pour réduire la friction entre des pièces en mouvement. Un roulement réduit la friction en remplaçant le glissement par le roulement. Les deux parties du roulement rainurées et en forme de collier s'appellent des bagues. Comme la bague extérieure reste immobile et que la bague intérieure tourne, les billes d'acier entre elles roulent. Les roues tournent souvent autour de leur axe grâce à des roulements à billes.

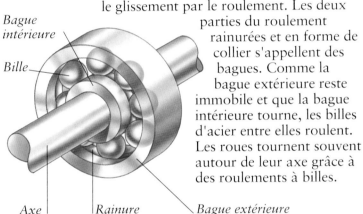

Bague intérieure

Bille

Axe

Rainure

Bague extérieure

Porté par l'air

L'aéroglisseur glisse au-dessus de l'eau sur un coussin d'air. Lorsqu'un bateau se déplace sur l'eau, celle-ci le repousse et le ralentit. Ce type de résistance ou friction est appelé traînée (voir ci-contre). Avec un aéroglisseur, c'est de l'air qui souffle si fort sous le bateau que sa pression surpasse le poids du bateau et soulève ce dernier au-dessus de l'eau. La jupe en caoutchouc de l'aéroglisseur aide à empêcher l'air de s'échapper trop vite et augmente la hauteur du coussin d'air.

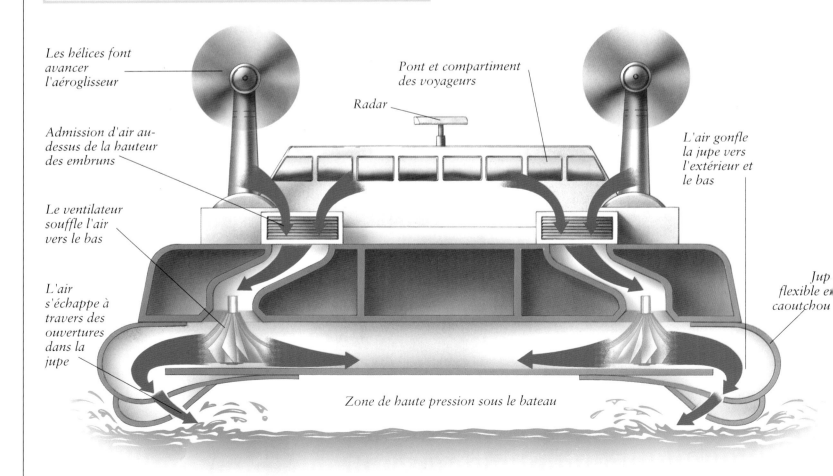

Les hélices font avancer l'aéroglisseur

Pont et compartiment des voyageurs

Radar

Admission d'air au-dessus de la hauteur des embruns

L'air gonfle la jupe vers l'extérieur et le bas

Le ventilateur souffle l'air vers le bas

L'air s'échappe à travers des ouvertures dans la jupe

Jupe flexible en caoutchouc

Zone de haute pression sous le bateau

VOIR AUSSI : L'EAU PAGE 32, L'ÉNERGIE CINÉTIQUE PAGE 50, LES FORCES ET LE MOUVEMENT PAGE 52

Une friction indispensable

La friction est souvent appelée "l'ennemie des machines". Cependant, certaines machines dépendent d'elle pour fonctionner de façon efficace. Le freinage d'une voiture en est un exemple. La friction entre les disques de frein et les plaquettes de frein fait tourner la roue plus lentement. Ensuite, la friction entre le pneu en caoutchouc et la route entraîne un ralentissement de la voiture.

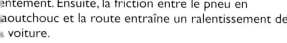

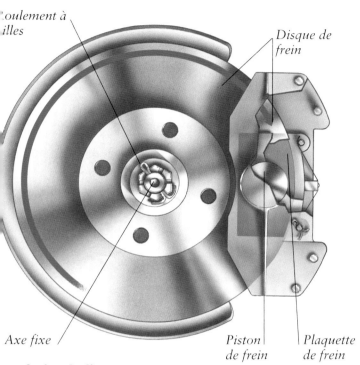

Roulement à billes

Disque de frein

Axe fixe

Piston de frein

Plaquette de frein

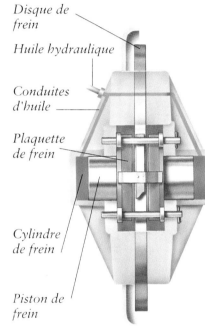

Disque de frein

Huile hydraulique

Conduites d'huile

Plaquette de frein

Cylindre de frein

Piston de frein

SANS FREINAGE

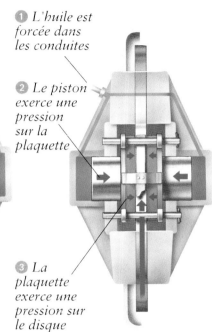

❶ *L'huile est forcée dans les conduites*

❷ *Le piston exerce une pression sur la plaquette*

❸ *La plaquette exerce une pression sur le disque*

DURANT LE FREINAGE

Les freins à disque

Lorsqu'un conducteur appuie sur la pédale de frein, de l'huile est injectée à travers une tubulure, dans des cylindres situés de part et d'autre d'un disque de métal - le disque de frein - fixé sur chaque roue. La pression de l'huile pousse les pistons, qui appuient les plaquettes rugueuses contre le disque en rotation. La friction entre le disque et les plaquettes ralentit le disque et la roue.

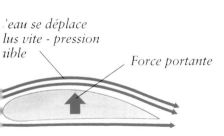

L'eau se déplace plus vite - pression faible

Force portante

VUE DE PROFIL DE L'HYDROPTÈRE

Avancer au-dessus de l'eau

Un hydroptère est un bateau sur "skis". Ces derniers ont la même forme que l'aile d'un avion, plus bombée sur la face supérieure qu'au-dessous, et fonctionnent de la même façon. Lorsque le bateau avance, l'eau doit parcourir une plus grande distance sur la face supérieure que sur la surface inférieure, et elle se déplace donc plus vite. Ceci crée une pression plus faible et l'hydroptère est soulevé. À grande vitesse, le bateau s'élève carrément au-dessus de l'eau, réduisant de façon considérable la traînée causée par la friction.

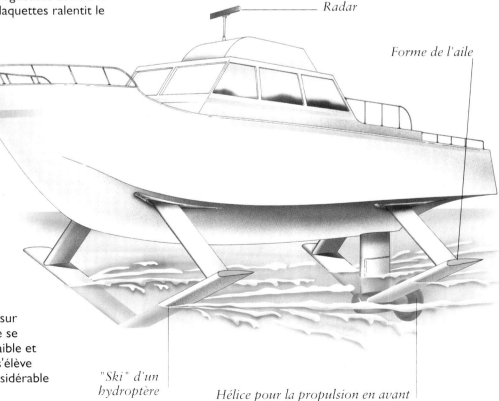

Radar

Forme de l'aile

"Ski" d'un hydroptère

Hélice pour la propulsion en avant

De l'énergie pour le monde

LA MAJEURE PARTIE DE L'ÉNERGIE UTILISÉE dans le monde entier provient de trois sources : le pétrole, le charbon et le gaz naturel. Ces derniers sont appelés des combustibles fossiles parce qu'ils proviennent des restes décomposés et à moitié fossilisés d'êtres qui vivaient il y a plusieurs millions d'années. La biomasse - ensemble des êtres vivants comme le bois et même les excréments d'animaux - est une autre source courante d'énergie. Dans certaines parties du monde, la biomasse sous forme de bois de chauffage est l'unique source d'énergie. L'énergie nucléaire est importante dans certains pays, bien qu'elle pose certains problèmes comme les accidents et les déchets nucléaires. Les pays ayant de hautes montagnes et une bonne pluviométrie peuvent générer de l'électricité à partir de l'énergie de l'eau courante. C'est l'énergie hydroélectrique.

L'énergie éolienne
Le vent, l'eau et la puissance musculaire étaient les principale sources d'énergie des machines jusqu'à l'invention de la machine à vapeur au 17ème siècle. Le moulin à vent traditionnel fonctionne en faisant pivoter se ailes dans la direction du vent d sorte qu'elles tournent avec le maximum de force. Les ailes for tourner un axe qui actionne des mécanismes à l'intérieur du moulin, tels que les meules qui servent à moudre le grain.

L'énergie hydraulique

Une centrale hydroélectrique produit de l'électricité à partir de l'eau courante. L'eau coule dans des tuyaux qui contiennent des turbines. Celles-ci tournent et font marcher des générateurs. À mesure que la pression de l'eau contre les pales des turbines augmente, celles-ci tournent de façon plus puissante et génèrent davantage d'électricité. Ainsi, pour augmenter la pression de l'eau et assurer également le plein d'approvisionnement en eau durant toute l'année, un barrage est construit à travers une vallée fluviale. L'eau s'accumule derrière le barrage, remplissant la vallée et formant un lac.

La demande en énergie
Les centrales alimentent en électricité un réseau de distribution.

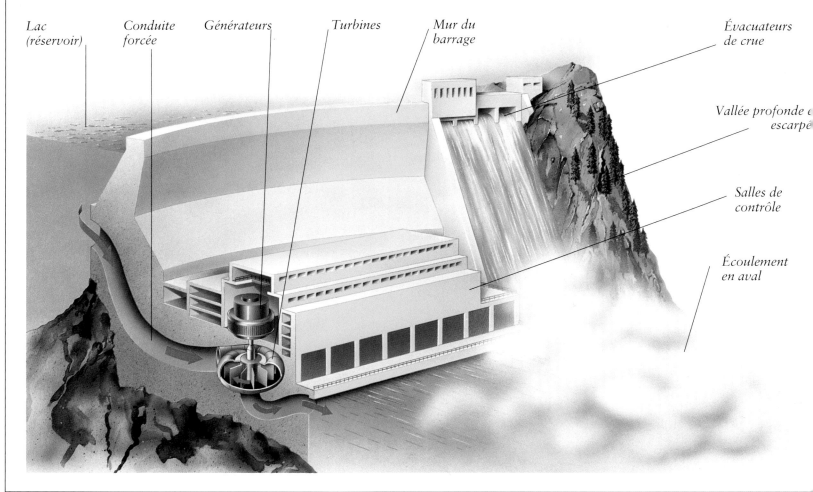

Lac (réservoir) — Conduite forcée — Générateurs — Turbines — Mur du barrage — Évacuateurs de crue — Vallée profonde e escarpé — Salles de contrôle — Écoulement en aval

VOIR AUSSI : L'EAU PAGE 32, LA CONVERSION DE L'ÉNERGIE PAGE 48, LA TERRE EN DANGER PAGE 170

GRANDES DÉCOUVERTES

Marie Curie (1867 - 1934) a appris les sciences elle-même en lisant des livres. Lorsqu'elle entendit dire que l'uranium dégageait d'étranges rayons, elle commença à tester plusieurs substances pour voir si elles produisaient également de tels rayons. La "radioactivité", le terme qu'elle employa, décrit les formes d'énergie produites par de tels corps. Marie découvrit deux nouveaux éléments radioactifs : le radium et le polonium. Le travail qu'elle a effectué a aidé d'autres scientifiques à développer l'énergie nucléaire, comme l'explique la page suivante.

L'utilisation de l'énergie fossile

Le monde utilise les combustibles fossiles plusieurs millions de fois plus vite qu'ils ne se forment. Au rythme de la consommation actuelle, les réserves de pétrole connues s'épuiseront dans 100 à 200 ans, et le charbon dans 300 à 400 ans. Par ailleurs, l'extraction à ciel ouvert du charbon situé peu profondément sous terre dénature le paysage.

L'énergie des vagues

Les vagues et les marées charrient une grande quantité d'énergie que l'on peut transformer en électricité. Un engin appelé canard monte et descend en mer au passage des vagues. Ce mouvement de balancier entraîne un générateur ou bien pompe du liquide ou du gaz dans une turbine qui fait tourner le générateur. La colonne d'eau oscillante est un autre type de générateur à vagues. Il s'agit d'un haut tube dont l'un des bouts est immergé. Les vagues fluctuent à l'intérieur du tube et poussent l'air qui s'y trouve dans une turbine située au sommet. Pour exploiter l'énergie des marées, une barrière semblable à un barrage est érigée à l'embouchure d'une crique ou d'une baie. Le flux des marées fait tourner des turbines situées à l'intérieur de la barrière.

"Canard" en balancement

Chaque "canard" a son propre arbre

Arbres inclinés solidaires du générateur

De l'énergie viable et renouvelable

L'électricité est notre forme préférée d'énergie. Elle peut être transportée sur d'énormes distances par des câbles et convertie en mouvement, en lumière, en chaleur, en son et en d'autres formes utiles. Mais nos principales sources d'énergie électrique - les combustibles fossiles - ne dureront pas indéfiniment. Elles ne sont ni viables, ni renouvelables, et elles provoquent beaucoup de pollution. Les scientifiques essaient donc de mettre au point des sources d'énergie qui ne s'épuiseront pas et qui devraient être moins polluantes. Elles comprennent : les vents, les vagues, les marées, la lumière du Soleil, l'eau courante (énergie hydraulique), et les roches chaudes des profondeurs souterraines (énergie géothermique). Les éoliennes ou turbines à vent sont une version moderne des moulins à vent produisant de l'électricité à partir de l'énergie de l'air en déplacement.

Un grand nombre de turbines éoliennes forment un parc

L'énergie et la matière

L'ÉNERGIE PEUT SE TRANSFORMER EN MATIÈRE (ATOMES) et la matière peut se transformer en énergie. La matière se transforme en énergie au cours d'un processus appelé fission nucléaire. Certains corps, tels que certains types d'uranium, ont des atomes ayant de gros noyaux instables. Lorsqu'on les bombarde avec des particules atomiques comme des neutrons, ces noyaux éclatent. Ce faisant, ils dégagent une décharge d'énergie et libèrent d'autres neutrons. De la sorte, le processus peut se poursuivre. La fission nucléaire a lieu dans les centrales nucléaires. Les scientifiques ont aussi fait le contraire et transformé de l'énergie en matière. Dans les conditions appropriées, des particules de matière surgissent là où il n'y avait aucune matière auparavant.

La sécurité

Les réacteurs nucléaires comportent de nombreux dispositifs de sécurité et ils sont hérissés de détecteurs, de circuits de contrôle et d'appareils d'alerte. Néanmoins, il se produit toujours des accidents.

L'énergie nucléaire

"Nucléaire" implique noyau, la partie centrale d'un atome. Dans une centrale nucléaire typique, les noyaux de certains atomes du combustible éclatent. C'est la fission nucléaire. Quand les noyaux éclatent, ils forment d'autres corps. Mais ces derniers ne pèsent pas tout à fait autant que le combustible de départ qui est généralement de l'uranium. D'infimes quantités de matière ou de masse ont été converties en d'énormes quantités de chaleur et autres formes d'énergie. Les réactions nucléaires sont si puissantes qu'un morceau d'uranium de la taille d'un poing peut dégager la même quantité de chaleur que si l'on brûlait un tas de charbon plus grand qu'une maison.

Échangeur de chaleur

Bouclier en acier

Circuit primaire de liquide surchauffé

Pièce de confinement en béton

Pompe primaire

Réacteur nucléaire

1 Centrale nucléaire

L'énergie nucléaire peut produire d'énormes quantités d'énergie thermique qui est à convertir en électricité. Mais elle comporte aussi des substances radioactives dangereuses et produit beaucoup de types de déchets radioactifs. Le traitement sécuritaire de ces déchets, qui resteront radioactifs pendant des siècles, est un problème croissant.

Eau refroidie en provenance des tours de refroidissement

Eau surchauffée en direction des turbines et des alternateurs

2 Enceinte de confinement

La chaleur provenant du réacteur passe dans le fluide primaire. Ce dernier la transmet à de l'eau surchauffée qui s'écoule pour créer la vapeur, laquelle entraîne les turbines pour produire de l'électricité.

VOIR AUSSI : LES ATOMES PAGE 14, À L'INTÉRIEUR DES ATOMES PAGE 16, LE SOLEIL PAGE 188

Assemblages de barres de combustible

Le combustible nucléaire, par exemple un certain type d'uranium, est taillé en de longues barres. Dans certaines conceptions, le combustible est enfoncé dans une autre substance : le modérateur. Ce dernier réduit la vitesse des particules atomiques qui s'échappent des atomes du combustible lorsque ces derniers éclatent. Ainsi, ces particules ont plus de chances d'entrer en collision avec d'autres atomes du combustible et de continuer la réaction. Les barres de contrôle peuvent être descendues dans le réacteur pour ralentir les réactions nucléaires en absorbant quelques-unes des particules.

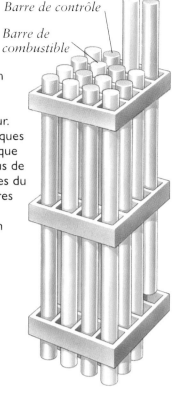

Barre de contrôle

Barre de combustible

Davantage de neutrons dégagés dans une réaction en chaîne

Le noyau d'un atome de combustible éclate

Deux noyaux de produits de fission

Neutron

Davantage de neutrons dégagés

Les neutrons entrent en collision avec d'autres noyaux de combustible

Fissions nucléaires

Un noyau d'atome combustible est heurté par une particule à grande vitesse, un neutron. Ceci fait éclater le noyau en deux noyaux plus petits que l'on appelle des produits de fission, tels que le plomb. Durant le processus, le noyau dégage également davantage de neutrons en plus d'une grande quantité d'énergie. Les neutrons engendrent d'autres éclatements, et ainsi de suite : on a une réaction en chaîne. Les barres de contrôle et les modérateurs serviront à maîtriser la réaction en chaîne.

Réacteur nucléaire

On appelle réacteur la partie de la centrale nucléaire dans laquelle la chaleur est produite. Cette partie chauffe un liquide primaire spécial à des températures extrêmement élevées. Le liquide primaire est envoyé par une pompe à travers des échangeurs de chaleur, situés autour du réacteur, au niveau desquels il surchauffe l'eau destinée aux turbines.

Cuve en acier résistant à la pression

Le liquide primaire est injecté ou rejeté à travers les tuyaux du circuit primaire

Liquide primaire

Assemblages de barres de combustible et de contrôle (voir ci-dessus à droite)

La forme arrondie résiste à d'énormes pressions

L'énergie nucléaire du futur ?

Les centrales nucléaires sont d'énormes installations comme le montre l'illustration de droite ; elles créent plusieurs dangers, tels que la pollution radioactive. Très loin de la Terre, les étoiles produisent aussi de la chaleur et de la lumière grâce à l'énergie nucléaire. Mais ce processus implique la fusion, avec la jonction des noyaux, plutôt que la fission. Les scientifiques tentent d'imiter ce processus avec des réacteurs de fusion expérimentaux. La fusion nucléaire utilise de l'hydrogène comme combustible ; celui-ci peut être produit simplement à partir de l'eau de mer. Et il produit peu ou aucun déchet radioactif, mais les problèmes pratiques, en particulier les températures incroyables, sont considérables.

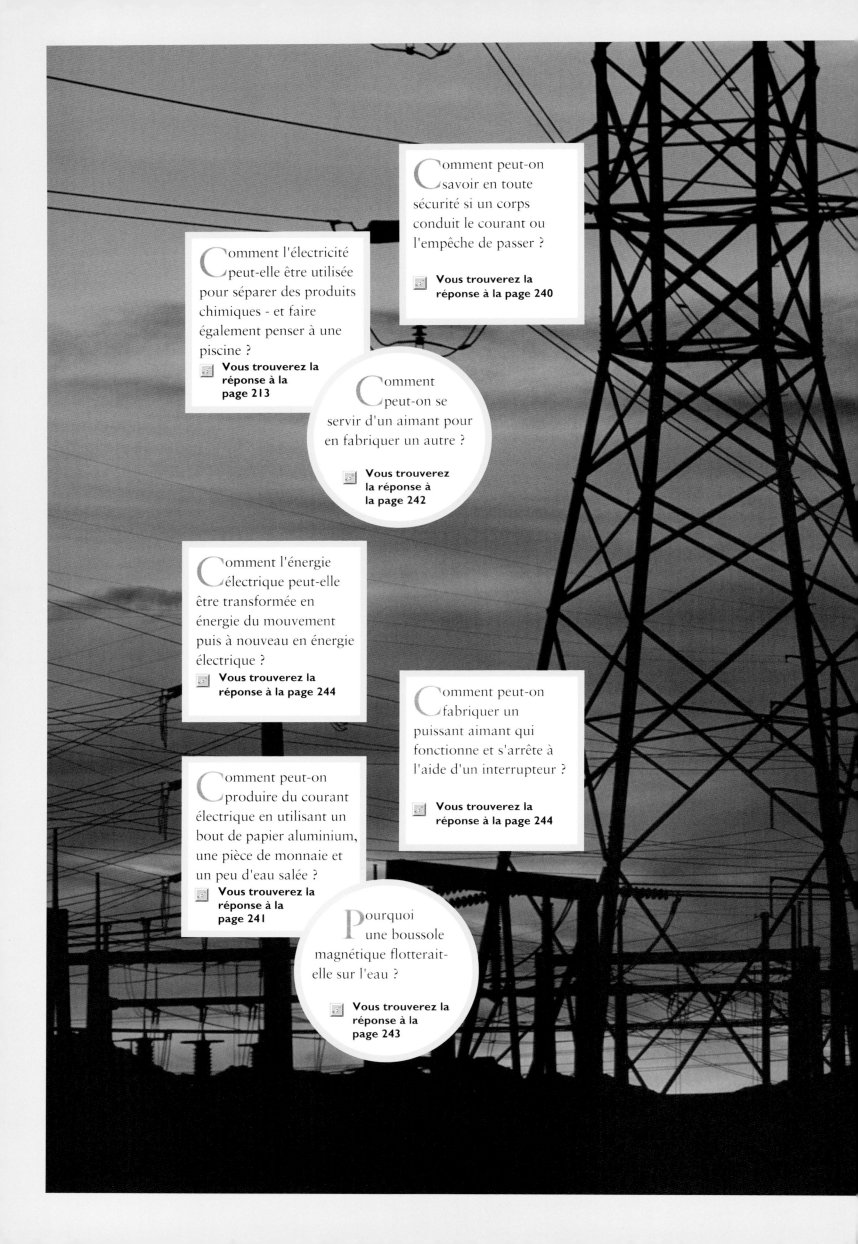

Comment peut-on savoir en toute sécurité si un corps conduit le courant ou l'empêche de passer ?

Vous trouverez la réponse à la page 240

Comment l'électricité peut-elle être utilisée pour séparer des produits chimiques - et faire également penser à une piscine ?

Vous trouverez la réponse à la page 213

Comment peut-on se servir d'un aimant pour en fabriquer un autre ?

Vous trouverez la réponse à la page 242

Comment l'énergie électrique peut-elle être transformée en énergie du mouvement puis à nouveau en énergie électrique ?

Vous trouverez la réponse à la page 244

Comment peut-on fabriquer un puissant aimant qui fonctionne et s'arrête à l'aide d'un interrupteur ?

Vous trouverez la réponse à la page 244

Comment peut-on produire du courant électrique en utilisant un bout de papier aluminium, une pièce de monnaie et un peu d'eau salée ?

Vous trouverez la réponse à la page 241

Pourquoi une boussole magnétique flotterait-elle sur l'eau ?

Vous trouverez la réponse à la page 243

C H A P I T R E

L'électricité et le magnétisme

L'ÉLECTRICITÉ EST UN TYPE D'ÉNERGIE basé sur le mouvement d'éléments de l'atome appelés les électrons. Le magnétisme est une force mystérieuse et invisible qui peut attirer ou repousser. L'électricité produit du magnétisme et le magnétisme produit de l'électricité. Ensemble, ils forment la base du fonctionnement d'innombrables machines, des moteurs aux ordinateurs.

L'énergie électrique

L'ÉLECTRICITÉ EST UNE FORME D'ÉNERGIE INVISIBLE. Elle est produite à partir des minuscules particules chargées qui se trouvent à l'intérieur des atomes. Au sein du noyau d'un atome, des particules appelées protons ont une charge positive. Des électrons, qui ont une charge négative, tournent à vive allure autour du noyau de l'atome. Normalement, les charges positives et négatives s'équilibrent. S'il y a déséquilibre, une force électrique est générée. Celle-ci peut rester sur place, en tant qu'électricité statique, ou alors se déplacer d'un endroit à un autre, en tant que courant qui circule. La raison pour laquelle l'électricité nous est si utile est qu'elle peut circuler le long de câbles là où on en a besoin et être transformée en d'autres types d'énergie, tels que la lumière, la chaleur et le mouvement.

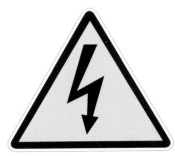

Danger ! Courant !

L'énergie électrique peut être très dangereuse. Une électrocution à partir d'une prise secteur qui a une tension de 110 à 220 volts à peu près peut facilement tuer une personne. L'électricité haute tension, transportée par câble sur des pylônes, fait des centaines de milliers de volts. Elle peut "jaillir" à plusieurs mètres de distance. Donc, tenez vous à l'écart !

Centrale avec ses tours de refroidissement

Pylônes de haute tension

Les usin utilisent tensio industriel

Pylônes moyenn tensio

Le poste principal réduit la tension

Le poste régional réduit encore la tension

Le réseau électrique

Les centrales électriques transforment l'énergie du mouvement en énergie électrique de puissance moyenne, ou moyenne tension. Celle-ci est transformée en électricité haute tension, plus puissante, et est envoyée dans des gros câbles ou fils situés au sommet de pylônes ou enfouis sous terre. Ce réseau de câbles et de fils s'appelle un réseau de distribution électrique. L'électricité est ensuite de nouveau ramenée à des tensions plus faibles, à une tension industrielle et de secteur, pour être utilisée dans les usines, les fermes, les bureaux et les foyers.

VOIR AUSSI : L'ÉLECTRICITÉ STATIQUE PAGE 80, L'ÉLECTRICITÉ COURANTE PAGE 82

'électricité dans les atomes

Toute chose est constituée de trillions de particules incroyablement minuscules appelées des atomes. Un atome a un noyau central contenant des protons, dont chacun possède une charge positive, ainsi que des neutrons, sans aucune charge ou neutres. On trouve tournant dans le vide, autour du noyau, des particules beaucoup plus petites appelées électrons, chacun ayant une charge négative. Lorsque des atomes ou des corps gagnent ou perdent des électrons, ils deviennent électriquement chargés. Un gain d'électrons les rend négatifs. Une perte d'électrons les rend positifs.

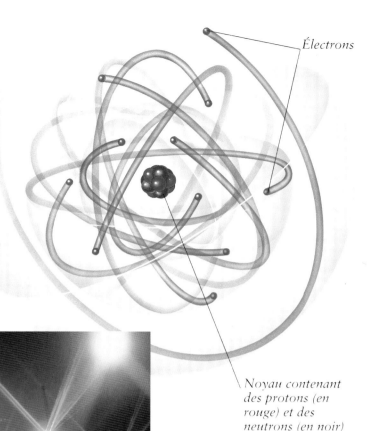

Électrons

Noyau contenant des protons (en rouge) et des neutrons (en noir)

GRANDES DÉCOUVERTES

Benjamin Franklin (1706 - 1790) fut l'un des premiers à étudier l'électriré en détail. En 1752, il fit voler un cerf-volant muni d'une clé en métal dans un nuage orageux. Des étincelles jaillirent de la clé, démontrant que l'éclair était une forme d'électricité. Franklin affirma que l'électricité était constituée de deux états différents d'un fluide mystérieux ; personne ne croit plus à cette idée aujourd'hui.

L'électricité en action

S'il y avait une coupure de courant dans cette ville, les gens seraient obligés de se débrouiller sans la plupart de leur éclairage, de leur chauffage et des appareils qui rendent la vie tellement plus facile. Le train-train quotidien s'arrêterait progressivement et les seules sources d'énergie seraient les piles, les bougies, le bois, le charbon ou le gaz. Pourtant, les gens ont réussi à vivre sans appareils électriques pendant des milliers d'années, et parviennent encore à le faire dans beaucoup de régions du monde. C'est seulement au siècle dernier que l'électricité a été mise à notre service. L'un de ses plus grands avantages est qu'elle est disponible par simple appui sur un interrupteur.

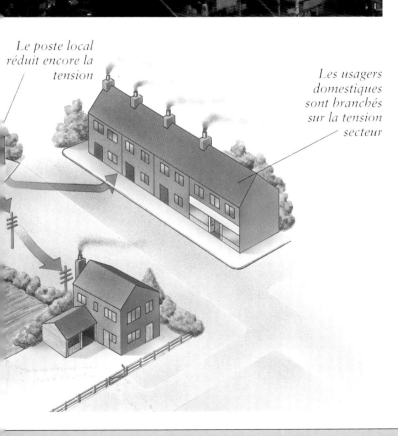

Le poste local réduit encore la tension

Les usagers domestiques sont branchés sur la tension secteur

La détection de l'électricité

Les requins ont un sens spécial qui leur permet de détecter les signaux électriques faibles. Ceux-ci sont émis de façon naturelle par les muscles de leurs proies et se propagent bien dans l'eau. Le requin utilise de minuscules creux sensoriels dans la peau de son museau appelés ampoules de Lorenzini pour détecter l'électricité. Les anguilles électriques, les raies électriques et les poissons-chats électriques peuvent aussi produire de puissantes décharges électriques pour paralyser leurs proies.

L'electricité statique

🔲 TRAÎNEZ VOS PIEDS SUR la moquette, puis touchez la poignée métallique de
la porte : Vlan ! Vous sentez une faible décharge alors qu'une étincelle
jaillit de vous vers le métal : ce type d'électricité s'appelle de l'électricité
statique. Elle peut faire dresser les cheveux sur la tête, attirer de la poussière sur le
téléviseur ou coller un ballon contre un mur. Lorsque deux corps non métalliques
sont frottés l'un contre l'autre, il se forme de l'électricité statique (voir ci-contre).
Celle-ci peut rapprocher des objets ou les éloigner l'un de l'autre, car des charges
opposées s'attirent et des charges semblables se repoussent. L'électricité statique
peut être destructrice comme avec la foudre, ou bien utile, comme avec les
photocopieuses, les pistolets à peinture et les ioniseurs.

L'étincelle de l'éclair
L'éclair est un moyen de libérer
l'énergie électrique qui
s'accumule dans les nuages
orageux. Il s'agit d'une
gigantesque étincelle, autrement
dit, d'une décharge d'électricité
statique.

L'emploi de l'électricité statique

Les photocopieuses fonctionnent grâce à l'électricité statique
et à l'attraction de charges opposées. Un tambour rotatif,
enduit d'un produit qui permet à l'électricité de circuler
lorsque de la lumière l'illumine, est chargé positivement
en électricité statique. La lumière provenant des zones
blanches du document original illumine le tambour
et la charge se libère. Les zones noires gardent
leur charge positive et attirent une poudre
négativement chargée appelée
le toner, qui est transférée
au papier par la suite.

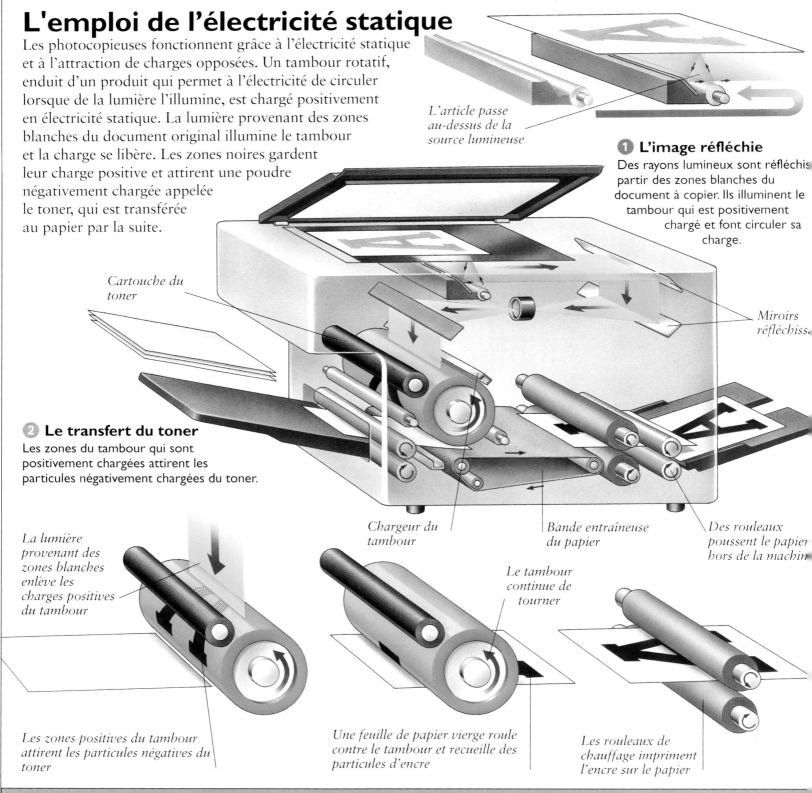

*L'article passe
au-dessus de la
source lumineuse*

① L'image réfléchie
Des rayons lumineux sont réfléchis
partir des zones blanches du
document à copier. Ils illuminent le
tambour qui est positivement
chargé et font circuler sa
charge.

*Cartouche du
toner*

*Miroirs
réfléchiss*

② Le transfert du toner
Les zones du tambour qui sont
positivement chargées attirent les
particules négativement chargées du toner.

*La lumière
provenant des
zones blanches
enlève les
charges positives
du tambour*

*Chargeur du
tambour*

*Bande entraîneuse
du papier*

*Des rouleaux
poussent le papier
hors de la machin*

*Le tambour
continue de
tourner*

*Les zones positives du tambour
attirent les particules négatives du
toner*

*Une feuille de papier vierge roule
contre le tambour et recueille des
particules d'encre*

*Les rouleaux de
chauffage impriment
l'encre sur le papier*

VOIR AUSSI : L'ÉNERGIE ÉLECTRIQUE PAGE 78, LES MYSTÈRES DU MAGNÉTISME PAGE 92

Des charges gigantesques

Des appareils de recherche scientifique tels que les générateurs de Van der Graaff peuvent produire d'énormes quantités de charges statiques mesurant des milliards de volts. On fait passer ces charges à travers des substances et des corps pour en étudier les effets, ou bien on les transmet à des atomes ou d'autres particules pour les faire aller à grande vitesse.

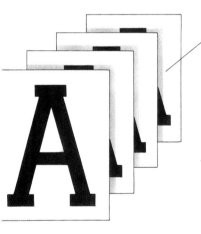

Chaque copie nécessite une recharge du tambour

③ Le toner d'impression

Les minuscules particules du toner, qui sont sensibles à la chaleur, sont "fondues" dans le papier à l'aide des rouleaux de chauffage. Pendant ce temps, le tambour est chargé à nouveau, prêt pour la copie suivante.

GRANDES DÉCOUVERTES

La première photocopieuse a été mise au point par un avocat américain du nom de Chester Carlson (1906-1968) en 1938. Il baptisa le processus xérographie, du grec *xeros*, "sec", et *graphos*, "écriture". À cette époque, l'écriture se faisait le plus souvent avec de l'encre, et elle était donc humide au début. Les photocopies prenaient une heure ou plus à faire. Mais elles étaient des documents inestimables parce qu'elles étaient des répliques exactes qui pouvaient être utilisées dans les tribunaux. La copie des documents à la main aurait pu compter des erreurs.

La charge de séparation

Le frottement ou la friction met les électrons en mouvement. Ceci donne une charge positive à un corps et une charge négative à un autre. Les charges demeurent statiques à la surface des corps jusqu'à ce qu'elles aient une voie le long de laquelle elles peuvent soudain circuler, autrement dit se décharger. Une charge statique peut attirer des objets l'un vers l'autre ou les éloigner car (à l'image des aimants) des charges opposées s'attirent et des charges de même nature se repoussent.

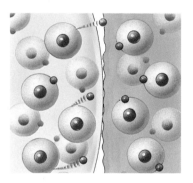

Les deux corps sont rapprochés l'un de l'autre. Chacun contient des milliards d'atomes. Chaque atome comporte un noyau central (en rouge) avec un ou plusieurs électrons (en bleu) gravitant autour. L'électron, qui est négatif, est retenu à proximité du noyau, qui est positif, par des forces électrostatiques puisque des charges de nature différente s'attirent.

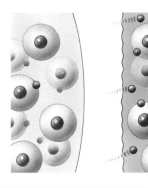

L'énergie du frottement ou de la friction donne aux électrons de l'énergie supplémentaire. Ceci permet à certains d'entre eux de se libérer de leur noyau et de se promener tout seuls. Cela s'appelle la "charge de séparation". Quelques électrons passent d'un corps à l'autre.

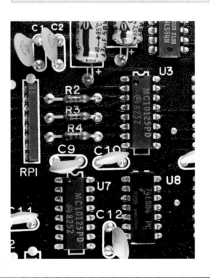

Un corps a gagné des électrons supplémentaires et devient ainsi négativement chargé. L'autre a perdu des électrons et est devenu positivement chargé. Les charges restent à la surface des deux corps (avec un métal, les charges seraient en mesure de se répandre et de se disperser dans l'objet).

Les réservoirs de charge

Les circuits électriques des chaînes hi-fi, des téléviseurs et des ordinateurs comportent des appareils, de la taille de l'extrémité du doigt, appelés condensateurs (les "boutons" brun clair sur l'image). Ces derniers servent à emmagasiner les charges électriques statiques. La charge peut être libérée d'un seul coup, à un moment donné, ou par étapes successives et régulières.

L'électricité "courante"

🔲 LORSQU'ON ALLUME LA LUMIÈRE, on utilise le type d'électricité qui circule dans les fils, un peu comme de l'eau qui coule dans des tuyaux. Il s'agit de l'électricité courante ou courant électrique. Elle est normalement constituée de milliards d'électrons circulant le long d'un fil ou à travers un composant électrique. Ces électrons ne se déplacent pas tout seuls le long du fil. Ils doivent être poussés par une différence d'état électrique, appelée différence de potentiel, produite par une batterie ou une centrale d'énergie. La puissance du courant électrique est utilisée pour faire fonctionner toutes sortes de machines dans les foyers, les écoles et les lieux de travail.

L'ingénieur Nikola Tesla (1856-1943) fut le défenseur de l'utilisation, maintenant unanimement acceptée, du courant alternatif pour la plupart des applications pratiques (voir pages suivantes). En 1888, il fabriqua le premier moteur à induction qui est le type de moteur utilisé dans de nombreux appareils ménagers. Il inventa également la bobine de Tesla, un type de transformateur utilisé en radio et capable de produire d'énormes tensions.

À l'intérieur d'un fil

Un courant électrique est constitué de milliards d'électrons, séparés de leurs atomes, circulant le long d'un fil. Les électrons "sautillent" d'un atome à l'autre, en se déplaçant par à-coups. Chaque électron se déplace à la vitesse d'infimes fractions de centimètre par seconde. Mais, à l'image d'une file de wagons que l'on pousse, les électrons produisent une réaction en chaîne tout au long du fil, et les effets de l'électricité se propagent à la vitesse de la lumière, c'est-à-dire 300 000 km par seconde.

Le courant continu, CC
Avec le courant continu, tous les électrons vont dans la même direction quand l'électricité circule. Ce type de courant est produit par les piles et les batteries des torches, des voitures et d'autres appareils similaires.

Électrons en déplacement

L'enveloppe plastique, ou isolant, empêch les électrons de s'échapper du f

Le courant change à nouveau de direction

Le courant alternatif, CA
Avec le courant alternatif, les électrons changent de direction plusieurs fois par seconde. Les électrons vont dans un sens, puis dans l'autre, et ainsi de suite.

Le courant change de direction

Chaque atome a un noyau central (en rouge) et une zone dans laquelle les électrons orbitent (en bleu)

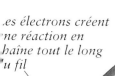

Les électrons créent une réaction en chaîne tout le long du fil

L'emprisonnement de l'électricité dans le fil

L'électricité passe ou circule aisément à travers certains matériaux, en particulier les métaux qui servent de fils. Mais elle est arrêtée par d'autres matériaux comme le plastique. Ainsi, la plupart des fils et des câbles ont une enveloppe plastique appelée isolation électrique.

Les câbles électriques

Les câbles électriques sont suspendus à des pylônes ou des tours, ou sont enfouis sous le sol dans des conduits ou des tubes. Ils peuvent même être couchés au fond de la mer par des câbliers (voir ci-dessus), pour relier des pays éloignés de centaines de kilomètres les uns des autres. Des câbles semblables sont posés pour assurer les transmissions téléphoniques et électroniques. Malgré tout, des tremblements de terre sous-marins ou des courants sous-marins très rapides, appelés courants de turbidité, transportant des matériaux en suspension, peuvent rompre ces câbles.

L'électricité dans le corps

Le corps est sans cesse traversé de courants électriques et de faibles impulsions. Certains sont des influx nerveux, qui circulent autour du cerveau, allant des organes sensoriels, tels que les yeux, vers le cerveau et de celui-ci vers les muscles. Un muscle produit aussi des impulsions électriques lorsqu'il se contracte pour causer un mouvement. Les faibles impulsions électriques provenant du cerveau peuvent être détectées sur la peau par des capteurs : elles sont alors intensifées et affichées sur un écran ou une bande de papier. La machine qui effectue ce travail est un EEG, ou électroencéphalographe.

Faire un EEG est totalement indolore. Des capteurs placés sur la tête détectent les faibles signaux électriques provenant du cerveau de façon naturelle et continue. Le tracé des signaux montre si le cerveau est sain ou s'il pourrait y avoir un problème.

TRACÉ D'UN **EEG** MONTRANT LES "ONDES CÉRÉBRALES"

Les lignes fracturées indiquent les signaux nerveux électriques

Les abréviations électriques

Les électriciens et ceux qui conçoivent les circuits utilisent différents symboles et lettres pour décrire les différentes propriétés de l'électricité, telles que sa puissance ou sa quantité.

A	Ampères, l'unité qui sert à mesurer la quantité de courant électrique.
ca	Courant alternatif, c'est-à-dire courant qui change rapidement de sens.
C	Coulombs, qui désigne la quantité de charge électrique pouvant être emmagasinée.
cc	Courant continu, c'est-à-dire courant qui ne change pas de direction.
f.é.m	Force électromotrice, soit la force de poussée de l'électricité mesurée en volts.
F	La capacité électrique, mesurée en farads.
Hz	La mesure de la rapidité du déroulement de quelque chose (tel que le ca), mesurée en hertz.
J	La quantité de travail ou d'énergie (dont l'électricité), mesurée en joules.
Kwh	Kilowatt/heure, c'est-à-dire le nombre de watts utilisés ou produits en une heure.
d.d.p	Différence de potentiel ou la force de poussée de l'électricité mesurée en volts.
V	Volt, l'unité standard pour mesurer la force de poussée de l'électricité.
W	Watt, l'unité standard de puissance, du courant alternatif entre autres.
Ω	Ohm, l'unité qui donne la mesure de la résistance d'une substance au passage de l'électricité.

L'électricité d'origine chimique

LA PLUS SIMPLE UNITÉ de production d'électricité s'appelle une pile. Elle produit de l'électricité à partir de réactions chimiques, et fonctionne comme une pompe pour faire avancer les électrons dans les fils. Une batterie est constituée de deux ou plusieurs piles. Certains types de batteries, comme celles des voitures, sont constituées de rangées, autrement dit de "batteries" de piles simples. Dans une pile primaire, les produits chimiques s'épuisent lentement à mesure que de l'électricité est produite. Pour finir, les produits chimiques s'épuisent complètement et la pile n'arrive plus à générer d'électricité. Dans une pile secondaire, il est possible de ravitailler la pile en produits chimiques ou de reconstituer ces derniers en la rechargeant avec de l'électricité.

Un animal électrique
Les muscles produisent de faibles signaux électriques lorsqu'ils travaillent. Chez l'anguille électrique, ces muscles forment de gros blocs le long du corps. Ils produisent de puissantes pointes de courant électrique mesurant des centaines de volts, comme s'ils étaient "des batteries vivantes".

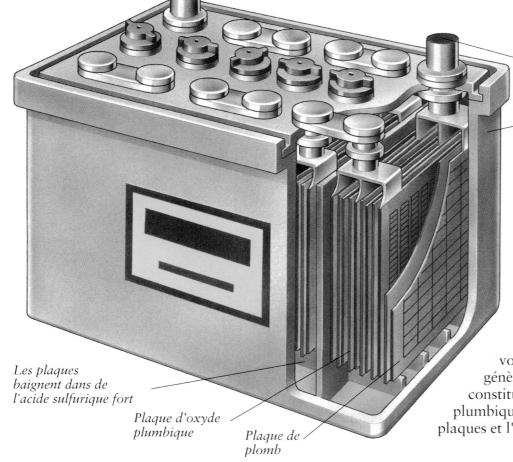

Borne négative

Borne positive

Boîtier résistant à l'acide

Les plaques baignent dans de l'acide sulfurique fort

Plaque d'oxyde plumbique

Plaque de plomb

Les batteries de voiture

Également appelées accumulateurs, les batteries de véhicules sont rechargeables. La réaction chimique qui s'est déroulée pour générer de l'électricité peut être inversée en remettant de l'électricité dans la batterie, de sorte que celle-ci puisse être réutilisée. Dans un véhicule, la recharge s'effectue à l'aide d'un alternateur entraîné par le moteur. La plupart des batteries de voitures ont six éléments reliés, dont chacun génère deux volts environ. Chaque élément est constitué de plaques de plomb, de plaques d'oxyde plumbique et d'acide sulfurique. Les réactions entre les plaques et l'acide sulfurique produisent de l'électricité.

Le fonctionnement dune pile

Des substances telles que les acides se dissolvent dans l'eau pour former des particules chargées, appelées ions, comprenant des cations positifs (en rouge) et des anions négatifs (en bleu). Dans une pile, les ions constituent l'électrolyte. Lorsque d'autres corps tels que des tiges de métal, sont mis dans l'électrolyte, ils jouent le rôle d'électrodes. Ils attirent des ions de charge contraire et font circuler un courant électrique.

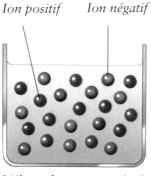

Ion positif   *Ion négatif*

L'électrolyte est constitué de particules chargées appelées ions, positives et négatives.

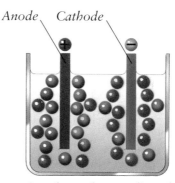

Anode   *Cathode*

Les électrodes sont l'anode, positive, et la cathode, négative.

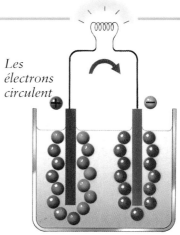

Les électrons circulent

Les charges électriques opposées s'attirent et les électrons se déplacent, produisant du courant.

VOIR AUSSI : L'ÉNERGIE ÉLECTRIQUE PAGE 78, LES CIRCUITS ÉLECTRIQUES PAGE 86

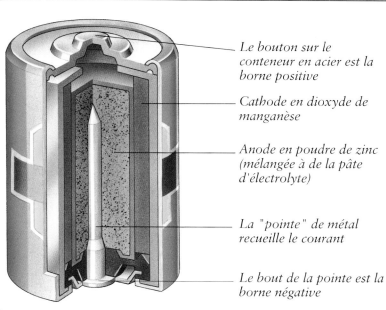

Le bouton sur le conteneur en acier est la borne positive

Cathode en dioxyde de manganèse

Anode en poudre de zinc (mélangée à de la pâte d'électrolyte)

La "pointe" de métal recueille le courant

Le bout de la pointe est la borne négative

La pile sèche
Les piles "sèches" contiennent une pâte électrolytique, au lieu de l'électrolyte liquide qui se trouve dans les batteries de voitures. La pile sèche de longue durée, dite alcaline, a une anode combinée (borne positive) et un électrolyte fait de pâte de poudre de zinc.

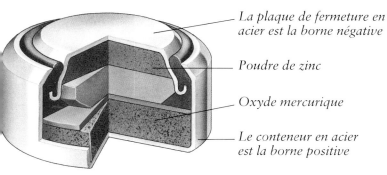

La plaque de fermeture en acier est la borne négative

Poudre de zinc

Oxyde mercurique

Le conteneur en acier est la borne positive

La pile "bouton" au mercure-zinc
Ce type de pile, de la taille d'un bouton, est utilisé pour les montres, les appareils photo, les calculatrices, les audiophones et autres petits appareils de ce genre. L'anode est en poudre de zinc et la cathode en oxyde mercurique. La plupart des piles boutons produisent à peu près 1,4 volts.

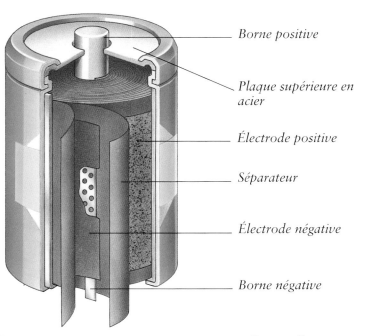

Borne positive

Plaque supérieure en acier

Électrode positive

Séparateur

Électrode négative

Borne négative

La pile rechargeable ou pile sèche "nicad"
La pile secondaire ou pile sèche rechargeable est constituée de deux métaux : le nickel (Ni) et le cadmium (Cd), d'où l'appellation courante de "nicad".

GRANDES DÉCOUVERTES

En 1800, le comte italien Alessandro Volta (1745-1827) découvrit que deux métaux différents, séparés par des produits chimiques humides, pouvaient entraîner une circulation de charge électrique. Ce fut la première pile. Volta empila des piles les unes sur les autres pour constituer la première vraie batterie appelée pile voltaïque. Lorsqu'il mit en contact un fil venant du sommet de la batterie avec un fil venant de la base, il obtint des étincelles d'électricité.
Pour la première fois, une source fiable de courant électrique circulant en permanence était disponible. Ce fut le début d'une ère totalement nouvelle de la science et le déclenchement d'une vaste gamme de nouvelles inventions.

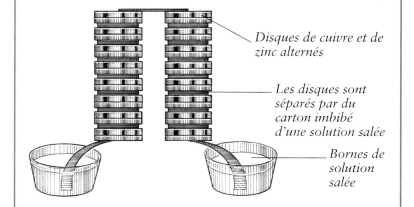

Disques de cuivre et de zinc alternés

Les disques sont séparés par du carton imbibé d'une solution salée

Bornes de solution salée

Les stimulateurs cardiaques
Parfois, les petites impulsions électriques qui font battre le cœur de façon naturelle ne fonctionnent pas correctement. Un stimulateur artificiel électrique incite le cœur à battre régulièrement, au rythme d'un battement par seconde. Il est alimenté par des batteries qui durent cinq ans au moins, voire douze. Si le cœur ne produit pas ses propres impulsions électriques, le stimulateur le détecte et comble les vides.

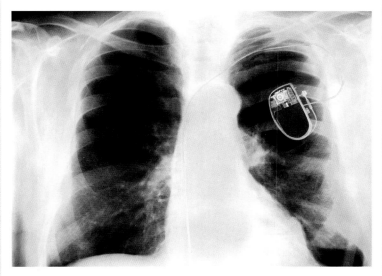

Cette radiographie en couleur montre un stimulateur cardiaque artificiel, en bleu, implanté sous la peau sur le devant de la poitrine. Le cœur se trouve juste au-dessous, sous les côtes.

Les circuits électriques

🅰 DANS CERTAINS MATÉRIAUX, dits conducteurs, les électrons peuvent facilement quitter leurs atomes pour se déplacer librement. Ceci permet à l'électricité de circuler à travers eux sans trop de difficulté. Dans d'autres corps, dits isolants, les électrons sont fermement retenus par leurs atomes. Ceci empêche le courant de circuler facilement. La voie empruntée par un courant en circulation s'appelle un circuit. Le courant électrique circule tant que la voie n'est pas interrompue – un circuit complet. S'il y a une rupture dans le circuit, avec de l'air ou un autre isolant sur le chemin, l'électricité ne peut plus circuler. Un interrupteur est un mécanisme qui crée ou comble une rupture dans un circuit. Il permet d'allumer et d'éteindre le courant.

Les circuits domestiques

L'électricité arrive dans une maison par des fils qui entrent dans une unité de consommation, parfois appelée "boîte à fusibles". Ensuite, les fils se divisent en plusieurs embranchements ou circuits appelés circuits bouclés, certains servant pour l'éclairage et d'autres pour les prises murales. Un circuit bouclé est constitué d'un câble qui fait le tour de la maison, en passant par chacune des prises avant de revenir à l'unité de consommation. Ceci permet à l'électricité d'atteindre une prise murale en circulant dans les deux sens le long des câbles sur le circuit bouclé. Ceci aide à distribuer l'électricité sur deux trajectoires et à éviter le problème de surcharge.

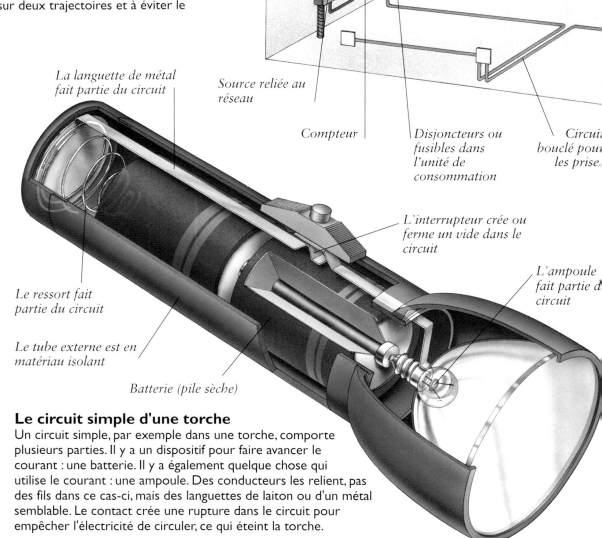

Câble d'alimentation en direction du chauffe-eau

Source reliée au réseau

Compteur

Disjoncteurs ou fusibles dans l'unité de consommation

Circui... bouclé pou... les prise...

La languette de métal fait partie du circuit

L'interrupteur crée ou ferme un vide dans le circuit

L'ampoule fait partie d... circuit

Le ressort fait partie du circuit

Le tube externe est en matériau isolant

Batterie (pile sèche)

GRANDES DÉCOUVERTES

Georg Simon Ohm (1789-1854) démontra que tout conducteur, même le meilleur métal, résistait, dans une certaine mesure, à la circulation du courant électrique. L'unité de résistance est appelée l'ohm en son honneur. La loi d'Ohm dit que la circulation de courant dans un conducteur, mesurée en ampères, est proportionnelle à la différence de potentiel à travers le conducteur, mesurée en volts : volts = ampères x ohms.

Le circuit simple d'une torche

Un circuit simple, par exemple dans une torche, comporte plusieurs parties. Il y a un dispositif pour faire avancer le courant : une batterie. Il y a également quelque chose qui utilise le courant : une ampoule. Des conducteurs les relient, pas des fils dans ce cas-ci, mais des languettes de laiton ou d'un métal semblable. Le contact crée une rupture dans le circuit pour empêcher l'électricité de circuler, ce qui éteint la torche.

VOIR AUSSI : L'ÉNERGIE ÉLECTRIQUE PAGE 78, L'ÉLECTRICITÉ COURANTE PAGE 82

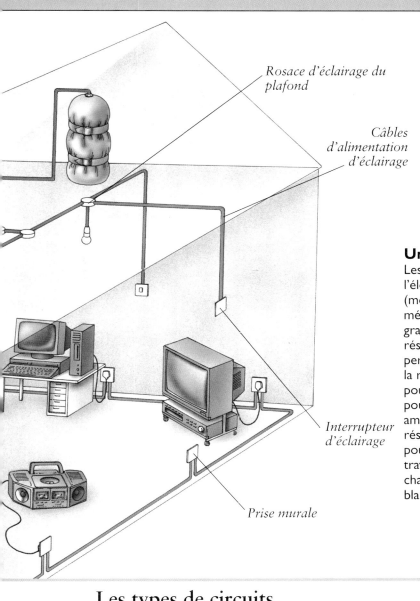

Rosace d'éclairage du plafond

Câbles d'alimentation d'éclairage

Interrupteur d'éclairage

Prise murale

Une énorme résistance

Les gros câbles qui transportent l'électricité sont en alliage (mélanges ou combinaisons de métaux) pour allier à la fois une grande solidité et une faible résistance. L'électricité ne se perd pas simplement à cause de la résistance : elle se transforme, pour la plupart, en chaleur. C'est pourquoi le fin filament d'une ampoule a une très grande résistance. L'électricité doit pousser avec force pour le traverser. Ceci rend le filament si chaud qu'il brille d'une lumière blanche éclatante.

Les symboles des circuits

Pour gagner du temps et éviter toute confusion, les schémas de circuits sont dessinés avec de petits symboles qui représentent des composants standard. C'est l'un des nombreux exemples du langage scientifique international des signes et symboles.

 COURANT ALTERNATIF (CA)

 AMPÈREMÈTRE (MESURE LE COURANT)

 PILE ÉLECTRIQUE

 FUSIBLE

 RELAIS

 INTERRUPTEUR

 TRANSFORMATEUR

 VOLTMÈTRE (MESURE LE D.D.P.)

 RÉSISTANCE

 RHÉOSTAT (RÉSISTANCE VARIABLE)

 BOBINE (SOLÉNOÏDE)

 CONDENSATEUR (EMMAGASINE DE LA CHARGE)

 CONDENSATEUR PRÉRÉGLÉ

 CONDENSATEUR ÉLECTROLYTIQUE

 DIODE

 DEL (DIODE ÉLECTROLU-MINESCENTE)

 TRANSISTOR BIPOLAIRE

TRANSISTOR À EFFET DE CHAMP

Les types de circuits

Il y a plusieurs manières de connecter divers composants avec des fils pour réaliser des circuits. Dans un circuit en série, les composants sont reliés les uns après les autres. Lorsqu'un composant est enlevé ou tombe en panne, le circuit est interrompu et rien ne fonctionne. Dans le circuit en parallèle, chaque composant a son propre "minicircuit". Ainsi, si les autres tombent en panne, il continue quand-même de fonctionner.

AMPOULE

PILE (BATTERIE)

RÉSISTANCE VARIABLE

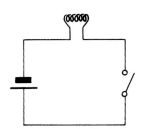

INTERRUPTEUR OUVERT : PAS DE COURANT

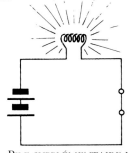

PILE SUPPLÉMENTAIRE EN SÉRIE : LE COURANT DOUBLE

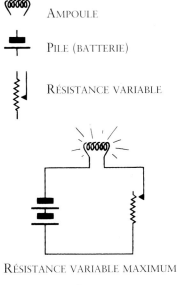

RÉSISTANCE VARIABLE MAXIMUM

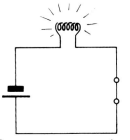

INTERRUPTEUR FERMÉ : LE COURANT PASSE

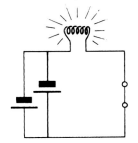

EN PARALLÈLE : LE MÊME COURANT DURE DEUX FOIS PLUS

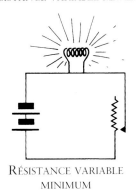

RÉSISTANCE VARIABLE MINIMUM

L'emploi de l'électricité

L'ÉLECTRICITÉ EST NOTRE SOURCE D'ÉNERGIE la plus utile et la plus adaptable. Elle peut être transportée sur de longues distances, dans des fils, et transformée facilement en d'autres formes d'énergie. À la maison, on peut citer l'éclairage des ampoules électriques, des tubes au néon et des téléviseurs, le mouvement des moteurs, des pompes et des ventilateurs, le son du téléphone et des chaînes hi-fi, la chaleur du four et du four à micro-ondes et même l'absence de chaleur comme le froid du réfrigérateur ou du congélateur. Il y a également des centaines d'usages divers de l'électricité dans l'industrie : l'alimentation des machines, des outils et des robots, les fourneaux très chauds et les arcs de soudage chauffés à blanc. Les hôpitaux dépendent de l'électricité pour le fonctionnement des appareils de radiographie, des scanners, des respirateurs et coeurs-poumons artificiels et d'autres appareils de sauvetage. L'électricité est aussi d'une importance vitale pour le transport et les communications comme l'expliquent les pages qui suivent.

GRANDES DÉCOUVERTES

André Marie Ampère (1775-1836) a travaillé dans divers domaines de la science, dont la physique, la chimie et la philosophie de la science. À la suite du travail d'Oersted, Ampère fit de nombreuses découvertes sur l'électricité et l'effet électromagnétique. Il constata que l'intensité du champ magnétique autour du fil était liée à la quantité de courant circulant dans le fil et à la distance par rapport à ce dernier (loi d'Ampère). Il conçut l'idée d'enrouler du fil pour réaliser une bobine, un solénoïde, dans le but d'augmenter l'intensité magnétique. L'unité de courant électrique, l'ampère, a été baptisée en son honneur.

L'électricité dans les fermes

Les machines agricoles électriques permettent de gagner du temps et d'effectuer les rudes travaux de façon automatisée. Les machines à traire accélèrent la traite et les tapis roulants déplacent la paille et le grain. Grâce à des machines automatisées, les animaux de la ferme reçoivent les bons aliments aux bons moments. Les jeunes animaux tels que les poussins peuvent être élevés dans la chaleur des incubateurs électriques. Le chauffage électrique allonge la saison de culture sous-serre, et des minuteries règlent des lampes pour faire durer le jour plus longtemps. Ceci encourage les fleurs à s'ouvrir et les fruits à mûrir, même dans l'obscurité de l'hiver. Des pulvérisateurs électriques arrosent les plantes, et le sol lui-même peut être réchauffé par des fils électriques enfouis.

VOIR AUSSI : L'ÉNERGIE ÉLECTRIQUE PAGE 78, LES CIRCUITS ÉLECTRIQUES PAGE 86

La chaleur électrique

Lorsqu'un courant électrique circule le long d'un fil, les électrons en déplacement rebondissent contre les atomes de métal dans le fil et les font se mouvoir également. Ceci donne aux atomes de l'énergie supplémentaire qui se dégage du fil sous forme de chaleur. Plus les atomes se déplacent vite, plus le fil chauffe parce que le contenu en chaleur d'un objet dépend de la vitesse de ses atomes. Beaucoup d'appareils, cuisinières, grille-pain, radiateurs et fours électriques, comportent des éléments chauffants qui fonctionnent de cette manière. La chaleur peut se dissiper naturellement en tant qu'air chaud montant, ce que l'on appelle convection. Autrement, des ventilateurs peuvent souffler l'air, formant un courant d'air chaud, comme dans un sèche-cheveux. Cela s'appelle une convection forcée. Par ailleurs, des réflecteurs peuvent aider à déplacer de la chaleur par renvoi de rayons de chaleur infrarouges, comme dans un radiateur électrique à rayonnement. Les appareils de chauffage électrique ont le plus souvent un thermostat. Celui-ci coupe le courant si l'élément chauffant devient trop chaud, évitant ainsi les risques d'incendie ou d'endommagement de l'appareil.

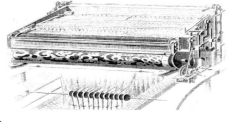

L'électrification des usines

Au milieu du 19ème siècle, certaines usines ont commencé à remplacer la vapeur par de l'électricité. Elles utilisaient une source constante de courant provenant de rangées de batteries à l'acide de plomb, ainsi que les premiers moteurs électriques pratiques pour faire fonctionner les machines. Par exemple, le métier à tisser la soie de Bonelli fonctionnait au courant à partir des années 1880.

Une unité d'électricité

La quantité d'électricité utilisée par un appareil dépend de l'appareil lui-même, ainsi que du moment et de la durée de son utilisation. En général, les appareils qui convertissent l'électricité en chaleur, comme les bouilloires, les fours, les cuisinières, les chauffe-eau et les radiateurs électriques, consomment plus d'énergie électrique et coûtent donc plus cher. Les appareils produisant une lumière très vive, comme les lampes halogènes, coûtent également cher. Les appareils qui comportent des micro-processeurs et de petits moteurs, tels que les brosses à dents et les rasoirs électriques, consomment moins d'énergie. Souvent, la puissance d'un appareil (la quantité d'énergie utilisée) est indiquée en watts sur sa boîte, sa plaque ou son étiquette. Par exemple, une ampoule à filament typique fait normalement 60 ou 100 watts. Dans beaucoup de régions du globe, l'énergie électrique est mesurée en unités. Une unité d'électricité est la quantité consommée par un appareil de 1 000 W (1 kw) sur une durée d'une heure, ou par un appareil de 100 W pendant 10 heures. Cette énergie ne disparaît pas. Elle est transformée en lumière, en chaleur, en son et en mouvement, entre autres. Le coût de l'électricité est moindre la nuit, lorsque la demande est plus faible.

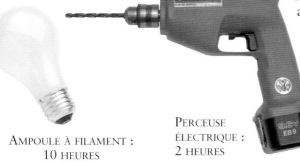

AMPOULE À FILAMENT :
10 HEURES

PERCEUSE
ÉLECTRIQUE :
2 HEURES

Ce tableau montre combien d'heures fonctionnent des appareils typiques avec une unité d'électricité.

DOUCHE INSTANTANÉE	0,2
CUISINIÈRE AVEC QUATRE PLAQUES AU MAXIMUM	0,3
MACHINE À LAVER (REMPLISSAGE À FROID)	0,3
BOUILLOIRE ÉLECTRIQUE	0,5
SÈCHE-LINGE	0,5
GRAND RADIATEUR SOUFFLANT	0,5
CHAUFFE-EAU À IMMERSION	1
PETIT CONVECTEUR	1,2
TONDEUSE À GAZON	1,2
FOUR À MICRO-ONDES MOYEN (À PUISSANCE MAXIMUM)	1,2
TAILLE-HAIE	1,5
SÈCHE-CHEVEUX MANUEL	1,5
PERCEUSE	2
ASPIRATEUR	2
PETIT TÉLÉVISEUR	5
CHAÎNE HI-FI	8
AMPOULE NORMALE (À FILAMENT)	10
CONGÉLATEUR	10
TUBE AU NÉON (GRAND MODÈLE)	15
PETIT RÉFRIGÉRATEUR	15
AMPOULE FLUORESCENTE COMPACTE	25
RASOIR	100
BROSSE À DENTS ÉLECTRIQUE	200

Le magnétisme créé par l'électricité

L'ÉLECTRICITÉ EST EN RAPPORT ÉTROIT avec une force naturelle invisible appelée le magnétisme (celui-ci est décrit de façon plus détaillée dans les pages qui suivent). En fait, l'électricité et le magnétisme sont deux aspects de la même force, que la science moderne considère comme l'une des quatre forces primordiales présentes dans l'univers tout entier : l'électromagnétisme. Quand de l'électricité circule le long d'un conducteur, comme un fil de fer, elle produit un champ magnétique invisible autour du fil. On appelle cela l'effet électromagnétique. Les aimants qui fonctionnent de cette façon, c'est-à-dire avec du courant électrique, s'appellent des électroaimants.

Lignes de force magnétique

conduisant courant électriq

Une force invisible

Le champ, ou force magnétique, qui entoure un fil conducteur d'électricité agit de façon circulaire, en formant comme une boucle autour du fil.

Lignes de force magnétique

Le magnétisme s'affaiblit en s'éloignant du noyau

L'électroaimant

Un électroaimant classique est constitué d'une bobine de fil plastifié enroulé autour d'une barre de fer, que l'on appelle le noyau. Une bobine de fil, ou solénoïde, produit un champ magnétique plus fort qu'un fil étiré. Le fil de fer est connecté à une source d'énergie électrique comme une batterie. Dès que le courant électrique est allumé, la barre se transforme en aimant puissant. Si on coupe l'électricité, le magnétisme disparaît. La plupart des électroaimants utilisent du fer doux pour le noya parce qu'il perd son magnétisme dès que le courant est coupé. Un noyau d'acier dur conserverait son magnétisme pendant un moment.

Noyau de fer doux

Fil de fer plastifié traversé par un courant électrique

Le magnétisme est concentré aux extrémités du noyau

GRANDES DÉCOUVERTES

En 1820, le scientifique danois Hans Christian Oersted (1777 – 1851) remarqua qu'un fil de fer traversé par du courant électrique fonctionnait comme un aimant et faisait bouger l'aiguille d'une boussole magnétique qui se trouvait à proximité. L'aiguille d'une boussole est un minuscule aimant, et les aimants peuvent s'attirer ou se repousser. Oersted se rendit compte que c'était le courant électrique qui produisait le magnétisme et il fut ainsi le premier à découvrir l'effet électromagnétique. Presque en même temps, beaucoup d'autres scientifiques se mirent à faire des expériences avec cet effet.

VOIR AUSSI : L'ÉLECTRICITÉ COURANTE PAGE 82, LES MYSTÈRES DU MAGNÉTISME PAGE 92

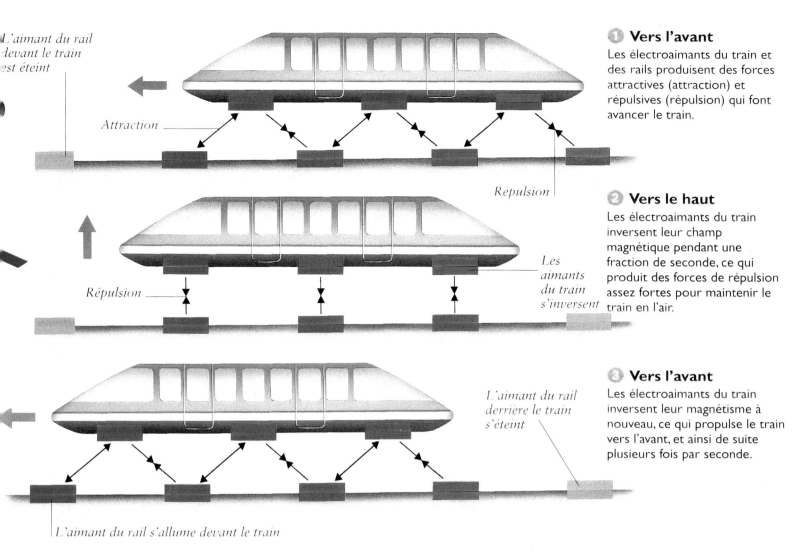

L'aimant du rail devant le train est éteint

Attraction

Répulsion

1 Vers l'avant

Les électroaimants du train et des rails produisent des forces attractives (attraction) et répulsives (répulsion) qui font avancer le train.

Répulsion

Les aimants du train s'inversent

2 Vers le haut

Les électroaimants du train inversent leur champ magnétique pendant une fraction de seconde, ce qui produit des forces de répulsion assez fortes pour maintenir le train en l'air.

L'aimant du rail derrière le train s'éteint

3 Vers l'avant

Les électroaimants du train inversent leur magnétisme à nouveau, ce qui propulse le train vers l'avant, et ainsi de suite plusieurs fois par seconde.

L'aimant du rail s'allume devant le train

Les trains magnétiques

Certains trains utilisent des électroaimants au lieu de roues. Le train "flotte" à quelques centimètres au-dessus des rails, maintenu en l'air grâce à la force magnétique produite par les électroaimants. On appelle ce type de train un Maglev, qui veut dire lévitation ou sustentation magnétique. Plusieurs modèles de trains Maglev ont été créés. La plupart d'entre eux posent néanmoins quelques problèmes pratiques tels que le coût de la pose et de l'entretien des rails spéciaux dotés d'électroaimants.

Le triage des métaux

De puissants électroaimants sont utilisés dans les chantiers de ferraille pour saisir et déplacer certains objets des tas de déchets mélangés. Les aimants attirent le fer, et par conséquent l'acier (qui est constitué essentiellement de fer), le nickel et le cobalt. Cet électroaimant est rattaché à une grue.

Rapide et silencieux

Un Maglev est rapide et silencieux. Il n'y a aucun bruit provenant des roues, car aucune partie du train ne touche les rails. De plus, le train n'est pas ralenti par la friction contre les rails. Par contre, le système de sustentation magnétique utilise d'énormes quantités d'électricité et dépend de circuits de commutation compliqués. Cependant, certains projets de trains à sustentation magnétique en cours de réalisation aujourd'hui pourraient favoriser la vulgarisation de ce mode de transport.

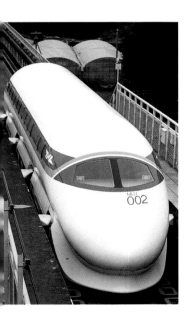

Les mystères du magnétisme

🔲 SI VOUS APPROCHEZ UN AIMANT de la porte d'un
réfrigérateur, vous sentirez qu'il est attiré vers la porte.
Si vous laissez aller, l'aimant se "collera" à la porte.
Mais il ne se collerait pas à un gobelet en plastique, à la
vitre d'une fenêtre ou à un bout de bois. La force invisible
qu'est le magnétisme demeure mystérieuse bien que les
gens la connaissent depuis plus de 2 000 ans. Il semble
exister un lien entre le magnétisme et certains groupes
d'atomes appelés domaines. Dans les matériaux non
magnétiques, les domaines sont tournés dans toutes les
directions et s'annulent. Dans les matériaux magnétiques
par contre, tous les domaines sont tournés dans la même
direction et leurs forces magnétiques s'additionnent. Les
aimants attirent surtout les matériaux ferreux, c'est-à-
dire ceux qui contiennent du fer.

*Les lignes de force
magnétique sont très
rapprochées, le champ
magnétique est donc le
plus puissant aux pôles*

Les champs magnétiques

Tout aimant est entouré d'un champ magnétique invisible, qui
correspond à l'espace dans lequel sa force magnétique agit. Une
configuration de lignes imaginaires donne une idée de la structure de ce
champ magnétique. Ces lignes de force montrent que le champ
magnétique est plus fort près de l'aimant et s'affaiblit en s'éloignant de
l'aimant. La force de l'aimant est aussi la plus élevée aux deux points
appelés pôles, qui se trouvent généralement vers les extrémités d'un aimant
en forme de barre. Il existe deux pôles que l'on appelle les pôles nord et sud.
Ils portent les mêmes noms que les pôles de la Terre vers lesquels ils sont
attirés. Des pôles différents s'attirent. Des pôles semblables se repoussent.

Pour s'orienter

L'aiguille d'une boussole pointe vers les pôles magnétiques Nord et Sud de la Terre. Cela
est dû au fait que l'aiguille de la boussole est un petit aimant mince, et que la Terre est
un aimant géant. L'aiguille s'aligne donc sur le champ magnétique de la Terre. L'aiguille
d'une boussole se tient en équilibre sur un point minuscule, pour pouvoir tourner
facilement. Le pôle magnétique Nord se trouve à environ
1 600 km du vrai pôle Nord. Le pôle magnétique
Sud se trouve quant à lui à
2 400 km du vrai pôle
Sud. Ces pôles
magnétiques se
décalent légèrement
chaque année et la
force du magnétisme
de la Terre change
lentement sur de
longues durées.

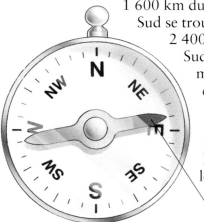

L'aiguille du Nord

L'AIGUILLE DE LA BOUSSOLE
INDIQUE LE NORD

ON TOURNE LA BASE DE LA BOUSSOLE POUR
ALIGNER LE NORD DU CADRAN ET
L'AIGUILLE POINTANT VERS LE NORD

*Les lignes de force
magnétique sont
parallèles à la longueur
de la barre aimantée*

*Les lignes de force magnétique
s'écartent les unes des autres,
donc s'affaiblissent, en s'éloignant
de l'aimant*

VOIR AUSSI : LE MAGNÉTISME CRÉÉ PAR L'ÉLECTRICITÉ PAGE 90

PÔLE SUD

PÔLE NORD

Des animaux magnétiques

Les navires et les bateaux utilisent des boussoles magnétiques pour se diriger en mer sans repères. Certains animaux, tels que les baleines, les dauphins et les tortues marines, ainsi que certains oiseaux tels que les pigeons, les hirondelles, les oies et les cigognes semblent aussi être capables d'utiliser le champ magnétique de la Terre pour arriver à s'orienter pendant leurs longs voyages. Les scientifiques ne sont pas très sûrs de la façon dont ces animaux détectent le magnétisme. Il y aurait peut-être un lien avec de minuscules particules minérales contenant du fer à l'intérieur ou près du cerveau, qui formeraient une sorte de "boussole vivante".

GRANDES DÉCOUVERTES

Charles Coulomb (1736 – 1806) était d'abord ingénieur militaire avant de se lancer dans la physique en 1791. Il étudia les forces d'attraction et de répulsion produites par les aimants et les objets ayant une charge électrostatique. Il inventa la balance de torsion, dans laquelle on enroule un fil résistant, pour mesurer des forces minimes avec une grande précision. Il utilisa cet instrument pour élaborer sa loi, qui démontre que les forces magnétiques se dissipent très vite, par le carré de la distance entre les objets magnétiques.

BAGUE-
AIMANT
CIRCULAIRE

AIMANT EN
FORME DE TIGE

AIMANT EN
FORME DE
BOUTON

AIMANT EN
FORME DE BARRE

AIMANT EN FORME
DE FER À CHEVAL

Les lignes de force magnétique s'arrondissent en direction des pôles de l'aimant

Les formes des aimants

Les aimants existent dans plusieurs formes. Les aimants en forme de barre sont longs et effilés, alors que les aimants en fer à cheval sont courbés comme le fer du sabot d'un cheval. On peut aussi faire des aimants en forme de bague, ou de mince cylindre, comme un crayon. Un aimant en forme de bague peut avoir un pôle à l'intérieur de la bague et un autre à l'extérieur.

Du magnétisme à l'électricité

EN 1831, LE SCIENTIFIQUE ANGLAIS MICHAEL FARADAY a suggéré que si l'électricité circulant dans un fil de fer produisait du magnétisme, le contraire pouvait aussi se produire, c'est-à-dire qu'un aimant passant près d'un fil de fer devait pouvoir produire de l'électricité. Il fit passer un aimant à l'intérieur d'une bobine de fil et ceci produisit de l'électricité dans le fil. On appelle cela l'induction électromagnétique. Le courant électrique ne passe que quand le champ magnétique se déplace ou varie. Si l'aimant et le fil sont immobiles, aucun courant ne circule. L'induction électromagnétique sert dans des centaines de machines et d'appareils, des magnétoscopes et magnétophones aux systèmes de feux de croisements, en passant par les micros de guitare électrique. On l'utilise aussi dans les moteurs et les générateurs électriques (voir pages suivantes).

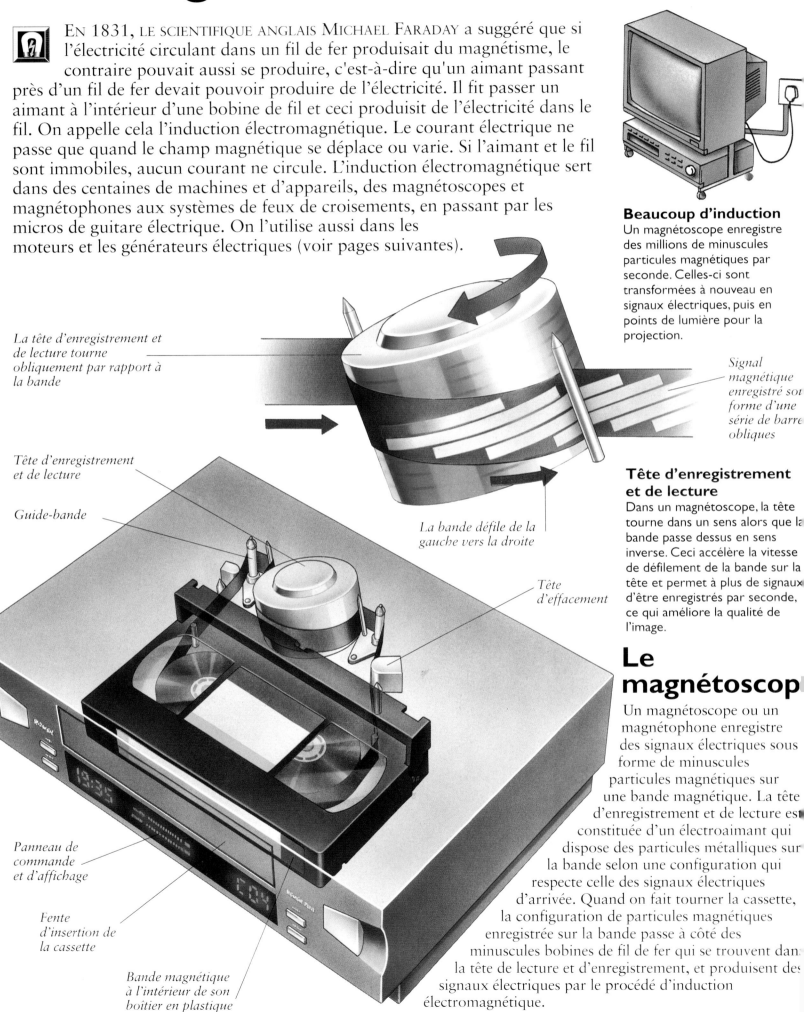

La tête d'enregistrement et de lecture tourne obliquement par rapport à la bande

Tête d'enregistrement et de lecture

Guide-bande

La bande défile de la gauche vers la droite

Tête d'effacement

Panneau de commande et d'affichage

Fente d'insertion de la cassette

Bande magnétique à l'intérieur de son boîtier en plastique

Beaucoup d'induction
Un magnétoscope enregistre des millions de minuscules particules magnétiques par seconde. Celles-ci sont transformées à nouveau en signaux électriques, puis en points de lumière pour la projection.

Signal magnétique enregistré sou forme d'une série de barre obliques

Tête d'enregistrement et de lecture
Dans un magnétoscope, la tête tourne dans un sens alors que la bande passe dessus en sens inverse. Ceci accélère la vitesse de défilement de la bande sur la tête et permet à plus de signaux d'être enregistrés par seconde, ce qui améliore la qualité de l'image.

Le magnétoscop

Un magnétoscope ou un magnétophone enregistre des signaux électriques sous forme de minuscules particules magnétiques sur une bande magnétique. La tête d'enregistrement et de lecture est constituée d'un électroaimant qui dispose des particules métalliques sur la bande selon une configuration qui respecte celle des signaux électriques d'arrivée. Quand on fait tourner la cassette, la configuration de particules magnétiques enregistrée sur la bande passe à côté des minuscules bobines de fil de fer qui se trouvent dans la tête de lecture et d'enregistrement, et produisent des signaux électriques par le procédé d'induction électromagnétique.

VOIR AUSSI : L'ÉNERGIE ÉLECTRIQUE PAGE 78, LE MAGNÉTISME CRÉÉ PAR L'ÉLECTRICITÉ PAGE 90

GRANDES DÉCOUVERTES

Le scientifique américain Joseph Henry (1797-1878) observa les effets de l'induction électromagnétique à peu près un an avant Michael Faraday, mais il ne publia pas les résultats de ses expériences aussi vite. Henry fut à l'origine de nombreux progrès dans les sciences électriques. Il conçut et construisit l'un des premiers moteurs électriques, aida Samuel Morse à mettre au point le télégraphe, et découvrit les lois qui sont à l'origine du transformateur. L'unité de mesure d'inductance électrique, le henry, porte son nom.

Des trésors enfouis

Un détecteur de métaux peut trouver certains objets métalliques tels que des pièces, des médailles et des coupes, enfouis sous terre. Le détecteur contient une bobine à travers laquelle passe de l'électricité produite par une batterie. Ceci crée un champ magnétique autour de la bobine en vertu de l'effet électromagnétique. Tout objet ferreux qui pénètre le champ magnétique provoque une distorsion de celui-ci. Ceci a un certain effet sur la quantité d'électricité circulant dans la bobine, à cause de l'induction électromagnétique. Les variations sont détectées par une puce située dans la poignée et sont transformées en une sonnerie d'alerte ou un bip-bip.

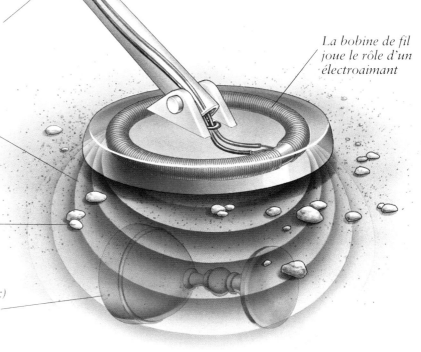

Batteries, sonnerie ou bip et circuits électroniques dans la poignée

Fils dans le manche

La bobine de fil joue le rôle d'un électroaimant

Champ magnétique entourant la bobine

Le champ magnétique n'est pas affecté par les objets non ferreux tels que les pierres

Un objet métallique (ferreux) dans le champ magnétique provoque une distorsion

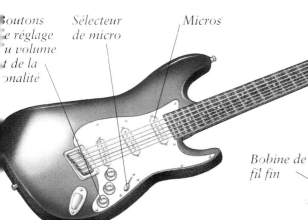

Boutons de réglage du volume et de la tonalité

Sélecteur de micro

Micros

Corde

Pièce polaire (aimant à l'intérieur d'une bobine)

Bobine de fil fin

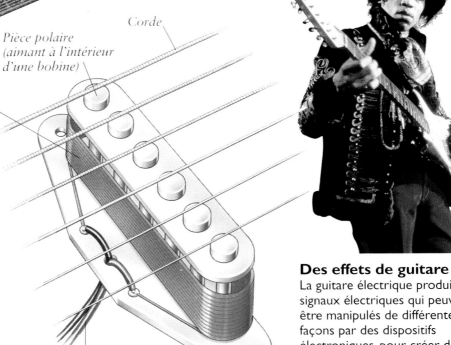

La guitare électrique

Quand on joue de la guitare électrique, les cordes elles-mêmes ne font presque pas de bruit. Nous n'entendons bien la guitare que grâce à l'induction électromagnétique. Quand on les gratte, les cordes vibrent dans le champ magnétique des micros situés en dessous. Les vibrations changent les quantités d'électricité circulant dans les bobines de fil de fer des micros, créant des signaux électriques qui voyagent le long du fil électrique jusqu'à l'amplificateur. Celui-ci amplifie les signaux qui sont alors rendus audibles par un haut-parleur.

Fils vers les boutons de réglage du volume et de la tonalité

Des effets de guitare

La guitare électrique produit des signaux électriques qui peuvent être manipulés de différentes façons par des dispositifs électroniques, pour créer des effets tels que l'écho et la distorsion.

De l'électricité au mouvement

GRANDES DÉCOUVERTES

L'ÉLECTRICITÉ ET LE MAGNÉTISME peuvent se combiner pour produire du mouvement. Quand du courant électrique passe dans un fil, il crée un champ magnétique autour du fil. Si un autre champ magnétique est déjà présent, les deux champs interagissent de la façon habituelle : les pôles semblables se repoussent et les pôles différents s'attirent. Ceci produit une force de mouvement sur le fil. On peut la voir comme la force de l'aimant repoussant ou attirant les particules chargées qui constituent le courant électrique à l'intérieur du fil. On l'appelle l'effet moteur et c'est ce principe qui est utilisé dans les moteurs électriques. Un moteur électrique est une bobine de fil qui tourne entre les pôles d'un aimant permanent. Quand le courant circule dans la bobine, un champ magnétique se produit et cause un mouvement de rotation.

Michael Faraday (1791-1867) reçut une formation de libraire et de relieur, et développa plusieurs aptitudes pratiques utiles pour ses expériences scientifiques ultérieures. Il fut à l'origine de nombreux progrès dans les domaines de l'électricité et du magnétisme, y compris les principes de l'induction électromagnétique, le transformateur et le moteur électrique. Faraday eut aussi l'idée de représenter les champs magnétiques invisibles par des lignes de force.

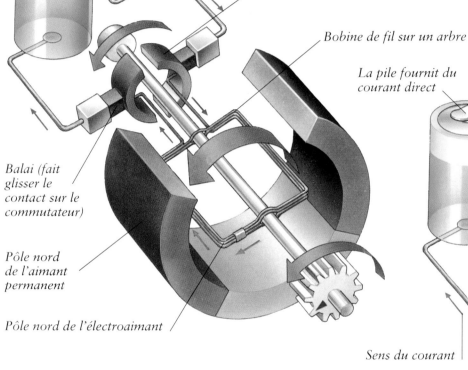

Commutateur

Bobine de fil sur un arbre

La pile fournit du courant direct

Le commutateur s'apprête à changer la direction du courant dans la bobine

Balai (fait glisser le contact sur le commutateur)

Pôle nord de l'aimant permanent

Pôle nord de l'électroaimant

Sens du courant

Le pôle nord de l'électroaimant entre en rotation, attiré vers le pôle sud de l'aimant permanent

Le moteur électrique

Dans un moteur électrique simple, du courant électrique direct est alimenté dans une bobine de fil posée sur un arbre entre les pôles nord et sud de l'aimant permanent. Le courant transforme la bobine en électroaimant. Elle tourne sur son axe en essayant d'amener son pôle nord vers le pôle sud de l'aimant permanent, et son pôle sud vers le pôle nord de l'aimant, puisque les pôles différents s'attirent. Mais quand la bobine tourne, un dispositif fixé à l'arbre, appelé un commutateur, inverse la direction de son courant électrique. Ceci inverse les pôles de l'électroaimant de sorte que chaque pôle est repoussé du pôle qu'il vient de dépasser et se trouve attiré vers l'autre pôle. Après une autre moitié de tour, la même chose se reproduit et la bobine continue à tourner autour de son arbre.

Une force de rotation
L'aimant permanent est fixe, par conséquent l'électroaimant essaie de bouger et tourne sous l'effet des forces d'attraction et de répulsion magnétiques.

Les moteurs électriques

▶ Un moteur électrique moderne transforme plus de 90 pour cent de l'énergie électrique qu'il reçoit en énergie mécanique. Cela le place parmi les machines les plus efficaces.

▶ De nombreux appareils domestiques ont au moins un moteur électrique. Certains en ont plusieurs, par exemple :

▶ Dans une machine à laver, un grand moteur électrique (utilisant peut-être plusieurs centaines de watts d'électricité) fait tourner le tambour.

▶ Un autre moteur plus petit (utilisant quelques dizaines de watts) fait marcher la pompe qui vide l'eau sale, tandis qu'un moteur encore plus petit fait tourner le programmateur.

Des moteurs de toutes tailles

Les grands moteurs électriques utilisés dans les trains électriques sont plus grands qu'une personne. Chaque groupe de roues a son propre moteur, et si l'un tombe en panne, cela n'affecte pas beaucoup le train. Dans les trains électriques fonctionnant au diesel, un moteur diesel alimente un générateur pour produire l'électricité nécessaire aux moteurs électriques des roues. Cela veut dire que le train peut circuler sur des rails qui ne sont pas équipés de câbles aériens ou d'un rail supplémentaire pour fournir de l'électricité. Beaucoup de moteurs produisent un mouvement de rotation continue. Cependant, les moteurs utilisés dans les unités de disque des ordinateurs sont conçus pour faire tourner le disque magnétique ou disque optique (disque compact, CD) par petits coups précis.

Le moteur à courant alternatif (CA)

Le courant alternatif, tel qu'on le trouve dans l'alimentation secteur, change de direction 50 à 60 fois par seconde : sa fréquence est de 50 ou 60 Hz (cycles par seconde). Un moteur électrique qui fonctionne avec du courant alternatif n'a donc pas besoin de commutateur pour inverser le courant de la bobine à chaque moitié de tour, comme dans un moteur CC. Le moteur à courant alternatif a des balais (des contacts glissants) qui appuient contre les bagues coulissantes pour transporter l'électricité à la bobine en rotation. Le moteur tourne à la même vitesse que la fréquence de changement du courant alternatif.

Le courant circule dans une direction

Le courant transforme la bobine en électroaimant. Son champ magnétique agit sur le champ de l'aimant permanent qui l'entoure, ce qui fait tourner la bobine.

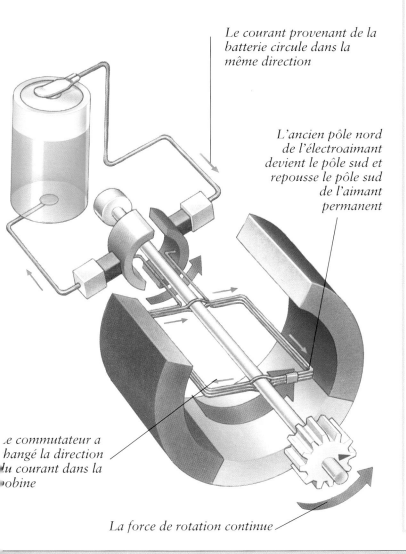

Le courant provenant de la batterie circule dans la même direction

L'ancien pôle nord de l'électroaimant devient le pôle sud et repousse le pôle sud de l'aimant permanent

Le commutateur a changé la direction du courant dans la bobine

La force de rotation continue

Aimant permanent

Le courant s'inverse

Balai

Bague coulissante

Le courant s'inverse à nouveau comme dans un système à courant alternatif normal. Ceci inverse les pôles du champ électromagnétique autour de la bobine, et fait que celle-ci continue de tourner.

La force de rotation continue

Du mouvement à l'électricité

LA PLUS GRANDE PARTIE DE L'ÉLECTRICITÉ que nous utilisons aujourd'hui est produite dans des centrales électriques par des générateurs. Ceux-ci utilisent des aimants et le mouvement pour produire de l'électricité. Ils fonctionnent de manière opposée aux moteurs électriques. Dans un générateur, un aimant ou électroaimant tourne à l'intérieur d'une bobine de fil, et de l'électricité est produite dans la bobine par le procédé d'induction électromagnétique. L'énergie mécanique nécessaire pour faire tourner l'aimant provient de sources d'énergie telles que la vapeur (obtenue en brûlant un combustible), le mouvement de l'eau ou le vent.

Le générateur CC

Une bobine de fil tourne entre les deux pôles d'un aimant permanent. Ceci fait circuler un courant dans la bobine grâce au procédé d'induction électromagnétique. La direction du courant dans la bobine s'inverse à chaque moitié de tour parce que chaque côté de la bobine passe en alternance devant le pôle nord de l'aimant permanent, puis devant son pôle sud et ainsi de suite. Mais le commutateur change les connexions à chaque moitié de tour, ce qui fait que le courant généré circule seulement dans une seule direction, d'où l'appellation de courant continu.

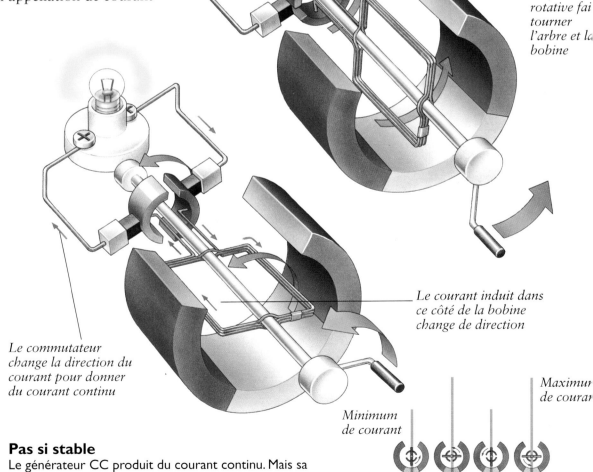

Le balai et le commutateur (comme dans le moteur électrique)

Courant produit dans la bobine en mouvement

La force rotative fait tourner l'arbre et la bobine

Le courant induit dans ce côté de la bobine change de direction

Le commutateur change la direction du courant pour donner du courant continu

Minimum de courant

Maximum de courant

GRANDES DÉCOUVERTES

Au 19ème siècle, l'ingénieur Charles Parsons (1854-1931) conçut une turbine à vapeur avec des pales inclinées, comme celles d'un ventilateur, dans laquelle de la vapeur à haute pression faisait tourner le même arbre de transmission qui faisait tourner le générateur. Elle était plus petite, plus efficace et moins bruyante que les générateurs précédents utilisant des moteurs à piston. La turbine à vapeur est maintenant utilisée dans les centrales électriques et aussi dans les navires pour faire tourner l'hélice.

Pas si stable

Le générateur CC produit du courant continu. Mais sa puissance augmente et diminue quand la bobine de fil se rapproche du pôle de l'aimant permanent, puis continue. Dans la pratique, un générateur CC a plusieurs bobines ainsi que du matériel électronique pour rendre la sortie de courant plus régulière.

VOIR AUSSI : L'ÉNERGIE ÉLECTRIQUE PAGE 78, LES MYSTÈRES DU MAGNÉTISME PAGE 92

Le générateur de courant alternatif (CA)

Cet appareil, appelé aussi un alternateur, fonctionne de façon contraire au moteur à courant alternatif décrit à la page précédente. Puisqu'il n'y a pas de commutateur, le courant produit change de direction à chaque moitié de tour. Il s'agit du type de générateur de base utilisé pour produire du courant alternatif dans les centrales électriques. La vitesse de rotation de la bobine contrôle la fréquence ou le rythme d'inversion du courant alternatif.

Le courant produit circule dans une direction quand la bobine passe près des deux pôles magnétiques de l'aimant permanent.

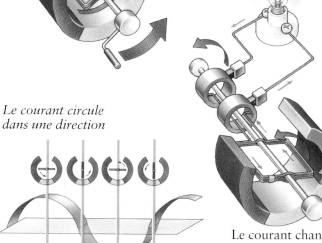

Le courant circule dans une direction

Le courant circule dans l'autre direction

Le courant change de direction quand chaque côté de la bobine passe à côté du pôle opposé suivant de l'aimant permanent.

Les centrales électriques

Dans une centrale électrique, l'électricité est produite par des générateurs de la taille de camions remorques. Ceux-ci tournent souvent grâce à de la vapeur ou de l'eau qui est approvisionnée par un tuyau et aboutit dans une turbine, constituée d'un ensemble de pales inclinées comme celles d'un ventilateur. La vapeur ou l'eau fait pression sur les pales et fait tourner leur arbre de transmission. Au bout de la turbine, l'arbre est rattaché au générateur.

La dynamo d'une bicyclette

Sur certaines bicyclettes, les feux s'allument grâce à un générateur simple que l'on appelle une dynamo. Une petite roue est en contact avec le pneu de la bicyclette. Quand celui-ci se met à tourner, cela entraîne un petit aimant à l'intérieur d'une bobine de fil. L'électricité est produite dans la bobine de fil par le principe de l'induction électromagnétique, ce qui produit la lumière. Mais les feux ne marchent que si les roues tournent.

La roue tourne

Arbre

Aimant

Bobine de fil

Des fils vont vers l'ampoule des feux

La roue de la dynamo appuie contre le pneu et se met à tourner

Ampoule à l'intérieur du feu du vélo

Les informations électroniques

EN MODIFIANT ET EN CONTRÔLANT soigneusement la circulation d'électrons dans des conducteurs, il est possible de faire voyager des informations à travers un circuit électrique, un microprocesseur, un appareil électronique tel qu'un ordinateur, et même à travers le monde, sous forme d'impulsions, de salves ou de signaux d'électricité codés. Ceux-ci furent d'abord utilisés pour le télégraphe électrique qui fut mis au point au cours des années 1830-1840 et utilise les signaux intermittents de l'alphabet Morse. Aujourd'hui, nous utilisons aussi des signaux intermittents connus sous le nom de code numérique binaire.

La conversion analogique-numérique
L'onde est "échantillonnée" à chaque fraction de seconde. Sa taille est mesurée sur une échelle décimale numérique puis convertie en nombres binaires.

Le code binaire
Le binaire est un code numérique basé sur des chiffres. Il n'en utilise que deux, le 0 et le 1, contrairement à notre système de numération décimale qui comprend 10 chiffres, de 0 à 9.

DÉCIMAL		BINAIRE			
DIZAINES	UNITÉS	HUIT	QUATRE	DEUX	UNITÉS
1	0	1	0	1	0
	9	1	0	0	1
	8	1	0	0	0
	7	0	1	1	1
	6	0	1	1	0
	5	0	1	0	1
	4	0	1	0	0
	3	0	0	1	1
	2	0	0	1	0
	1	0	0	0	1
	0	0	0	0	0

La taille de l'onde est mesurée sur une échelle numérique décimale

Les mesures décimales sont converties en code binaire

LE CHIFFRE BINAIRE 1 CORRESPOND À UNE IMPULSION EN POSITION 1

LE CHIFFRE BINAIRE 2 CORRESPOND À UNE IMPULSION EN POSITION 2

LE CHIFFRE BINAIRE 4 CORRESPOND À UNE IMPULSION EN POSITION 4

LE CHIFFRE BINAIRE 9 CORRESPOND À DEUX IMPULSIONS AUX POSITIONS 1 ET 8

Les copies du code numérique demeurent rigoureusement identiques d'une copie à l'autre

VOIR AUSSI : L'ÉNERGIE ÉLECTRIQUE PAGE 78, LES COMMUNICATIONS PAGE 102

Analogique

Un affichage ou un système analogique change constamment mais sans les incréments ou les chiffres par paliers du système numérique. Une horloge analogique a des aiguilles. Avec un chronomètre analogique, il est difficile de déterminer avec précision le temps écoulé puisque l'aiguille peut se trouver entre deux traits.

Numérique

Un affichage ou système numérique a des incréments ou des chiffres par paliers, tels que 1, 2, 3, et ainsi de suite. Ces chiffres représentent des quantités fixes qui ne changent pas, et il n'y a aucun intervalle. Un chronomètre numérique donne le temps écoulé exact à la minute, seconde ou dixième de seconde près.

De l'analogique au numérique

Une onde est un système analogique. Elle monte et descend continuellement, restant en variation constante, même très légèrement. Des impulsions de signaux électroniques constituent un système numérique. Elles se trouvent dans un système de type tout ou rien. Faire des copies d'un système analogique, comme l'enregistrement sur une cassette audio ordinaire, peut introduire des erreurs. Les copies d'un système numérique restent toujours exactement les mêmes. Le passage de l'analogique au numérique s'appelle la numérisation. Un ordinateur ou un lecteur de CD fonctionne en utilisant des informations numériques.

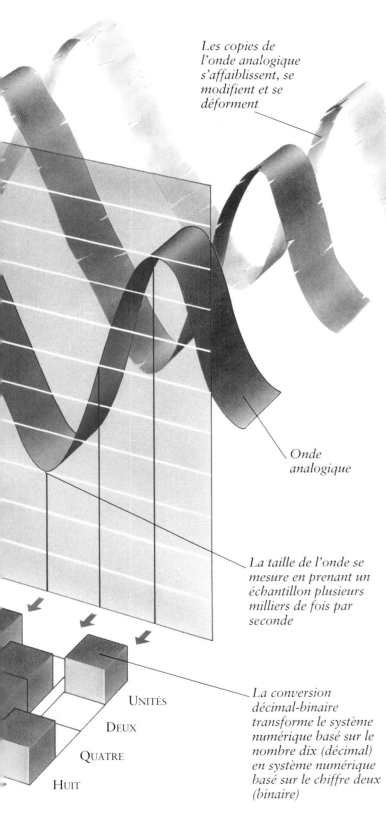

Les copies de l'onde analogique s'affaiblissent, se modifient et se déforment

Onde analogique

La taille de l'onde se mesure en prenant un échantillon plusieurs milliers de fois par seconde

UNITÉS

DEUX

QUATRE

HUIT

La conversion décimal-binaire transforme le système numérique basé sur le nombre dix (décimal) en système numérique basé sur le chiffre deux (binaire)

Le code binaire est représenté par de minuscules impulsions d'électricité

GRANDES DÉCOUVERTES

Après un début de carrière comme portraitiste, Samuel Morse (1791-1872) eut l'idée du télégraphe après avoir entendu une conversation sur l'électroaimant qui venait d'être découvert. Ceci se passait en 1832, lors de son retour en Amérique du Nord par bateau, après des études d'art en Europe. Il mit au point un code de signaux électriques longs et courts, sous forme de combinaisons de points et de tirets correspondant aux différents chiffres et lettres. Morse construisit son premier modèle opérationnel de télégraphe probablement en 1835 et ouvrit la première ligne télégraphique permanente en 1844 entre Baltimore et Washington. Le premier message qu'il envoya était : "Ceci est l'ouvrage de Dieu!"

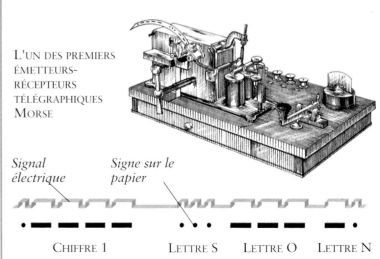

L'UN DES PREMIERS ÉMETTEURS-RÉCEPTEURS TÉLÉGRAPHIQUES MORSE

Signal électrique

Signe sur le papier

CHIFFRE 1   LETTRE S   LETTRE O   LETTRE N

FRAGMENT DE CODE MORSE

Les communications

🔲 LES APPAREILS DE COMMUNICATION MODERNES nous donnent accès
presque instantanément à quasiment n'importe quelle information,
presque n'importe où dans le monde. La plupart de ces appareils
fonctionnent grâce à l'électricité et au magnétisme, et certains utilisent aussi la
lumière. Les téléphones et les téléviseurs utilisent le principe de la conversion
de sons ou d'images en signaux électriques, qui sont ensuite envoyés par câble
sur de longues distances et à grande vitesse –à la vitesse de la lumière qui est
de 300 000 km par seconde. Les informations sous forme de signaux
électriques peuvent aussi être converties en impulsions d'ondes
électromagnétiques –la lumière laser– et envoyées le long de câbles à fibre
optique. Elles peuvent également être transformées en ondes radio et envoyées
vers des réseaux locaux ou des satellites dans l'espace, qui les renvoient
ensuite vers la Terre. Les signaux radio ou de lumière doivent être convertis
en signaux électriques avant d'être ramenés à l'état de sons et d'images.

L'ère de l'électronique
Au cours des 170 dernières
années, les informations
électriques ont révolutionné la
façon dont nous communiquons
Les réseaux de
télécommunication ou
interurbains peuvent faire
circuler des messages autour du
monde en quelques secondes.
Ces progrès extraordinaires ont
tous débuté avec le télégraphe
électrique, qui est devenu le
système télex moderne. Le
réseau téléphonique s'est
perfectionné pour pouvoir
transporter des images, des
données informatiques, des
courriers électroniques, ainsi
que beaucoup d'autres formes
d'informations.

L'optique de fibres

Une fibre optique est un filament de verre ou
d'autre matériau transparent semblable, plus fin
qu'un cheveu et souple. Elle est logée dans une gaine
protectrice qui la sépare aussi des autres fibres optiques
autour. La fibre transporte les informations sous forme
d'éclairs de lumière laser codés. Puisque ceux-ci rencontrent
la surface interne de la tige à un angle très léger, ils
rebondissent ou sont réfléchis à nouveau dans le tube, selon le
principe de la réflexion interne totale. Cela veut dire que
l'impulsion laser avance en zigzaguant à l'intérieur de la fibre, même
si celle-ci est courbée. Les éclairs transportent les informations sous
forme numérique. Comme avec les informations électriques, un éclair
ou une impulsion correspond à 1 en langage binaire, et une absence
d'éclair ou d'impulsion (un vide) correspond à 0. Les informations
numériques peuvent représenter des chiffres, des lettres, des mots,
des sons et des images. Des milliers de fibres optiques sont
regroupées ensemble dans une seule gaine pour former un
câble de fibres optiques.

*Revêtement externe
résistant et étanche*

*Un noyau d'acier
empêche le câble de
s'étirer ou de
s'entortiller*

*La lumière
laser voyage
par impulsions
à l'intérieur de
la fibre*

*Les gaines
extérieures
protègent le câble
contre les chocs et
les entortillements*

*Chaque fibre a une
enveloppe protectrice de
couleur caractéristique*

VOIR AUSSI : LES INFORMATIONS ÉLECTRONIQUES PAGE 100, LES ORDINATEURS PAGE 106

GRANDES DÉCOUVERTES

Dans les années 1920, Vladimir Zworykin (1889-1982) inventa l'iconoscope ou tube électronique analyseur d'images, ainsi que la lampe-images. Ces deux inventions ont constitué le premier système de télévision entièrement électronique et permis le développement de la télévision moderne. Le tube cathodique utilisé aujourd'hui est tout simplement la lampe-images de Zworykin. Les premières émissions de télévision régulières ont commencé en 1936 à Londres. Zworykin a aussi contribué au développement d'un système de télévision en couleur ainsi qu'à celui du microscope électronique.

Satellite en orbite géostation- naire

Liaison montante de la station au sol vers le satellite

Émetteur-récepteur cellulaire

Un réseau de télécommunication

Un téléphone mobile envoie et reçoit des messages sous forme d'ondes radio. Les ondes radio voyagent vers et en provenance d'une station émettrice-réceptrice qui connecte les appels au réseau téléphonique standard. Les pays sont divisés en différentes zones appelées des cellules, et chaque cellule a sa propre station émettrice-réceptrice. Dans une zone à forte densité, on trouve de nombreuses cellules plus petites puisqu'il est plus probable qu'un grand nombre de personnes utilisent des téléphones portables, alors que les zones à faible densité ont des cellules plus grandes.

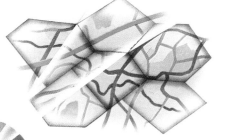

LIAISON DESCENDANTE D'UN SATELLITE VERS UNE STATION AU SOL

Membrane souple

Aimant

Bobine

RÉSEAU DE CELLULES

ÉCOUTEUR

À l'intérieur d'un téléphone mobile

Un "mobile" est un émetteur-récepteur radio à faible puissance. Il contient un microphone qui transforme les ondes sonores en signaux électriques, et un écouteur qui transforme les signaux électriques en ondes sonores (comme un haut-parleur). L'émetteur-récepteur n'a besoin d'envoyer et de recevoir des ondes que de la tour cellulaire la plus proche, qui se trouve généralement à quelques kilomètres de distance seulement. Cependant, des collines ou des bâtiments élevés peuvent parfois bloquer les signaux radio. D'autre part, dans les zones où les tours cellulaires sont plus éloignées les unes des autres, les signaux peuvent être trop faibles pour voyager vers et en provenance du téléphone.

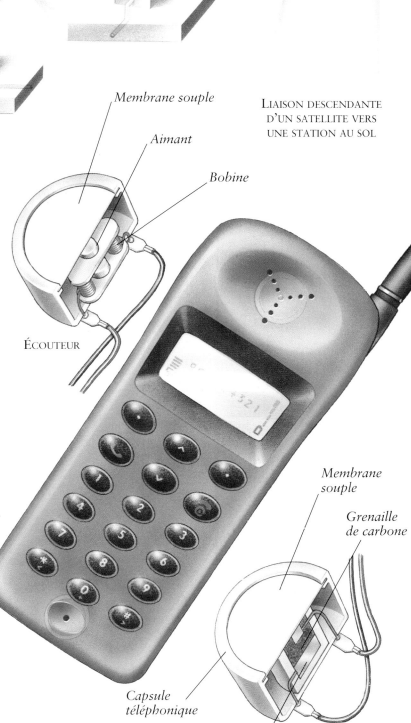

Membrane souple

Grenaille de carbone

Capsule téléphonique

Contacts métalliques

MICROPHONE

...ibre faite ...'un verre ...écial

...Différentes couleurs ou ...ongueurs d'ondes lumineuses ...éhiculent différents messages

Appareils électroniques

POUVEZ-VOUS IMAGINER CE QUE SERAIT LA VIE sans tous les appareils électroniques auxquels les habitants des pays développés sont habitués ? Vous ne pourriez ni téléphoner à vos amis, ni regarder la télévision, ni jouer à des jeux vidéo, ni écouter de la musique d'un disque laser. Au bureau, les gens ne pourraient ni communiquer par téléphone, ni par fax, ni par disquette ou ni par e-mail (courrier électronique). À l'usine, il n'y aurait ni robots commandés par ordinateur, ni détecteurs de sécurité, ni systèmes de commande et de paiement automatisés. Tous ces appareils ont un "langage" commun constitué de minuscules impulsions d'électricité sous forme de signaux électroniques. Ceux-ci sont manipulés par des composants électroniques tels que les microprocesseurs, et ils permettent de représenter, traiter et transmettre des informations.

L'envoi d'un fax

Fax est l'abréviation de "fac-similé", qui veut dire copie ou reproduction. Les télécopieurs utilisent le réseau téléphonique pour envoyer et recevoir des documents écrits et imprimés, comme des mots, des photos, des cartes et des dessins. Un scanner transforme les signes sur le papier en code de signaux électriques qu'il envoie ensuite par ligne téléphonique (voir ci-dessous).

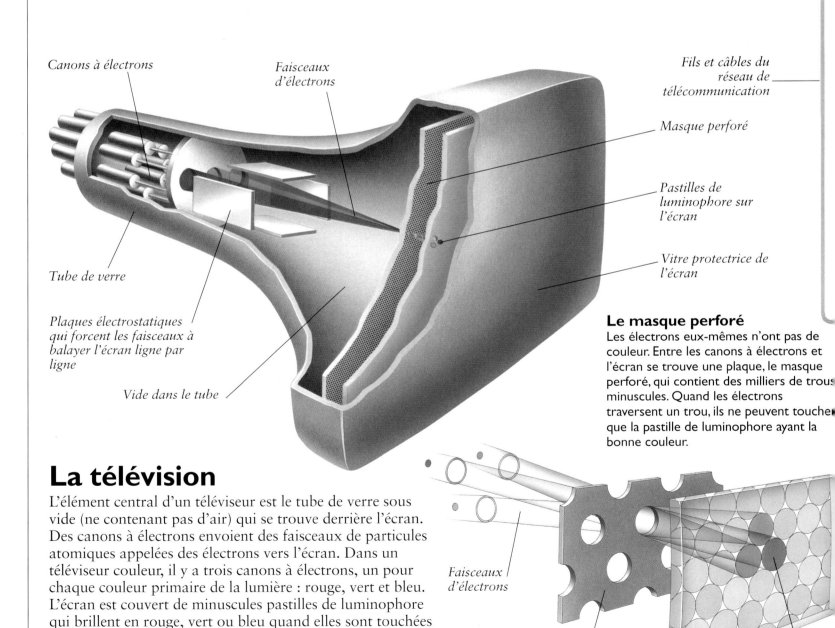

Canons à électrons

Faisceaux d'électrons

Fils et câbles du réseau de télécommunication

Masque perforé

Pastilles de luminophore sur l'écran

Vitre protectrice de l'écran

Tube de verre

Plaques électrostatiques qui forcent les faisceaux à balayer l'écran ligne par ligne

Vide dans le tube

Le masque perforé

Les électrons eux-mêmes n'ont pas de couleur. Entre les canons à électrons et l'écran se trouve une plaque, le masque perforé, qui contient des milliers de trous minuscules. Quand les électrons traversent un trou, ils ne peuvent toucher que la pastille de luminophore ayant la bonne couleur.

Faisceaux d'électrons

Masque perforé

Pastilles de luminopho

La télévision

L'élément central d'un téléviseur est le tube de verre sous vide (ne contenant pas d'air) qui se trouve derrière l'écran. Des canons à électrons envoient des faisceaux de particules atomiques appelées des électrons vers l'écran. Dans un téléviseur couleur, il y a trois canons à électrons, un pour chaque couleur primaire de la lumière : rouge, vert et bleu. L'écran est couvert de minuscules pastilles de luminophore qui brillent en rouge, vert ou bleu quand elles sont touchées par les électrons. À une certaine distance, nos yeux fusionnent les points de couleur pour former une image complète.

GRANDES DÉCOUVERTES

René Descartes (1596-1650) était un penseur scientifique, un mathématicien et un physicien. Il combina les branches mathématiques appelées géométrie et algèbre pour créer la géométrie cartésienne qui est à la base de tous les tableaux et graphiques que nous connaissons aujourd'hui, et qui est aussi utilisée dans la conception des composants et des circuits. Descartes a aussi fait une longue et profonde réflexion sur ce que nous savons ou croyons savoir, et sur comment et pourquoi nous le savons.

Sa célèbre maxime était : *Cogito, ergo sum*, qui veut dire "Je pense, donc je suis."

Vers l'ordinateur

▶ **Années 30** Le mathématicien Alan Turning avança l'idée d'un ordinateur électronique capable de manipuler des données selon des instructions contenues dans un programme.

▶ **1949** La machine automatique de traitement de l'information à programme enregistré de John von Neumann fut la première à utiliser l'arithmétique binaire et à sauvegarder ses instructions d'exploitation de façon interne. Cette conception correspond à la structure de la plupart des ordinateurs actuels.

Viseur

Bande magnétique dans son boîtier

Un prisme divise la lumière en différentes couleurs

Système optique

Rayons de lumière

Le caméscope

Dans une caméra ordinaire, la lumière provoque une transformation chimique sur le film photographique. Dans un caméscope (caméra magnétoscope), la lumière est concentrée sur des plaques à accumulation appelées des CCD, ou dispositifs à couplage de charge. Ceux-ci sont recouverts d'un matériau qui conduit des quantités d'électricité différentes selon l'intensité et la couleur de la lumière qui les touche. L'image sur la plaque à accumulation se transforme en code de signaux électroniques qui sont enregistrés sur bande magnétique.

Plaque à accumulation pour la lumière verte

Plaque à accumulation pour la lumière bleue

Plaque à accumulation pour la lumière rouge

La réception d'un fax

La machine réceptrice transforme à nouveau les signaux électriques reçus en une disposition de signes sur une feuille de papier. Tout cela ne prend que quelques secondes.

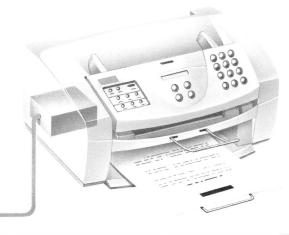

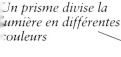

Les systèmes d'affichage d'informations

Autrefois, les systèmes d'affichage d'informations et les pupitres de commande avaient des rangées de lumières et de cadrans. Aujourd'hui, on utilise plus souvent des écrans. Ceux-ci peuvent afficher des informations sous des formes graphiques plus adaptables, telles que des tableaux et des diagrammes, et modifier ces affichages quand de nouvelles données plus importantes sont soudain disponibles.

Les ordinateurs

UN ORDINATEUR EST UNE MACHINE ÉLECTRONIQUE qui manipule, modifie et traite des informations, ou données, de toutes sortes, c'est-à-dire non seulement des chiffres mais aussi des mots, des configurations, des images, des animations, des sons, etc. Les données sont traitées suivant une séquence d'instructions appelée programme, qui indique à l'ordinateur ce qu'il doit faire. Le programme et les données existent sous forme numérique à l'intérieur d'un ordinateur, c'est-à-dire sous forme de configurations de minuscules signaux électriques qui circulent entre les nombreux circuits et microprocesseurs. Les ordinateurs peuvent traiter de grandes quantités d'informations en très peu de temps. Par exemple, aux échecs, un super-ordinateur peut à chaque seconde calculer toutes les conséquences de plus de 200 millions de coups.

GRANDES DÉCOUVERTES

Dans les années 1830, le mathématicien anglais Charles Babbage (1792–1871) mit au point plusieurs types de calculateurs mécaniques programmables. Ses machines utilisaient des roues dentées pour effectuer les calculs, et comprenaient plus de 2 000 pièces mobiles. À cause de problèmes financiers et d'ingénierie, Babbage ne put jamais terminer ses machines mais les ordinateurs modernes utilisent toujours ses concepts de base.

Les superordinateurs

Un superordinateur doit travailler si vite que ses circuits de traitement et de mémoire sont surfondus jusqu'à -51° C. La surfusion réduit la résistance des conducteurs dans les circuits électroniques.

Les composants d'un PC

L'ordinateur personnel, ou PC, comprend plusieurs éléments principaux. Il s'agit de l'ordinateur lui-même, d'un moniteur qui constitue l'unité principale de sortie (et qui fonctionne à peu près de la même manière qu'un téléviseur), et des unités d'entrée, telles que le clavier. Des unités supplémentaires, telles que des scanners ou des tablettes graphiques, peuvent être connectées à l'ordinateur. On les appelle des périphériques.

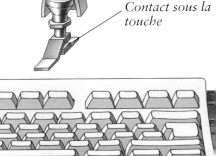

Contact sous la touche

Touches de fonction spéciales

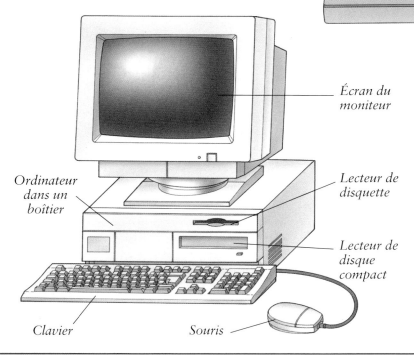

Écran du moniteur

Ordinateur dans un boîtier

Lecteur de disquette

Lecteur de disque compact

Clavier

Souris

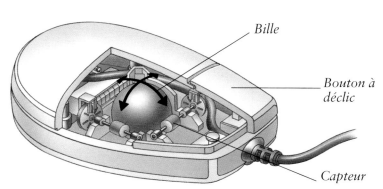

Bille

Bouton à déclic

Capteur

La souris

La souris constitue un boîtier renfermant une petite bille. Quand celle-ci roule sur la surface du bureau, des capteurs suivent ses mouvements et s'en servent pour diriger le pointeur ou curseur sur l'écran. Un ou plusieurs boutons à déclic sur la souris permettent de sélectionner des éléments ou des boîtes de dialogue sur l'écran. Le fil qui raccorde la souris à l'ordinateur constitue sa "queue".

VOIR AUSSI : LES INFORMATIONS ÉLECTRONIQUES PAGE 100, LES COMMUNICATIONS PAGE 102

Les réseaux

Les ordinateurs peuvent être reliés entre eux pour constituer des réseaux s'ils ont les connexions nécessaires pour échanger des signaux électroniques. Les réseaux peuvent utiliser des modes de communication déjà existants tels que les lignes téléphoniques et les satellites, ou leurs propres lignes et câbles privés (réseau local ou LAN). Le travail en réseau permet aux gens de partager des informations ou des programmes. Dans un réseau à jeton, toutes les unités ou nœuds (ordinateurs, imprimantes et télécopieurs par exemple), sont connectées à une boucle centrale.

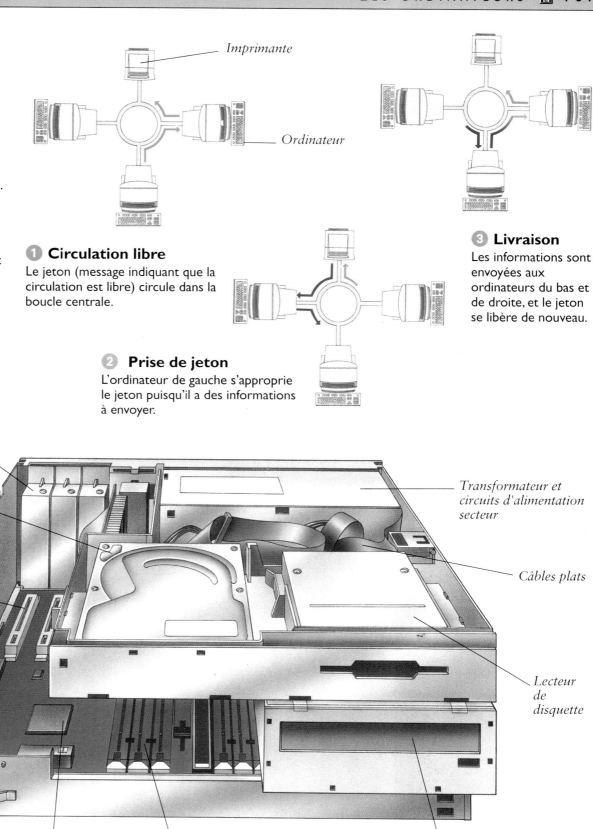

Imprimante

Ordinateur

❶ Circulation libre

Le jeton (message indiquant que la circulation est libre) circule dans la boucle centrale.

❸ Livraison

Les informations sont envoyées aux ordinateurs du bas et de droite, et le jeton se libère de nouveau.

❷ Prise de jeton

L'ordinateur de gauche s'approprie le jeton puisqu'il a des informations à envoyer.

Prises de connexion (ports) pour brancher d'autres périphériques

Disque dur (principal disque magnétique interne)

Slots pour ajout de RAM, mémoire vive

Transformateur et circuits d'alimentation secteur

Câbles plats

Lecteur de disquette

Microprocesseur

Slots pour ajout de cartes de circuits imprimés

Lecteur de disque compact (CD)

L'introduction des données

Le PC moderne est constitué de plusieurs machines travaillant ensemble pour former un système. L'ordinateur lui-même comporte des ensembles de cartes imprimées et autres composants électroniques. Les informations entrent dans l'ordinateur par des périphériques d'entrée tels que le clavier, la souris, le scanner ou le microphone. Ceux-ci sont liés au BIOS, système entrée-sortie de base, qui véhicule les informations vers et en provenance de l'unité centrale, qui est le microprocesseur principal effectuant les manipulations. Le microprocesseur est relié à la mémoire principale de travail ou mémoire vive, aussi appelée RAM, qui conserve en outre une liste particulière d'instructions nommée programme.

La sortie des données

Les résultats des calculs ou traitements faits par un ordinateur sont envoyés vers des périphériques de sortie, tels que le moniteur, l'imprimante ou le haut-parleur. Différents types de disques magnétiques jouent le rôle de mémoire et préservent les informations produites par l'ordinateur pour les restituer plus tard.

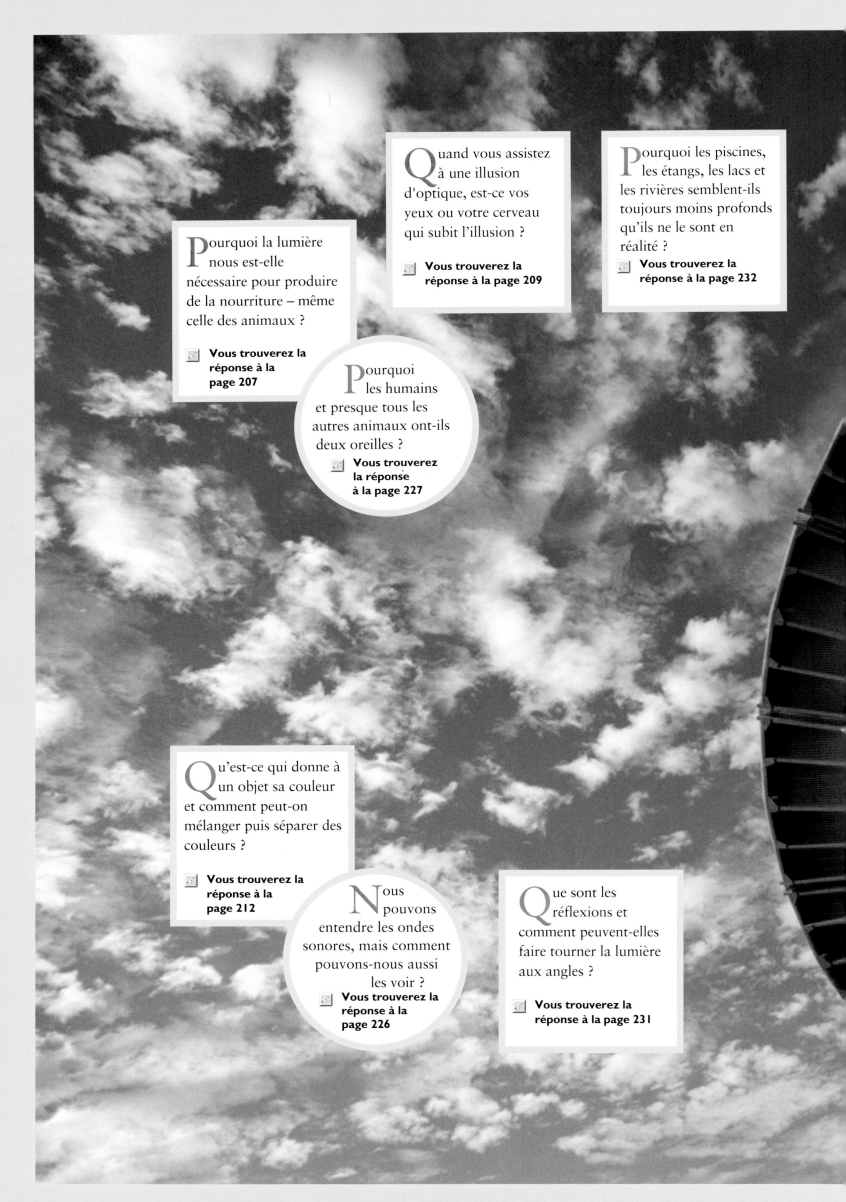

Quand vous assistez
à une illusion
d'optique, est-ce vos
yeux ou votre cerveau
qui subit l'illusion ?

Vous trouverez la
réponse à la page 209

Pourquoi les piscines,
les étangs, les lacs et
les rivières semblent-ils
toujours moins profonds
qu'ils ne le sont en
réalité ?

Vous trouverez la
réponse à la page 232

Pourquoi la lumière
nous est-elle
nécessaire pour produire
de la nourriture – même
celle des animaux ?

Vous trouverez la
réponse à la
page 207

Pourquoi
les humains
et presque tous les
autres animaux ont-ils
deux oreilles ?

Vous trouverez
la réponse
à la page 227

Qu'est-ce qui donne à
un objet sa couleur
et comment peut-on
mélanger puis séparer des
couleurs ?

Vous trouverez la
réponse à la
page 212

Nous
pouvons
entendre les ondes
sonores, mais comment
pouvons-nous aussi
les voir ?

Vous trouverez la
réponse à la
page 226

Que sont les
réflexions et
comment peuvent-elles
faire tourner la lumière
aux angles ?

Vous trouverez la
réponse à la page 231

Le son et la lumière

CERTAINES FORMES D'ÉNERGIE existent sous forme d'ondes ascendantes et descendantes. Parmi celles-ci, on compte le son et la lumière, mais leurs ondes respectives sont de nature très différente. Le son est constitué d'atomes et de molécules qui se déplacent. La lumière est une combinaison d'électricité et de magnétisme. Tous les deux peuvent être perçus par le corps et sont utilisés pour transmettre des informations.

À propos des ondes

LE SON ET LA LUMIÈRE constituent tous les deux des formes d'énergie, mais ils sont très différents l'un de l'autre : alors que le son est produit par un déplacement d'éléments, la lumière, elle, est un mélange d'énergies électrique et magnétique. Mais le son et la lumière ont ceci de commun qu'ils voyagent tous les deux sous forme de courbes qui montent et qui descendent à un rythme régulier et que l'on appelle des ondes. Celles-ci ressemblent aux vaguelettes d'un étang ou aux ondulations qui se créent lorsqu'on donne un mouvement de va-et-vient vertical à une corde. En science, une onde est un changement, une perturbation ou une fluctuation qui se déplace et qui transfère de l'énergie d'un endroit à un autre. Le son n'arrive à voyager qu'en déplaçant des particules de matière, telles que les atomes et les molécules dont une substance est constituée. Le son ne peut donc pas exister ou se déplacer dans le vide, comme dans l'espace par exemple. La lumière, par contre, n'a besoin ni de matière, ni de substance. Elle existe sous forme de petits paquets ou tas d'énergie que l'on appelle des photons. Ceux-ci peuvent traverser une substance telle que l'air ou l'eau, et aussi le vide.

Pointe ou crête (point le plus élevé) de la première onde

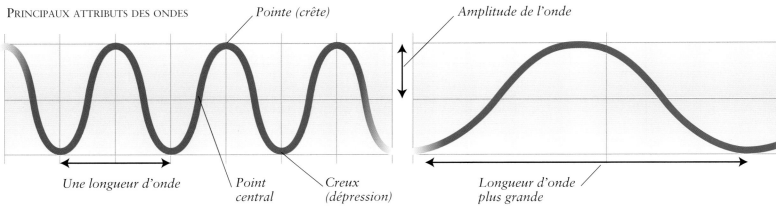

PRINCIPAUX ATTRIBUTS DES ONDES   *Pointe (crête)*   *Amplitude de l'onde*

Une longueur d'onde   *Point central*   *Creux (dépression)*   *Longueur d'onde plus grande*

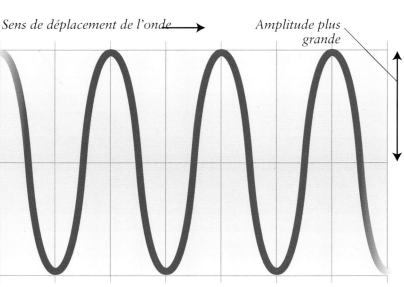

Sens de déplacement de l'onde ⟶   *Amplitude plus grande*

La fréquence correspond au nombre d'ondes par seconde

Les attributs des ondes

Toutes les ondes ont certaines caractéristiques. La partie la plus haute est la pointe (ou la crête). La partie la plus basse est le creux (ou la dépression). La taille de l'onde, du point central à la pointe, ou du point central au creux, s'appelle l'amplitude. En ce qui concerne le son, de plus grandes amplitudes (des ondes plus hautes) produisent des sons plus forts. Pour ce qui est de la lumière, elles produisent plus de luminosité. La fréquence de l'onde est déterminée par le nombre d'ondes qui traversent un endroit ou un point par seconde. La longueur d'une onde complète, par exemple d'une pointe à une autre, s'appelle la longueur d'onde. Pour des ondes voyageant à la même vitesse, plus la longueur d'onde est courte, plus il y a d'ondes à traverser un point en un temps donné. Les ondes courtes ont par conséquent des fréquences plus élevées.

VOIR AUSSI : LES ONDES SONORES PAGE 112, L'EMPLOI DES SONS PAGE 122, LA LUMIÈRE PAGE 12

Semblables, mais différentes

Les vaguelettes qui se forment à la surface d'un étang, après y avoir lancé une pierre, nous aident à imaginer la forme des ondes sonores et lumineuses. Cependant, ces ondes ont des tailles très différentes. Les ondes lumineuses montent et descendent plusieurs centaines de millions de fois par seconde, et la longueur d'un ongle du doigt peut contenir des millions de pointes et de creux. Les ondes sonores sont beaucoup plus grandes. Un léger fredonnement produit des ondes sonores mesurant chacune au moins 90 cm. D'autre part, les ondes lumineuses voyagent un million de fois plus vite que les ondes sonores.

Les vaguelettes se propagent, ou émanent, de leur source centrale

GRANDES DÉCOUVERTES

James Clerk Maxwell (1831–1879) se servit des mathématiques pour expliquer les caractéristiques des ondes. Il étudia les liens entre l'électricité et le magnétisme. Ses calculs montrèrent que les ondes électriques et magnétiques voyagent à la vitesse de la lumière. Il suggéra alors une idée qui était nouvelle à l'époque : que la lumière elle-même était aussi constituée d'ondes électromagnétiques. Cette idée est maintenant reconnue.

Invisible et inaudible

Notre perception des sons et de la lumière est limitée par nos propres organes sensoriels, c'est-à-dire les yeux et les oreilles. Il existe des formes de lumière, telles que les infrarouges et les ultraviolets, que nos yeux ne peuvent pas percevoir. Mais beaucoup d'animaux arrivent à les voir. Certains animaux arrivent à bien voir à des niveaux de luminosité si bas que pour nous, c'est l'obscurité totale. Par exemple, un chat arrive à scruter dans le noir, avec une concentration évidente. Et pourtant, tout ce que nous, nous voyons, c'est l'obscurité. Il y a aussi des sons qui sont trop faibles, ou d'une fréquence trop basse ou trop élevée, pour que nous puissions les entendre. Mais les dauphins, les chauves-souris et beaucoup d'autres animaux peuvent entendre (et produire) ce type de sons.

Un chien ou un cheval peut dresser les oreilles en réaction à un son qui est trop faible pour être entendu par l'oreille humaine.

De l'UV sur les fleurs

Les abeilles arrivent à voir des lignes sur les pétales des fleurs. Les lignes ne sont visibles qu'à la lumière ultraviolette (UV). Elles guident l'abeille vers le miel qui se trouve au cœur de la fleur.

Des infrarouges dans l'eau

Les poissons rouges arrivent à voir la lumière infrarouge, moins tamisée par l'eau que la lumière normale.

Le dauphin commun produit des claquements et des cris rapides et aigus

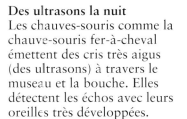

Des ultrasons la nuit

Les chauves-souris comme la chauve-souris fer-à-cheval émettent des cris très aigus (des ultrasons) à travers le museau et la bouche. Elles détectent les échos avec leurs oreilles très développées.

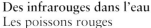

Les ondes sonores

UNE ONDE SONORE est déclenchée par quelque chose qui se met en mouvement. Ce quelque chose peut être n'importe quel état de la matière : solide, liquide ou gazeux. Il s'agit le plus souvent d'un solide. L'objet fait un mouvement de va-et-vient ou vibre. Il pousse puis tire les particules de la substance qui l'entoure, qui peut aussi être un état quelconque de la matière mais il s'agit généralement d'air. L'objet mobile écrase les molécules d'air les unes contre les autres, puis les écarte un peu plus les unes des autres. Ces molécules transmettent ces mouvements à celles qui se trouvent près d'elles qui font de même, et ainsi de suite. L'onde d'énergie se propage ainsi. Une onde sonore est donc une série de minuscules écrasements et étirements qui ondulent dans l'air.

Les sons mélodieux
Toutes les ondes sonores sont produites de la même façon, par des objets qui vibrent. Qu'ils soient discordants et désagréables, comme le ronflement de la circulation, ou mélodieux et agréables, dépend de la façon dont les différentes ondes sonores sont combinées.

Source sonore (haut-parleur)

Onde sonore

Atomes et molécules d'air

Zone où les atomes et les molécules sont très serrés les uns contre les autres : la pression de l'air est élevée

Zone où les atomes et les molécules sont plus écartés les uns des autres : la pression de l'air est basse

Le son en déplacement

Le son voyage à travers les substances quand les particules qui constituent celles-ci (les atomes ou les atomes regroupés sous forme de molécules) effectuent un mouvement de va-et-vient. Chaque atome ou molécule en cogne un autre puis retourne à sa position initiale. L'énergie est transférée de l'un à l'autre comme si elle se déplaçait dans les maillons d'une chaîne. Mais les atomes ou les molécules elles-mêmes ne s'éloignent pas beaucoup de leurs positions centrales. Nous représentons le son par une onde, mais il s'agit en fait de zones de particules tantôt rapprochées, tantôt éloignées, qui se propagent à partir de leur source. Dans l'air, ces ondulations correspondent à des régions de haute et de basse pression. À chaque fois que les particules se rencontrent, de minuscules quantités d'énergie sont perdues par l'onde. Celle-ci s'affaiblit donc progressivement avec la distance.

La région de b pression de correspond au c de l'e

VOIR AUSSI : LA LUMIÈRE PAGE 124, L'UNIVERS PAGE 196

L'AVION-FUSÉE BELL X-1
(SURNOMMÉ
"GLAMOROUS GLENNIS")

L'avion supersonique

La vitesse du son, ou vitesse sonique, s'appelle Mach 1. Elle change avec la pression et la température de l'air, mais elle est fixée à environ 1 200 km/h. Ce qui voyage plus vite que le son est qualifié de supersonique. Le double de la vitesse du son s'appelle Mach 2, et ainsi de suite. Certains avions sont capables d'atteindre et de dépasser Mach 3. La première personne à avoir dépassé la vitesse du son en avion est le capitaine Charles "Chuck" Yaeger, à bord d'un avion fusée, le Bell X-1. Celui-ci a franchi la vitesse du son en 1947. Les avions supersoniques dépassent leur propre bruit, produisant une onde de choc derrière eux ou bang que vous entendons au sol.

Les sons des océans

Le son voyage sous l'eau à 1 430 mètres par seconde environ, c'est-à-dire cinq fois plus vite que dans l'air. Beaucoup d'animaux marins utilisent les sons pour communiquer. Les appels graves ou à basse fréquence des baleines franches parcourent des centaines de kilomètres sous l'eau. Les baleines à bosse mâles chantent pour attirer les femelles. Chacune a son propre chant et le répète avec de légères variations pendant des heures et des heures. Les baleines franches mères et leurs petits, ou baleineaux, émettent aussi des claquements et des cris.

Les atomes et les molécules les plus éloignées de la source sonore vibrent avec moins d'énergie

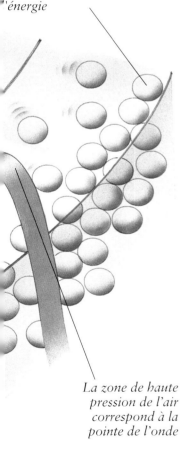

La zone de haute pression de l'air correspond à la pointe de l'onde

La région de pression normale de l'air correspond au point central de l'onde

L'effet Doppler

Avez-vous remarqué que le bruit d'un véhicule en mouvement, comme une moto, une voiture, un train ou un avion, semble être constant quand il se rapproche de vous ? Puis, dès qu'il vous dépasse, le bruit diminue et devient plus grave. Quand le véhicule se dirige vers vous, il se rapproche un peu plus après avoir émis chaque onde sonore. De votre point de vue, les ondes sonores sont donc plus rapprochées les unes des autres et produisent un son plus fort. Quand le véhicule vous dépasse, il s'éloigne un peu plus après avoir émis chaque onde sonore. Les ondes sonores sont donc plus espacées et produisent un son plus faible (voir page suivante).

Les ondes sonores sont plus éloignées les unes des autres, ce qui produit un son plus faible à l'arrière

Les ondes sonores sont plus rapprochées les unes des autres, ce qui produit un son plus fort à l'avant

Source sonore en déplacement

L'effet Doppler doit son nom au scientifique autrichien Christian Doppler, qui fut le premier à le découvrir en 1842. Cet effet est particulièrement évident avec les sons aigus, comme ceux des sirènes. Il peut se produire avec n'importe quel type d'onde, y compris les ondes lumineuses, auquel cas on parle de "décalage vers le rouge".

Les sons aigus et graves

ON APPELLE TON LE NIVEAU DE GRAVITÉ ou d'acuité d'un son. Dans un orchestre, les retentissements sourds de la grosse caisse constituent des sons graves, alors que le tintement léger du triangle est un son aigu. Le ton dépend du nombre de mouvements de va-et-vient ou, de vibrations, de la source sonore par seconde. Il est semblable à la fréquence, c'est-à-dire le nombre d'ondes sonores émises par seconde. La fréquence d'une onde se mesure en unités appelées hertz, ou Hz. Par exemple, la note do sur un piano a une fréquence de 261 Hz. La fréquence est liée à la longueur d'onde, puisque les fréquences les plus hautes ont des ondes plus courtes. La longueur de l'onde sonore du do est de 126 cm.

Quels sons pouvons-nous entendre ?

Nous arrivons à détecter plusieurs fréquences, des notes aiguës du chant d'un oiseau au vrombissement de la circulation. Mais à cause de la façon dont nos oreilles fonctionnent, nous n'entendons pas tous les sons autour de nous. Nos oreilles détectent des fréquences situées entre 20 et 20 000 Hz ou hertz (vibrations par seconde) environ. Nous percevons les sons situés au-dessous de 80 Hz sous forme de grondements, de retentissements ou de roulements sourds et graves. Les fréquences inférieures à environ 30 Hz peuvent être un peu indistinctes, mais si elles sont assez fortes, nous pouvons les percevoir sous forme de vibrations de l'air et du sol. Nos oreilles sont le plus sensibles aux sons situés entre 400 et 4 000 Hz (la voix humaine varie normalement entre 300 et 1 000 Hz.). Les sons supérieurs à 5 000 Hz sont perçus comme des grincements, des sifflements et des cris stridents et aigus. En vieillissant, les oreilles des humains deviennent moins sensibles aux notes aiguës. Un jeune peut donc entendre les cris aigus d'une chauve-souris, alors qu'une personne âgée non.

L'unité de fréquence des ondes, le hertz, tient son nom du physicien Heinrich Hertz (1857–1894). L'unité est utilisée pour les ondes sonores, mais aussi pour d'autres ondes, telles que les ondes radioélectriques et lumineuses. En fait, Hertz a surtout travaillé dans le domaine des ondes radiomagnétiques plutôt que sonores. Il fut le premier à produire des ondes radiomagnétiques en laboratoire. Mais il mourut avant de pouvoir élargir ses recherches et faire de la radio un mode concret de communication.

CHAUVE-SOURIS

DAUPHIN

GRENOUILLE

CHAT

HUMAIN

10 Hz   100 Hz   1 000 Hz   10 000 Hz   100 000 Hz

Les oreilles des animaux
En comparaison avec beaucoup d'animaux, les humains peuvent percevoir une large gamme de fréquences sonores. Cependant, certains animaux entendent des fréquences qui sont trop aiguës pour nos oreilles. On les appelles les ultrasons. D'autres créatures détectent des fréquences qui sont trop basses pour nous. On les appelle les infrasons. La plupart des animaux perçoivent les fréquences qui sont les plus importantes pour leur survie. L'ouïe de la grenouille est surtout sensible aux coassements des autres grenouilles, qu'elle a besoin de percevoir à la saison des amours.

VOIR AUSSI : LES SOLIDES, LES LIQUIDES ET LES GAZ PAGE 26, LES ONDES SONORES PAGE 112

La notation musicale

Nous pouvons entendre les ondes sonores, mais nous ne pouvons pas les voir. Par ailleurs, les sons finissent toujours par s'affaiblir. C'est pour cela que nous écrivons ou imprimons une version visuelle des sons et notes musicales sous une forme que l'on appelle la notation musicale. Ceci aide les gens à se souvenir de la musique et préserve celle-ci au fil du temps. La notation utilise des symboles pour le ton (la fréquence), la longueur (la durée) et la force des sons.

Cymbale suspendue   *Petite cymbale*   *Cymbale charleston*

Caisse claire

Tom-tom

Grosse caisse   *Caisse claire*   *Pédale de cymbale charleston*

Les instruments de musique

Tout ce qui peut produire des sons de durée ou de ton différent est un instrument de musique. Les trois catégories principales d'instruments de musique produisent leurs sons de façons différentes. On pince ou frotte les cordes des instruments à cordes, comme la guitare et le violon. On frappe les instruments de percussion, comme la batterie. Et on souffle dans les instruments à vent comme la flûte à bec ou le trombone.

Les sons de l'éléphant

Environ deux tiers des sons produits par l'éléphant sont trop bas pour être perçus par l'oreille humaine. Il s'agit d'infrasons. Ils comprennent plus de 20 types différents de grondements qui sont assez puissants pour être entendus par d'autres éléphants se trouvant à plus 5 km de distance.

Des bruits indésirables

Le bruit est souvent constitué d'un fouillis d'ondes sonores désagréables et indésirables. Cela peut être de la musique trop forte, le bruit de machines comme les scies et les perceuses, ou des véhicules comme les trains et les avions. Un environnement bruyant n'est pas propice à la réflexion, à la détente et au repos. Cela peut engendrer le stress ou même des maladies. Un bruit trop fort ou prolongé peut endommager l'ouïe, comme on le verra à la page suivante.

Les sons dans les solides, les liquides et les gaz

De manière générale, le son voyage plus loin et plus vite à travers les solides que les liquides, et il voyage plus loin et plus vite à travers les liquides qu'à travers des gaz comme l'air. Ceci s'applique particulièrement aux sons graves ou de basse fréquence. Dans un gaz, les molécules sont plus distantes les unes des autres. La majeure partie de l'énergie sonore se perd donc à pousser les molécules de gaz jusqu'à ce quelles rencontrent d'autres molécules de gaz. Dans un liquide ou un solide, les molécules sont beaucoup plus serrées, par conséquent elles se percutent plus facilement sous l'effet des vibrations produites par l'énergie sonore. Cela permet au son de se déplacer plus vite. C'est pour cela que nous sentons parfois dans le sol les vibrations d'une importante source d'énergie, comme un gros camion, avant même de pouvoir l'entendre.

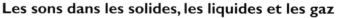

Les sons forts et faibles

LES SONS FORTS SONT FORTS parce que les atomes ou les molécules qui les transportent vibrent plus, ce qui représente beaucoup plus d'énergie. Les sons faibles ont de plus petites vibrations. Le volume ou la puissance d'un son est la force de ce son quand il atteint notre oreille. Ceci est légèrement différent de l'intensité d'un son, qui représente la quantité d'énergie qui se déplace dans les ondes sonores. L'intensité dépend aussi bien du ton (la fréquence) que de la taille (l'amplitude) de l'onde sonore. Le volume d'un son peut être perçu différemment d'une personne à l'autre, mais l'intensité de l'énergie sonore est la même pour tout le monde.

La protection de l'ouïe
Les gens qui travaillent dans des environnements bruyants, comme les usines de textiles ou les aéroports, ou qui utilisent des machines bruyantes, doivent protéger leurs oreilles avec des protège-oreilles anti-bruit. Une exposition prolongée à des sons aigus, tels que des gémissements est très dangereuse pour l'ouïe.

EXPLOSION
ATOMIQUE
200 dB

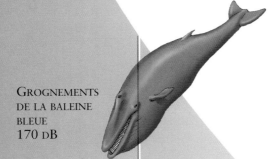

Le décibel

L'échelle de mesure qui compare les intensités des sons, qui sont semblables à leur force ou volume, s'appelle le décibel (dB), mot tiré du nom de l'inventeur du téléphone, Alexander Graham Bell. Une mesure de 10 dB, semblable au bruissement de feuilles sèches, est le son le plus faible que l'oreille humaine peut détecter. Une conversation normale mesure environ 60 dB. À partir de 130 dB, les sons provoquent une douleur physique. Même avec les sons les plus forts dans l'air, les atomes et les molécules d'air ne se déplacent pas plus que de la largeur d'un cheveu.

GROGNEMENTS
DE LA BALEINE
BLEUE
170 dB

AVION À
RÉACTION À
PROXIMITÉ
140 dB

Attention !
Des panneaux d'avertissement indiquent que des bruits forts peuvent endommager l'ouïe et entraîner une surdité qui pourrait être permanente.

MUSIQUE
DANGEREUSEMENT
FORTE
120 dB

La limite léga
Dans certaines régions, la réglementation lim le niveau de bru dans les endroit publics à 100, 90 même 80 dB.

VOIR AUSSI : LES ONDES SONORES PAGE 112, LA PRODUCTION ET DÉTECTION DES SONS PAGE 118

Combien de décibels ?

Certains exemples de niveaux sonores sont indiqués dans le graphique ci-dessous. En voici quelques autres :

▶ 180 dB Décollage d'une fusée à environ 45 mètres
▶ 160 dB Décollage d'une fusée à environ 180 mètres
▶ 140 dB Machineries énormes, comme les aciéries
▶ 110 dB Marteau piqueur pour travaux routiers
▶ 100 dB Claquement ou tonnerre proche
▶ 80 dB Train allant à grande vitesse
▶ 20 dB Chuchotement à peine audible
▶ 10 dB Léger bruissement du vent dans les hautes herbes

Les oreilles des animaux

Certains animaux, comme les lapins et les chevaux, ont de grandes oreilles qu'ils peuvent faire tourner et pivoter. Ils font cela pour localiser la source d'un son. Les êtres humains ne peuvent pas faire pivoter leurs oreilles comme ça ! Mais si vous entendez un son, vous pouvez tourner la tête jusqu'à ce que les ondes sonores atteignent vos deux oreilles en même temps et avec la même puissance. Vous faites alors face à la source du son.

Certains insectes comme les papillons ont des poils sensibles sur leur corps qui leur permettent de percevoir certaines fréquences d'ondes sonores dans l'air

Les lapins tournent leurs oreilles dans la direction où le son est le plus fort

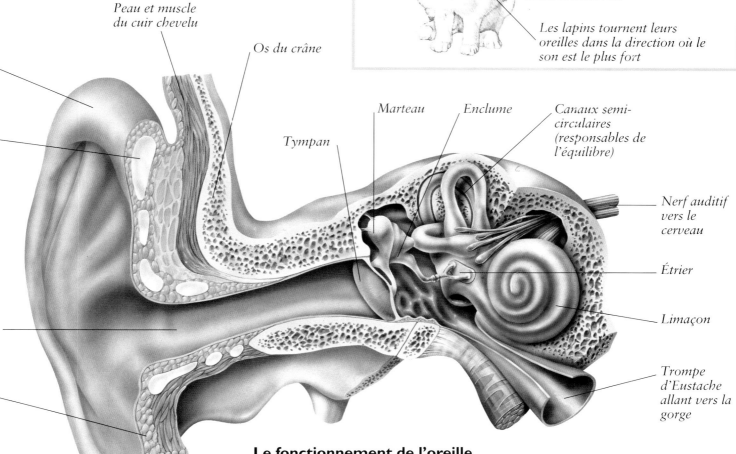

Peau et muscle du cuir chevelu

Os du crâne

Pavillon externe

Cartilage

Marteau *Enclume* *Canaux semi-circulaires (responsables de l'équilibre)*

Tympan

Nerf auditif vers le cerveau

Étrier

Limaçon

Conduit auditif

Trompe d'Eustache allant vers la gorge

Graisse

Lobe de l'oreille

Le fonctionnement de l'oreille

L'oreille humaine est constituée de trois parties : l'oreille externe, l'oreille moyenne et l'oreille interne. L'oreille externe agit comme un entonnoir qui capte les sons dans l'air. Elle mène à un tube, le conduit auditif, qui aboutit à la membrane circulaire et souple du tympan. Les sons font vibrer le tympan et ceci fait vibrer trois osselets situés dans l'oreille moyenne. Les osselets transfèrent les vibrations sonores au limaçon de l'oreille interne, où elles sont transformées en signaux nerveux qui sont envoyés au cerveau.

TRONÇONNEUSE
100 DB

DISCUSSION ANIMÉE
70 DB

DISCUSSION CALME
50 DB

CHANT D'OISEAU
30 DB

TIC-TAC D'UNE MONTRE
10 DB

100 DÉCIBELS   75 DÉCIBELS   50 DÉCIBELS   25 DÉCIBELS

La production et détection des sons

LE MONDE NATUREL EST REMPLI DE SONS : le souffle du vent, le bruissement des feuilles, le clapotis des vagues, et les bruits d'animaux comme le chant des oiseaux ou le bourdonnement des insectes. Même notre propre corps produit des sons naturels : le fait de mâcher, avaler, tousser, éternuer, respirer, les battements du cœur, et le gargouillis des bulles de gaz dans les intestins. Le docteur écoute tous ces bruits à l'aide d'un stéthoscope pour s'assurer que le corps est en bonne santé et pour détecter le moindre signe de maladie. En plus de ces sons naturels, le monde est rempli de sons créés par l'action de l'homme. Ils proviennent des machines, des automobiles, des trains et des avions. Certains de ces sons sont produits par les mécanismes d'objets en mouvement ou vibrants tels que les marteaux, les perceuses, les moteurs et les machines. D'autres sons, tels que ceux des radios, des télévisions et des chaînes hi-fi, sont produits par un appareil conçu spécifiquement pour reproduire les sons : le haut-parleur.

De minuscules haut-parleurs
Les casques à écouteurs ont une sorte de minuscule haut-parleur pour chaque oreille. Le coussinet arrête presque tous les bruits environnants. Ceci permet à celui qui écoute de se concentrer sur les sons provenant du casque.

Le microphone

Un microphone est une sorte d'oreille artificielle. Il joue le même rôle : il transforme l'énergie d'une configuration d'ondes sonores en une configuration semblable de signaux électriques. Il existe plusieurs types de microphones qui fonctionnent tous différemment. Le modèle à cartouche de carbone se trouve dans le micro d'un téléphone, et il est décrit plus loin dans ce livre. Le microphone piézoélectrique repose sur un petit cristal et utilise l'effet piézoélectrique, dont on a déjà parlé. Le microphone à bobine mobile illustré ici utilise l'électromagnétisme. Les ondes sonores sont converties en vibrations physiques d'un fil dans un champ magnétique. Ceci produit des signaux électriques dans le fil en vertu du procédé d'induction électromagnétique.

Boule antivent

Le treillis laisse passer les ondes sonores

Membrane (bout de carton ou de plastique vibrant en forme de cône)

Cœur ferreux rattaché à la membrane

Aimant en forme d'anneau

Cœur ferreux entouré de la bobine

Bobine de fil de fer

Fils de raccordement l'amplificateur

MICROPHONE À
BOBINE MOBILE

À l'intérieur d'un microphone

Un microphone est une "oreille électrique". Un petit bâtonnet ou cœur en fer comporte une bobine de fil de fer enroulée tout autor. Le cœur est fixé à une fine membrane conique très souple. Quand de ondes sonores atteignent la membrane, celle-ci vibre tout comme le tympan de l'oreille. La bobine de fil de fer vibre aussi, et puisqu'elle se situe dans un aimant en forme d'anneau, des signaux électriques sont produits dans le fil.

VOIR AUSSI : LES ONDES SONORES PAGE 112, LES APPAREILS ÉLECTRONIQUES PAGE 104

La puissance du son

▸ La puissance de l'amplificateur d'une chaîne hi-fi se mesure en watts.
▸ Une petite chaîne hi-fi pour une chambre à coucher de taille moyenne a généralement une puissance de 10 à 20 watts.
▸ Une chaîne domestique pour une pièce un peu plus grande pourrait avoir une puissance de 50 à 100 watts.
▸ Une chaîne pour une petite salle d'une capacité de 100 à 200 personnes a besoin d'une puissance d'environ 1 000 watts ou 1 kW (kilowatt).
▸ Un système audio utilisé lors d'une grande manifestation en plein air avec plusieurs milliers de personnes produirait de 50 à 100 kW.

La maîtrise du son

Une grande salle, telle qu'un gymnase, a en général des murs, un plancher et un plafond plats et solides. Ces surfaces réfléchissent très bien les sons, enrobant chaque son d'un écho sonore et confus. Ceci n'est pas très agréable si l'on veut écouter de la musique. Les salles de concert ont donc des surfaces insonorisantes, telles que d'épais tapis ou des tentures, recouvrant le plafond et les murs. Des baffles et des panneaux acoustiques spécialement conçus encadrent et surplombent la scène pour diriger seulement les sons voulus vers les spectateurs.

Alexander Graham Bell commença sa vie professionnelle comme instituteur auprès d'enfants ayant des difficultés à entendre et à parler. Il étudia en détails la voix humaine, la parole, et les ondes sonores. À cette époque, les messages étaient envoyés sur de longues distances par télégraphe. Ceci produisait des impulsions électriques marche-arrêt en code Morse, qui étaient ensuite envoyées dans des fils. Bell se rendit compte qu'une configuration d'ondes sonores pourrait être convertie en une configuration équivalente de signaux électriques variables. Ceux-ci seraient transportés par fil, comme le télégraphe, et transformés à nouveau en ondes sonores. En 1876, Bell conçut un appareil à cet escient : le téléphone. Le premier message téléphonique fut un appel à l'aide envoyé par Bell à son assistant, Mr. Watson, qui se trouvait dans la pièce voisine, après qu'il eut accidentellement renversé de l'acide sur ses habits.

ALEXANDER GRAHAM BELL (1847 1922)

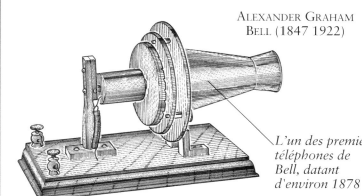

L'un des premiers téléphones de Bell, datant d'environ 1878

ils de accordement u haut-arleur

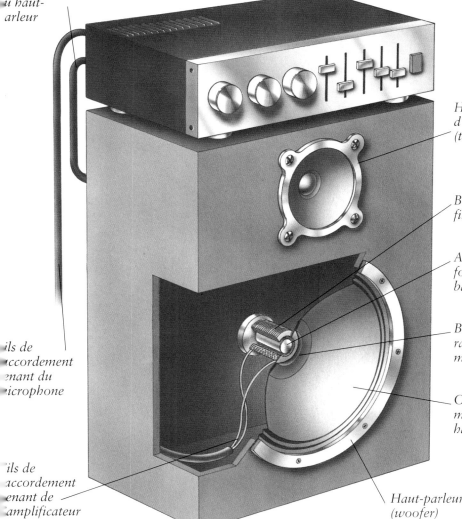

Haut-parleur d'aigus (tweeter)

Bobine de fil de fer

Aimant en forme de baguette

Bobine rattachée à la membrane

Cône ou membrane du haut-parleur

ils de accordement enant du icrophone

ils de accordement enant de amplificateur

Haut-parleur de graves (woofer)

L'amplificateur

Les signaux électriques provenant d'un microphone, d'une cassette audio, d'un électrophone, ou d'un lecteur CD sont très faibles. Il en est de même pour les signaux provenant d'un instrument électrique comme une guitare électrique. Ils ne sont pas assez puissants pour faire marcher un haut-parleur. Un amplificateur est un appareil électronique qui amplifie les signaux, autrement dit les rend plus puissants. Les contrôles de tonalité, ou d'égalisation, produisent des tons, ou fréquences de sons plus forts ou plus doux.

À l'intérieur d'un haut-parleur

Le fonctionnement du haut-parleur est l'opposé de celui du microphone. Les signaux électriques provenant de l'amplificateur traversent la bobine de fil de fer et arrivent dans un électroaimant, créant un champ magnétique variable autour. Ceci agit sur le champ magnétique stable de l'aimant permanent. En conséquence, la bobine bouge ou vibre. Elle est rattachée au cône, ou membrane, du haut-parleur, ce qui fait vibrer celui-ci et produit des ondes sonores dans l'air.

L'enregistrement du son

PENDANT DES SIÈCLES, les gens ne pouvaient préserver les sons que sous forme de mots ou de notes musicales sur papier. Les technologies actuelles permettent de conserver les sons tels qu'on les entend. Les ondes sonores peuvent être converties en différentes séquences magnétiques sur une bande, en sillons sur un disque de vinyle ou en minuscules aspérités sur des disques compacts (CD). L'enregistrement et la restitution des sons reposent sur la conversion d'ondes sonores en signaux électriques, qui sont ensuite reconvertis dans la forme du stockage.

Les sons sur bande

Les sons sont transformés en signaux électriques par un microphone, ou amenés directement sous forme de signaux électriques depuis une autre source vers un électroaimant se trouvant dans la tête d'enregistrement et de lecture (voir illustration ci-dessous). Les signaux produisent un champ magnétique variable qui transforme les particules de métal se trouvant sur la bande en minuscules aimants invisibles. La structure des minuscules poches magnétiques correspond à la structure des ondes sonores.

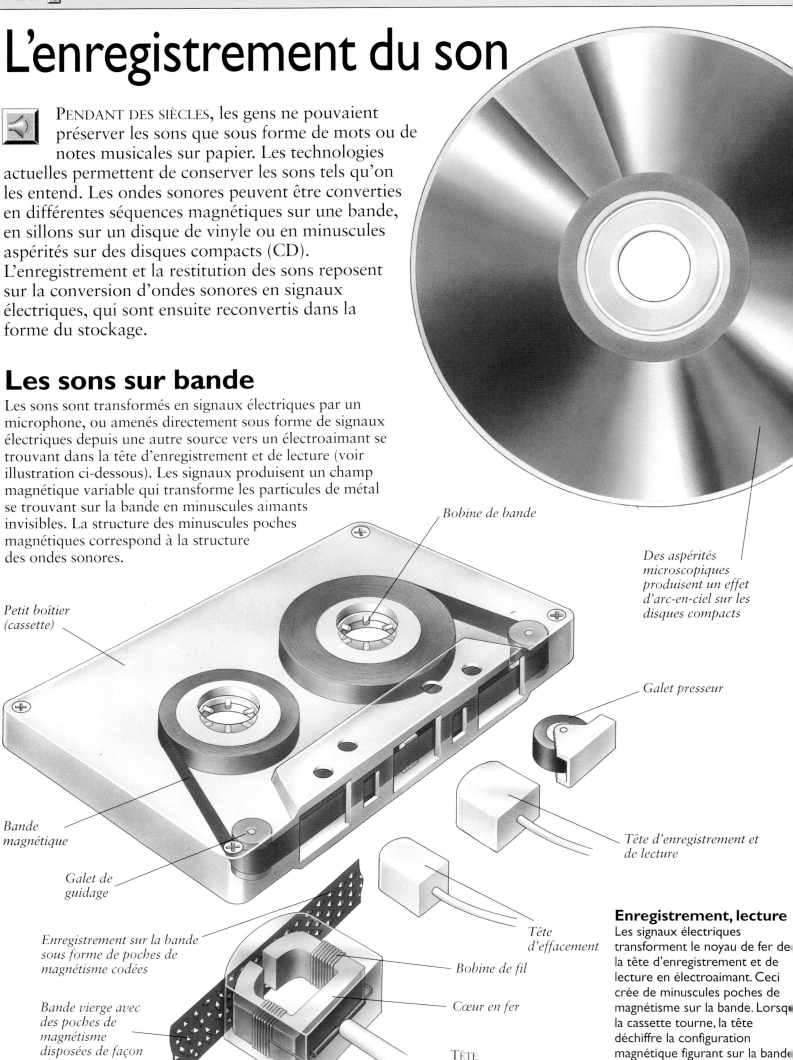

Des aspérités microscopiques produisent un effet d'arc-en-ciel sur les disques compacts

Bobine de bande

Petit boîtier (cassette)

Galet presseur

Tête d'enregistrement et de lecture

Bande magnétique

Galet de guidage

Tête d'effacement

Enregistrement sur la bande sous forme de poches de magnétisme codées

Bobine de fil

Bande vierge avec des poches de magnétisme disposées de façon aléatoire

Cœur en fer

TÊTE D'ENREGISTREMENT ET DE LECTURE

Enregistrement, lecture
Les signaux électriques transforment le noyau de fer de la tête d'enregistrement et de lecture en électroaimant. Ceci crée de minuscules poches de magnétisme sur la bande. Lorsque la cassette tourne, la tête déchiffre la configuration magnétique figurant sur la bande et la transforme de nouveau en signaux électriques.

VOIR AUSSI : LA PRODUCTION ET DÉTECTION DES SONS PAGE 118

❶ *Laser*

Les sons sur disque compact

Un disque compact est un disque en plastique recouvert d'aluminium, et dont la surface comprend des aspérités microscopiques. Quand le disque tourne, un faisceau laser de faible puissance est réfléchi sur sa surface par un miroir semi-transparent. Si le faisceau touche une partie lisse de la surface, il est renvoyé par le miroir semi-transparent et produit un éclair lumineux. Une aspérité sur la surface du disque diffuse le faisceau et il n'y a pas de réflexion. Pendant que le disque tourne, les éclairs sont convertis en signaux électriques pour l'amplificateur.

❷ *Le miroir semi-transparent réfléchit le faisceau laser sur la surface*

❸ *Le faisceau laser est réfléchi par la partie lisse de la surface*

❹ *Le miroir semi-transparent laisse passer le faisceau laser réfléchi*

Lentille de mise au point

❺ *Un capteur de lumière transforme les éclairs en signaux électriques*

Des sons sur un disque de vinyle

Quand on fait tourner un disque de vinyle, l'aiguille ou pointe de lecture suit un minuscule sillon ondulé à la surface du disque. L'ondulation fait vibrer la pointe de lecture. Un électroaimant ou un cristal situé dans le pick-up au-dessus de la pointe de lecture transforme les vibrations physiques en signaux électriques pour l'amplificateur et le haut-parleur. Des sillons plus profonds produisent des sons plus forts, et des ondulations plus fréquentes ou plus courtes dans les sillons produisent des sons de fréquence plus élevée.

Chaque face du disque a un long sillon ondulé formant une spirale serrée

...illon ondulé à ...a surface du ...isque de ...inyle

...ointe de ...cture ...aiguille")

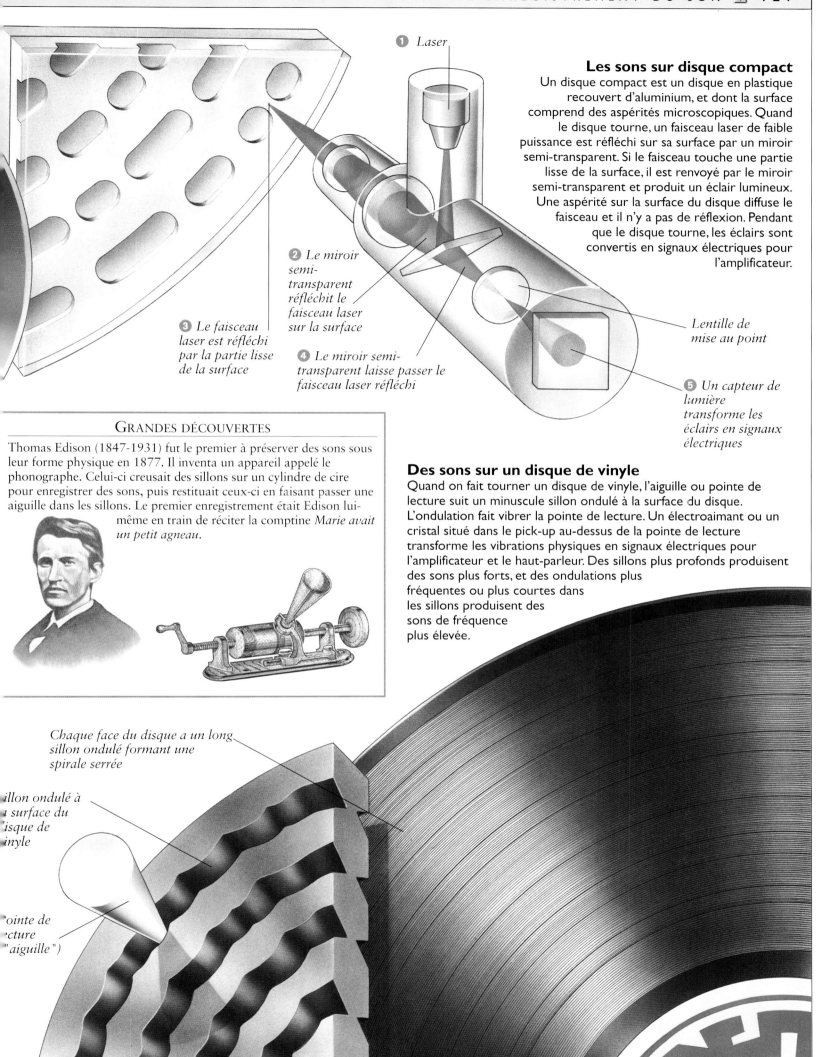

L'emploi des sons

Le radar du bateau fonctionne dans l'air

LES SONS ONT UNE IMPORTANCE VITALE. Nous les utilisons pour communiquer, apprendre et exprimer des idées, des pensées, et des projets, soit face à face soit au téléphone. Les sons musicaux ou naturels, comme le chant d'un oiseau, affectent nos émotions, en nous rendant heureux ou tristes, inquiets ou détendus. Les fortes sirènes nous avertissent d'un danger. Le son de la radio nous divertit, nous informe et nous amuse, et la télévision devient moins intéressante dès que le son est coupé ! Nous ne pouvons entendre les ultrasons avec les oreilles, mais nous pouvons les détecter avec un microphone et les afficher sur un écran. Ceci permet de "voir" à l'intérieur du corps, sous les mers, ou dans les machines. Les ultrasons permettent aussi de souder des métaux et des plastiques, fabriquer des circuits électroniques et nettoyer des composants minuscules et délicats.

Le pouvoir de la parole
Les mots parlés peuvent avoir un effet considérable, surtout quand ils sont exprimés avec passion et émotion. Des discours célèbres, comme l'appel de Martin Luther King pour la défense des droits civiques, "J'ai un rêve", arrivent parfois à changer le cours de l'histoire.

Les impulsions acoustiques descendantes émises par le sonar

Les ondes sonores voyagent dans l'eau à la vitesse de 1 430 m par seconde

Les ondes sonores vont en s'élargissant à partir de leur source

Les essais de matériaux
Les ultrasons arrivent à détecter les minuscules défauts dans les métaux, les plastiques, et autres matériaux utilisés dans la fabrication de pièces détachées et de composants (boulons d'un pont, ailes d'avion, etc.). Les impulsions d'ultrasons sont réfléchies par les minuscules failles qui pourraient s'accroître si la pièce subissait des contraintes. Les configurations d'ultrasons s'affichent sur un écran.

La communication animale
Le rugissement du lion, le hurlement du loup, l'aboiement du chien et le jacassement du singe sont juste quelques exemples de sons employés par les animaux pour communiquer entre eux. Parfois, il est possible de comprendre la signification d'un son, même si l'animal n'est pas familier. Un grondement ou un crachement est généralement un signe de menace.

VOIR AUSSI : À PROPOS DES ONDES PAGE 110, LES ONDES SONORES PAGE 112

Le bateau est équipé d'un émetteur sonique et de microphones sous-marins (hydrophones) pour détecter les échos

Sonar plus petit dirigé vers l'avant pour détecter tout obstacle possible

Échos de retour des impulsions soniques

GRANDES DÉCOUVERTES

Ernest Mach (1838–1916) était un philosophe scientifique. Il s'intéressait aux buts de la science, à la nature des théories et des faits, et à ce que démontrent les expériences. Il étudia aussi la vue, l'ouïe et les propriétés des ondes. Le Mach, qui fait référence à la vitesse du son, tient son nom de lui. C'est là une notion utile, car la vitesse réelle du son change selon les différences de densité, de température, de pression et d'autres conditions.

Voir avec le son

Les bateaux utilisent le sonar pour rechercher des objets tels que des épaves, des sous-marins, des rochers, des icebergs, des baleines, et des bancs de poissons sous la mer. Le sonar sert aussi à mesurer la profondeur de l'eau et à dresser la carte du fond marin. Le mot sonar vient de l'acronyme anglais SOund NAvigation et Ranging. Il consiste à envoyer des impulsions ultrasonores (des sons très aigus) dans l'eau. Les ondes sonores rebondissent, ou se réfléchissent, sur des objets et remontent sous forme d'écho. Nous connaissons la vitesse du son sous l'eau, donc en chronométrant les échos, il est possible de calculer la distance des objets. Une analyse des détails de l'écho montre la nature de l'objet : s'il est grand ou petit, dur ou mou. Le radar fonctionne de façon semblable au sonar mais il utilise les ondes radio, qui voyagent dans l'air (les ondes radio n'arrivent pas à voyager loin sous l'eau).

Les ondes ultrasonores se réfléchissent sur les objets tels que des épaves au fond de la mer

Des sons à l'écran

Le sonar utilise des ultrasons, qui sont trop aigus pour que notre oreille puisse les entendre. Des microphones convertissent les ultrasons en signaux électriques. Des appareils électroniques transforment ces signaux en sons plus graves que l'on entend alors sous forme de "ding !" sinistres, ou que l'on voit sous forme de lignes et de couleurs qui apparaissent sur des écrans de contrôle.

La lumière

NOUS NE VOYONS QUE LA LUMIÈRE et rien d'autre. Nous utilisons la lumière tous les jours d'innombrables manières. Mais il est plus difficile de décrire la lumière. C'est une forme d'énergie produite par une combinaison de champs électriques et magnétiques. D'une certaine façon, la lumière voyage sous forme d'ondes, ce qui fait qu'elle a les propriétés de base d'une onde. Par exemple, la couleur de la lumière dépend de la longueur de ses ondes. Malgré tout, la lumière semble être un flot de minuscules particules ou paquets d'énergie appelés des photons. Les scientifiques ont dû finir par accepter ces deux façons de comprendre la lumière. Ils appellent cela "la dualité onde–corpuscule" de la lumière. Rien ne voyage plus vite que la lumière : elle file à la vitesse incroyable de près de 300 000 km par seconde.

Les couleurs du spectre se fondent l'une dans l'autre

De la lumière invisible

Une lumière qui a des ondes plus courtes que celles de la lumière violette est de la lumière ultraviolette, ou UV. Nos yeux ne détectent pas les UV, et nous ne pouvons donc pas les voir, mais une abondance d'UV peut provoquer des coups de soleil et abîmer les yeux.

Les couleurs de l'arc-en-ciel

Un arc-en-ciel est produit par la lumière du soleil qui brille à travers des gouttes de pluie. Les gouttes de pluie séparent les couleurs contenues dans la lumière blanche, ce qui nous permet de les voir. Les couleurs principales de l'arc-en-ciel sont le rouge, l'orangé, le jaune, le vert, le bleu, l'indigo et le violet. Elles suivent toujours cet ordre. Ces couleurs constituent ce que l'on appelle le spectre. Chacune représente une lumière de différente longueur d'onde. La lumière rouge a les ondes les plus longues, l'orangé a des ondes légèrement plus courtes, et ainsi de suite. Le violet a les ondes les plus courtes.

GRANDES DÉCOUVERTES

Parmi les premiers scientifiques qui étudièrent la lumière de façon scientifique, on trouve Alhazen (965–1039). À cette époque, la plupart des gens croyaient que la lumière provenait des yeux et illuminait les objets pour les rendre visibles. Alhazen découvrit la bonne explication : que la lumière provenant d'une source telle que le soleil ou une bougie, se réfléchissait sur les objets puis pénétrait dans l'œil. Il étudia aussi les lumières colorées, les lentilles et les miroirs. Ses recherches ont aidé des scientifiques par la suite à mettre au point le microscope, le télescope, ainsi que d'autres appareils optiques ou utilisant la lumière. Malheureusement, pour quelqu'un qui a tant contribué à la compréhension de la lumière, des lentilles et du fonctionnement des yeux, il n'existe aucun portrait connu d'Alhazen. Nous ne savons donc même pas à quoi il ressemblait.

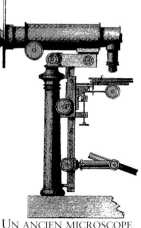

UN ANCIEN MICROSCOPE COMPOSÉ (QUI EST DOTÉ DE PLUS D'UNE LENTILLE)

Transparent et flou

Certaines substances laissent presque toute la lumière les traverser. Il s'agit des matières transparentes comme l'air, les vitres, ou l'eau. D'autres substances laissent passer de la lumière, mais les ondes sont dispersées et renvoyées dans toutes les directions. Elles ont alors une apparence floue ou indistincte. Parmi ces substances diaphanes, on compte le verre dépoli, la brume, les brise-bise, et le papier-calque. Une substance qui ne laisse passer aucune lumière est une substance opaque.

VOIR AUSSI : LA TÉLÉVISION PAGE 104, À PROPOS DES ONDES PAGE 110

Les couleurs et les filtres

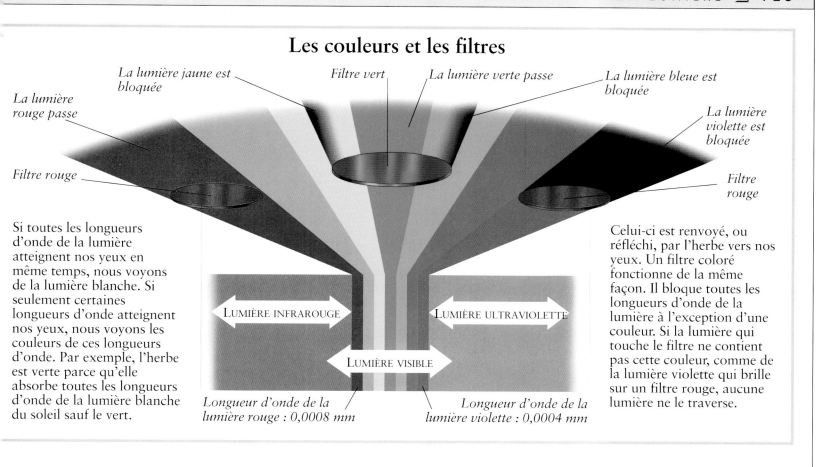

La lumière jaune est bloquée

Filtre vert

La lumière verte passe

La lumière bleue est bloquée

La lumière rouge passe

La lumière violette est bloquée

Filtre rouge

Filtre rouge

LUMIÈRE INFRAROUGE

LUMIÈRE ULTRAVIOLETTE

LUMIÈRE VISIBLE

Longueur d'onde de la lumière rouge : 0,0008 mm

Longueur d'onde de la lumière violette : 0,0004 mm

Si toutes les longueurs d'onde de la lumière atteignent nos yeux en même temps, nous voyons de la lumière blanche. Si seulement certaines longueurs d'onde atteignent nos yeux, nous voyons les couleurs de ces longueurs d'onde. Par exemple, l'herbe est verte parce qu'elle absorbe toutes les longueurs d'onde de la lumière blanche du soleil sauf le vert.

Celui-ci est renvoyé, ou réfléchi, par l'herbe vers nos yeux. Un filtre coloré fonctionne de la même façon. Il bloque toutes les longueurs d'onde de la lumière à l'exception d'une couleur. Si la lumière qui touche le filtre ne contient pas cette couleur, comme de la lumière violette qui brille sur un filtre rouge, aucune lumière ne le traverse.

Le mélange des couleurs

La plupart des couleurs de la lumière peuvent être produites en mélangeant seulement trois couleurs : le rouge, le bleu et le vert. On les appelle les trois couleurs primaires de la lumière. En les mélangeant en proportions différentes, on obtient d'autres couleurs. Un mélange de lumière rouge et de lumière verte donne du jaune. De la lumière rouge ajoutée à de la lumière bleue donne du magenta (rose). Le vert et le bleu ensemble donnent du cyan (bleu clair). Le jaune, le magenta et le cyan sont les couleurs complémentaires, ou secondaires, de la lumière. Un mélange de rouge, de bleu et de vert donne de la lumière blanche.

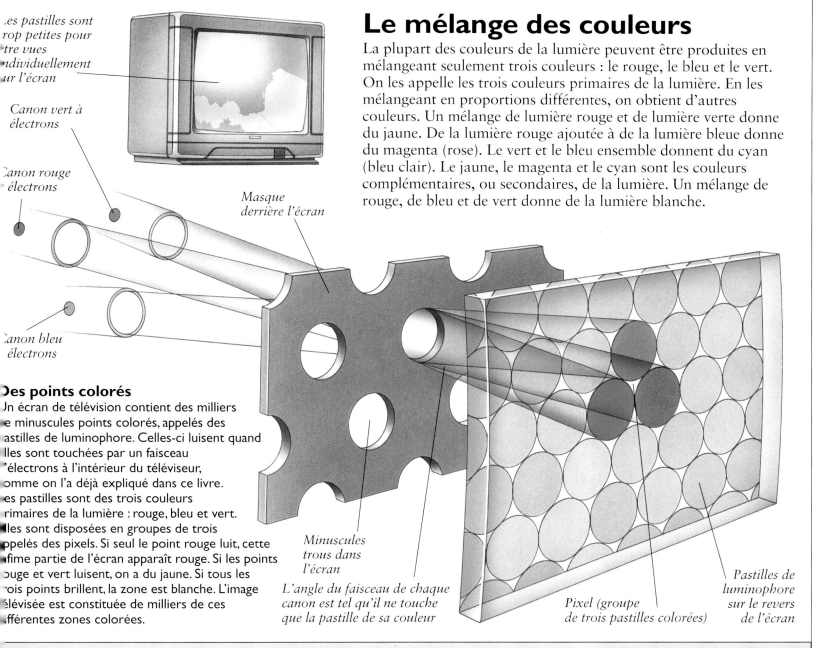

Les pastilles sont trop petites pour être vues individuellement sur l'écran

Canon vert à électrons

Canon rouge à électrons

Canon bleu à électrons

Masque derrière l'écran

Minuscules trous dans l'écran

L'angle du faisceau de chaque canon est tel qu'il ne touche que la pastille de sa couleur

Pixel (groupe de trois pastilles colorées)

Pastilles de luminophore sur le revers de l'écran

Des points colorés

Un écran de télévision contient des milliers de minuscules points colorés, appelés des pastilles de luminophore. Celles-ci luisent quand elles sont touchées par un faisceau d'électrons à l'intérieur du téléviseur, comme on l'a déjà expliqué dans ce livre. Les pastilles sont des trois couleurs primaires de la lumière : rouge, bleu et vert. Elles sont disposées en groupes de trois appelés des pixels. Si seul le point rouge luit, cette infime partie de l'écran apparaît rouge. Si les points rouge et vert luisent, on a du jaune. Si tous les trois points brillent, la zone est blanche. L'image télévisée est constituée de milliers de ces différentes zones colorées.

La lumière réfléchie

QUAND LA LUMIÈRE TOUCHE certaines surfaces, elle est réfléchie, comme une balle qui rebondit sur un mur. On appelle cela la réflexion. La plupart des objets ne produisent pas leur propre lumière. Nous les voyons parce qu'ils renvoient vers nos yeux la lumière provenant d'un autre objet. Par exemple, la Lune ne produit pas sa propre lumière. Elle brille parce qu'elle renvoie la lumière du Soleil. Une surface très lisse et brillante, comme celle d'un miroir, renvoie sans dispersion presque toute la lumière qui l'atteint. Elle produit donc une réflexion claire et brillante. Sur une surface rugueuse par contre, la lumière est diffusée ou réfléchie dans toutes les directions, produisant de mauvaises réflexions. Les couleurs des objets dépendent aussi des réflexions. Un objet blanc renvoie toutes les couleurs de la lumière blanche qui brille dessus. Un objet complètement noir ne réfléchit pas de lumière du tout.

De drôles de reflets
Un miroir magique de fête foraine a une surface ondulée. Il produit des reflets déformés qui nous amusent. La surface d'un miroir de ce type est courbée vers l'extérieur à certains endroits et vers l'intérieur à d'autres.

Des reflets courbes

Un miroir courbe change la forme des reflets qu'il produit. Un miroir convexe (bombé ou courbé vers l'extérieur) donne aux choses une apparence plus petite. Une surface concave (creuse ou incurvée) donne aux choses une apparence plus grande. Les miroirs concaves renversent aussi parfois les reflets. Les miroirs courbes ont divers usages. Les rétroviseurs d'une voiture sont convexes pour donner un plus grand angle de vision. Les miroirs de rasage sont concaves pour produire une image grossie. On peut se rendre compte de la façon dont ces surfaces courbes changent les reflets en se regardant dans les faces convexe et concave d'une cuillère neuve et brillante.

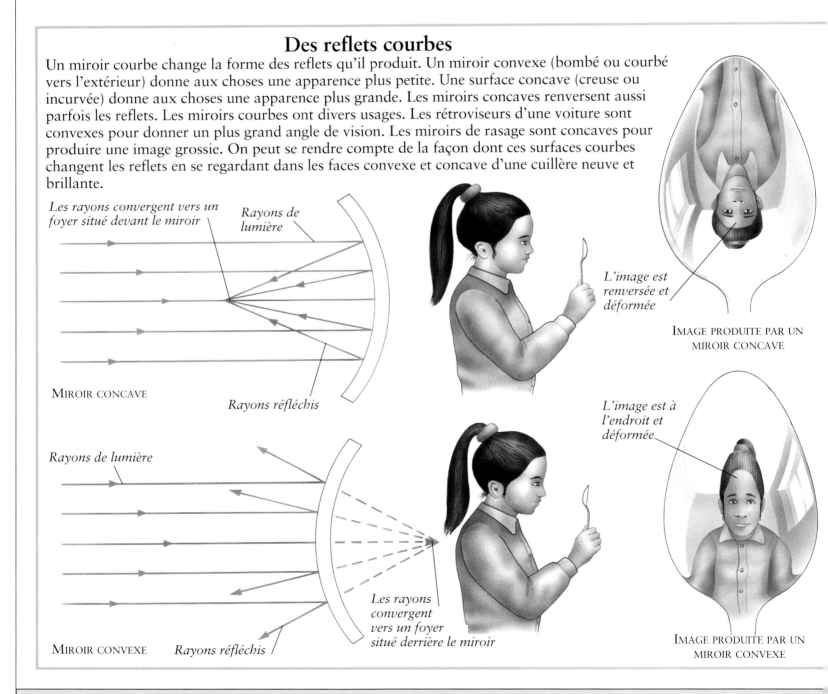

Les rayons convergent vers un foyer situé devant le miroir

Rayons de lumière

MIROIR CONCAVE

Rayons réfléchis

Rayons de lumière

MIROIR CONVEXE   Rayons réfléchis

Les rayons convergent vers un foyer situé derrière le miroir

L'image est renversée et déformée

IMAGE PRODUITE PAR UN MIROIR CONCAVE

L'image est à l'endroit et déformée

IMAGE PRODUITE PAR UN MIROIR CONVEXE

VOIR AUSSI : LA LUMIÈRE PAGE 124, LA LUMIÈRE RÉFRACTÉE PAGE 128

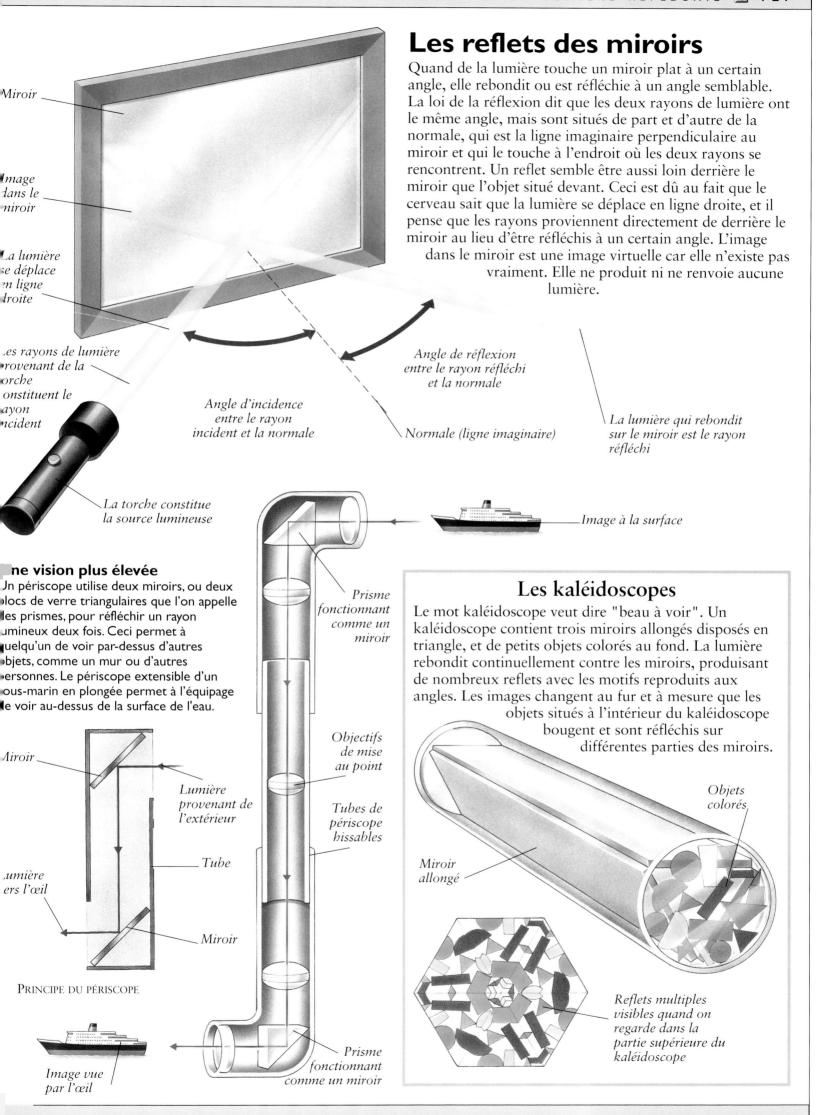

Les reflets des miroirs

Quand de la lumière touche un miroir plat à un certain angle, elle rebondit ou est réfléchie à un angle semblable. La loi de la réflexion dit que les deux rayons de lumière ont le même angle, mais sont situés de part et d'autre de la normale, qui est la ligne imaginaire perpendiculaire au miroir et qui le touche à l'endroit où les deux rayons se rencontrent. Un reflet semble être aussi loin derrière le miroir que l'objet situé devant. Ceci est dû au fait que le cerveau sait que la lumière se déplace en ligne droite, et il pense que les rayons proviennent directement de derrière le miroir au lieu d'être réfléchis à un certain angle. L'image dans le miroir est une image virtuelle car elle n'existe pas vraiment. Elle ne produit ni ne renvoie aucune lumière.

Miroir

Image dans le miroir

La lumière se déplace en ligne droite

Les rayons de lumière provenant de la torche constituent le rayon incident

La torche constitue la source lumineuse

Angle d'incidence entre le rayon incident et la normale

Angle de réflexion entre le rayon réfléchi et la normale

Normale (ligne imaginaire)

La lumière qui rebondit sur le miroir est le rayon réfléchi

Une vision plus élevée

Un périscope utilise deux miroirs, ou deux blocs de verre triangulaires que l'on appelle les prismes, pour réfléchir un rayon lumineux deux fois. Ceci permet à quelqu'un de voir par-dessus d'autres objets, comme un mur ou d'autres personnes. Le périscope extensible d'un sous-marin en plongée permet à l'équipage de voir au-dessus de la surface de l'eau.

Image à la surface

Prisme fonctionnant comme un miroir

Objectifs de mise au point

Tubes de périscope hissables

Miroir

Lumière provenant de l'extérieur

Tube

Lumière vers l'œil

Miroir

PRINCIPE DU PÉRISCOPE

Image vue par l'œil

Prisme fonctionnant comme un miroir

Les kaléidoscopes

Le mot kaléidoscope veut dire "beau à voir". Un kaléidoscope contient trois miroirs allongés disposés en triangle, et de petits objets colorés au fond. La lumière rebondit continuellement contre les miroirs, produisant de nombreux reflets avec les motifs reproduits aux angles. Les images changent au fur et à mesure que les objets situés à l'intérieur du kaléidoscope bougent et sont réfléchis sur différentes parties des miroirs.

Objets colorés

Miroir allongé

Reflets multiples visibles quand on regarde dans la partie supérieure du kaléidoscope

La lumière réfractée

QUAND DE LA LUMIÈRE PASSE d'une substance transparente, comme l'air, à une autre, comme le verre, elle semble dévier au point de rencontre des deux substances. Cette déviation s'appelle la réfraction. Elle se produit parce que la lumière voyage à des vitesses différentes dans chaque substance ou milieu. La lumière voyage le plus vite dans l'espace ou le vide : c'est la "vitesse de la lumière". Elle voyage un peu moins vite dans l'air. Dans l'eau, elle voyage beaucoup plus lentement, à seulement 3/4 de sa vitesse dans le vide. Dans le verre, elle est encore plus lente. Le principe de la réfraction est utilisé dans des centaines d'appareils, des lentilles de contact aux télescopes géants.

Lumière blanche (mélange de toutes les couleurs)

UN PRISME RÉFRACTE LA LUMIÈRE

La décomposition de la lumière blanche

Un bloc de verre ou de plastique triangulaire transparent avec des surfaces planes s'appelle un prisme. Quand un rayon de lumière pénètre dans un prisme, il ralentit parce que la lumière voyage plus lentement à travers le verre ou le plastique. Mais toutes les couleurs de la lumière blanche ne ralentissent pas de la même façon. Celles qui ont les ondes plus courtes ralentissent plus que celles qui ont des ondes plus longues. Ceci sépare les couleurs et produit un spectre. La lumière rouge, qui a les ondes les plus longues, ralentit le moins, et par conséquent, dévie ou se réfracte le moins.

Prisme de verre transparent

La lumière se réf en pénétrant dan prisme

La lumière violette ralentit le plus et se réfracte donc le plus

La lumière rouge ralentit le moins et se réfracte donc le moins

La lumière se réfracte à nouveau en sortant du prisme

"Prisme" de goutte de pluie

Lumière blanche venant du soleil

Les prismes de pluie
Au cours d'une averse, des millions de gouttes de pluie se transforment en minuscules prismes et décomposent la lumière du soleil pour produire son spectre de couleurs. Ceci donne naissance à un arc-en-ciel. On ne peut voir un arc-en-ciel que quand le soleil brille derrière soi et quand il pleut !

La lumière réfractée réalise un arc-en-ciel

Les lentilles

Tout morceau d'un matériau transparent dont les parois sont courbes et polies constitue une lentille. Une lentille convexe est plus épaisse vers le centre que sur les bords. Une lentille concave est plus mince au centre que vers les bords. Les lentilles convexes dévient les rayons lumineux vers l'intérieur, ce qui concentre toute la lumière en un point appelé foyer. Les lentilles convexes grossissent l'image d'un objet, comme avec une loupe, mais le champ de vision est plus restreint. Les lentilles concaves font l'inverse, c'est-à-dire qu'elles dévient la lumière vers l'extérieur et rendent les objets plus petits.

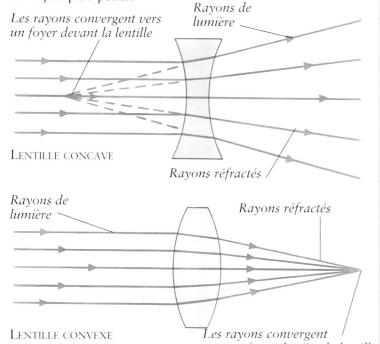

Les rayons convergent vers un foyer devant la lentille

Rayons de lumière

Rayons réfractés

LENTILLE CONCAVE

Rayons de lumière

Rayons réfractés

LENTILLE CONVEXE

Les rayons convergent vers un foyer derrière la lentille

Des réfractions bizarres

Les réfractions de la lumière dans l'eau peuvent parfois produire des effets étranges. Elles donnent par exemple l'impression qu'une paille plongée dans une boisson aqueuse est coupée en deux. Si la boisson se trouve dans un verre, les réfractions du verre renforcent cet effet. La réfraction donne aussi l'impression que le fond d'une piscine ou d'un étang est plus proche de la surface qu'il ne l'est réellement.

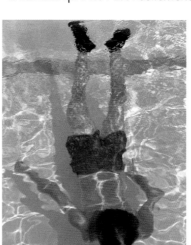

L'effet de ride

La surface lisse de l'eau agit comme un miroir et réfléchit la lumière qui vient du dessus. Elle réfracte aussi la lumière du dessous, provenant des objets situés dans l'eau et la renvoie à la surface. Les rides à la surface de l'eau ont deux effets : elles déforment les réflexions de la surface et les réfractions.

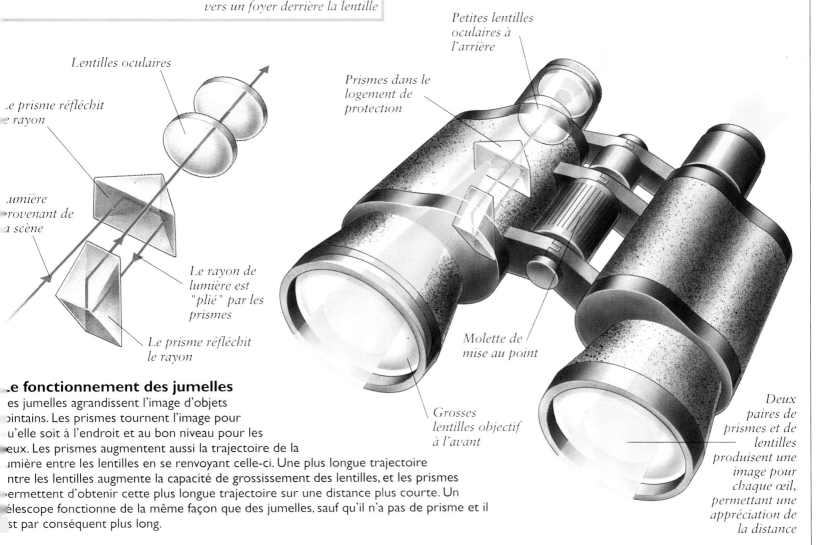

Petites lentilles oculaires à l'arrière

Prismes dans le logement de protection

Lentilles oculaires

Le prisme réfléchit le rayon

Lumière provenant de la scène

Le rayon de lumière est "plié" par les prismes

Le prisme réfléchit le rayon

Molette de mise au point

Grosses lentilles objectif à l'avant

Deux paires de prismes et de lentilles produisent une image pour chaque œil, permettant une appréciation de la distance

Le fonctionnement des jumelles

Les jumelles agrandissent l'image d'objets lointains. Les prismes tournent l'image pour qu'elle soit à l'endroit et au bon niveau pour les yeux. Les prismes augmentent aussi la trajectoire de la lumière entre les lentilles en se renvoyant celle-ci. Une plus longue trajectoire entre les lentilles augmente la capacité de grossissement des lentilles, et les prismes permettent d'obtenir cette plus longue trajectoire sur une distance plus courte. Un télescope fonctionne de la même façon que des jumelles, sauf qu'il n'a pas de prisme et il est par conséquent plus long.

La détection de la lumière

NOUS ARRIVONS À VOIR GRÂCE À DEUX SOURCES PRINCIPALES de lumière. L'une est la lumière du jour qui provient du Soleil. Cette étoile se trouve à 150 millions de kilomètres de la Terre, mais sa lumière ne met que huit minutes à nous atteindre à cause de sa vitesse. L'autre principale source de lumière est la lampe électrique. Il en existe différents types, comme les lampes à incandescence et les tubes fluorescents. Parmi les autres sources de lumière, on peut citer le feu, la bougie, la lampe à gaz et la lampe à pétrole. Nous arrivons à voir quand la lumière provenant d'une source quelconque rebondit ou se réfléchit sur d'autres objets et pénètre dans nos yeux. L'œil est un organe extrêmement sophistiqué et délicat qui est sensible aux rayons lumineux et nous donne une image très détaillée et pleine de couleurs du monde qui nous entoure.

Le fonctionnement de l'œil

L'œil humain a la taille d'une balle de golf à peu près. Il contient un cristallin interne de la taille d'un petit pois. La lumière pénètre dans l'œil par un orifice appelé la pupille. De l'extérieur, elle a l'air d'un point noir au milieu de l'œil. Les rayons lumineux passent par le cristallin, qui les concentre sur une mince couche située au fond de l'œil : la rétine. Celle-ci contient des éléments chimiques photosensibles qui transforment l'énergie lumineuse en énergie électrique sous forme de minuscules signaux nerveux. Ceux-ci sont acheminés vers le cerveau par le nerf optique. À peu près deux tiers de toutes les informations contenues dans le cerveau, liées à ce que nous savons et apprenons, sont assimilés par nos yeux sous forme de mots et d'images.

Une bonne protection
La plus grosse partie de l'œil, c'est-à-dire les trois quarts situés à l'arrière, est bien protégée au sein d'une cavité profonde de l'os du crâne : la cavité oculaire ou orbite. La partie avant, le dernier quart, est protégée et nettoyée par les paupières.

Une image à l'enver
À cause de la façon dont il fonctionne, le cristallin produit une image inversée sur la rétine. Mais dès la naissance et notre premier regard sur notre environnement, le cerveau ne connaît pas d'autre façon. Nous apprenons donc à voir sans problème

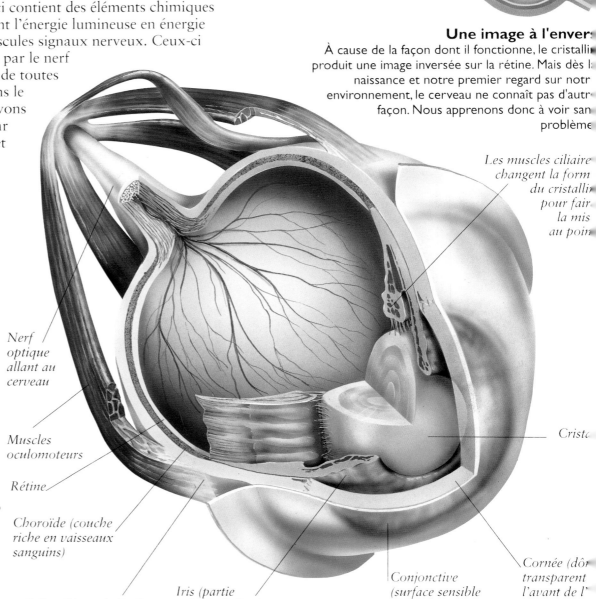

Les muscles ciliaire changent la form du cristalli pour fair la mis au poin

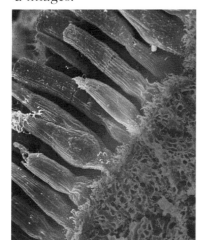

Des photorécepteurs
Deux types de cellules microscopiques dans la rétine transforment la lumière en signaux électriques. Sept millions de cônes (en bleu verdâtre sur la microphoto ci-dessus) ne fonctionnent qu'à la lumière vive, mais voient les détails minutieux et les couleurs. À peu près 120 millions de bâtonnets (plus longs et plus bleus) ne perçoivent que les gris, mais fonctionnent bien à la lumière faible.

Nerf optique allant au cerveau

Muscles oculomoteurs

Rétine

Choroïde (couche riche en vaisseaux sanguins)

Sclère (blanc de l'œil)

Iris (partie colorée de l'œil)

Conjonctive (surface sensible de l'œil)

Crista

Cornée (dô transparent l'avant de l'

VOIR AUSSI : LA LUMIÈRE RÉFRACTÉE PAGE 128, L'EMPLOI DE LA LUMIÈRE PAGE 132

GRANDES DÉCOUVERTES

Antoine Henri Becquerel (1852 – 1908) découvrit la radioactivité quand il plaça une substance contenant de l'uranium près d'une plaque de verre recouverte de produits chimiques photosensibles photographiques. La plaque devint nuageuse et sombre, bien qu'elle ait été enveloppée et qu'il n'y ait eu aucune lumière ambiante. L'aspect nuageux était dû à la radioactivité émise par l'uranium. Becquerel étudia aussi la fluorescence. Il construisit l'une des premières lampes fluorescentes, même si les lampes en forme de tubes ne firent leur apparition que dans les années trente.

La couche de phosphore transforme la lumière UV en lumière blanche

L'électricité donne de l'énergie à un atome de mercure

De l'électricité à haute tension traverse le gaz

Broches pour le raccordement à la source d'électricité

La lumière UV touche la couche de phosphore

Un atome de mercure libère de l'énergie sous forme de lumière UV

Vapeur de mercure dans le tube

Tube de verre

La fluorescence

Dans certaines conditions, les atomes absorbent une forme d'énergie invisible et la renvoient sous forme de lumière visible. On appelle cela la fluorescence. Une lampe fluorescente est un tube de verre rempli de vapeur de mercure. Quand l'électricité traverse le gaz, les atomes de mercure absorbent l'énergie électrique et la renvoient sous forme de rayons ultraviolets invisibles. Ceux-ci touchent une couche de phosphore à l'intérieur du tube et les atomes de phosphore les convertissent en lumière blanche.

La lumière produite par la combustion

Certains produits chimiques produisent une lumière très vive en brûlant. Beaucoup d'entre eux sont utilisés dans les feux d'artifice. Le métal de magnésium servait dans les flashes des anciens appareils photographiques. Il s'enflamme en produisant un grand éclair de lumière blanche.

L'intérieur d'un appareil photo

L'appareil reflex à un objectif utilise les mêmes objectifs pour vérifier la prise de vue et pour prendre la photographie. La lumière pénètre dans l'appareil par l'objectif, est réfléchie sur un miroir, puis à l'intérieur d'un prisme avant d'atteindre l'œil. Quand on appuie sur le déclencheur, le miroir se plie rapidement vers le haut pour permettre à la lumière de toucher la pellicule photosensible.

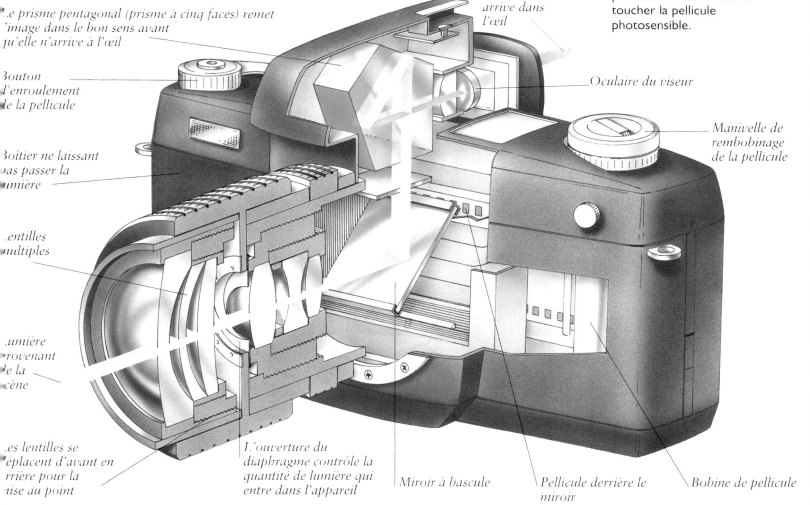

Le prisme pentagonal (prisme à cinq faces) remet l'image dans le bon sens avant qu'elle n'arrive à l'œil

Bouton d'enroulement de la pellicule

Boîtier ne laissant pas passer la lumière

Lentilles multiples

Lumière provenant de la scène

Les lentilles se déplacent d'avant en arrière pour la mise au point

La lumière arrive dans l'œil

Oculaire du viseur

Manivelle de rembobinage de la pellicule

L'ouverture du diaphragme contrôle la quantité de lumière qui entre dans l'appareil

Miroir à bascule

Pellicule derrière le miroir

Bobine de pellicule

L'emploi de la lumière

NOUS UTILISONS LA LUMIÈRE de maintes façons différentes chaque jour (et chaque nuit), avec les lampes électriques, les microscopes, les télescopes, les télévisions, les appareils photographiques et les panneaux solaires. Les lumières artificielles sont particulièrement importantes la nuit dans les maisons, sur les véhicules, pour la publicité, et pour aider les services de secours. Les instruments optiques utilisent des lentilles et des miroirs pour changer la taille des images et les rendre plus nettes. Des éclairs de lumière peuvent aussi être utilisés de plusieurs façons pour envoyer des messages : des séquences marche-arrêt d'une torche aux millions d'éclairs par seconde de la lumière laser, voyageant dans les fibres optiques pour acheminer des informations pour les émissions de télévision, les appels téléphoniques et les communications entre ordinateurs.

Le microscope

Un microscope optique utilise deux jeux de lentilles pour grossir des centaines de fois l'image de minuscules objets. Un microscope composé grossit une image en deux étapes. De la lumière est réfléchie vers le haut par un miroir et passe à travers l'objet (qui doit être très mince et partiellement transparent) pour arriver sur la lentille très puissante de l'objectif. Ceci produit le premier grossissement. La lentille oculaire agrandit ensuite cette image un peu plus, comme une loupe.

Lentilles oculaires

Tube

Vis de mise au point

Vis micrométrique

Lentilles de l'objectif

Réglage de l'inclinaison

Pied lourd

Tourelle rotative

Objectifs supplémentaires pour différents grossissements

Objet sur une plaquette de verre (lame porte-objet)

Le miroir réfléchit la lumière vers le haut et à travers l'objet

Des grains de pollen de la taille de grains de poussière, vus au microscope optique

La vue dans un microscope

Un microscope optique peut grossir des objets jusqu'à 1 000 voire 2 000 fois. Au-delà, l'image devient trop imprécise et trouble pour pouvoir être utilisée. Un microscope électronique, qui utilise des faisceaux d'électrons au lieu de rayons lumineux, peut donner des grossissements bien plus importants.

VOIR AUSSI : L'OPTIQUE DE FIBRES PAGE 102, L'EMPLOI DU SEM PAGE 138

Les télescopes

Les télescopes nous donnent des gros plans d'objets éloignés, comme les satellites ou les stations spatiales en orbite autour de la Terre, les étoiles et les galaxies situées à des années-lumière de notre planète.

Étant donné que les très grosses lentilles de verre ont tendance à contenir de minuscules imperfections, la plupart des télescopes astronomiques modernes utilisent des miroirs. On les appelle des télescopes à miroir. Les miroirs les plus grands font plus de 4,6 m de diamètre.

Dans une lunette astronomique, deux lentilles ou jeux de lentilles réfractent ou dévient les rayons lumineux. Une grosse lentille à l'avant récupère et concentre la lumière faible. Une lentille oculaire plus petite agrandit l'image pour qu'elle puisse être vue plus clairement.

Les télescopes à miroir utilisent des miroirs pour réfléchir la lumière. Un grand miroir concave reçoit et concentre les rayons lumineux. Un second miroir réfléchit la lumière sur une petite lentille oculaire située sur le côté du télescope et qui agrandit l'image.

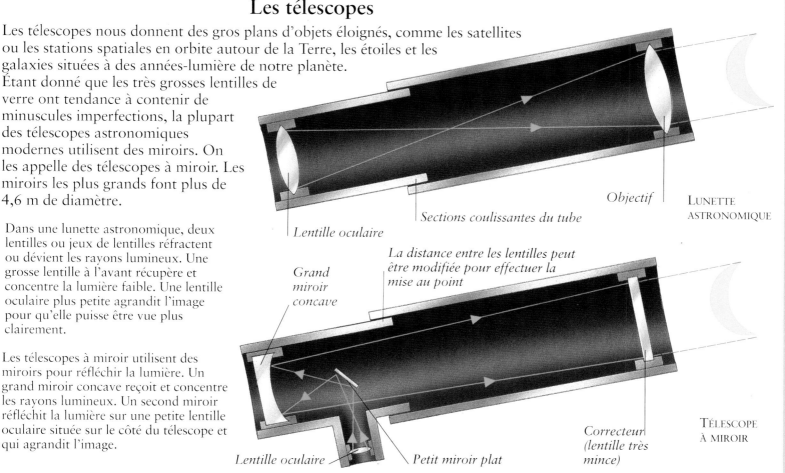

Lentille oculaire

Sections coulissantes du tube

Objectif

LUNETTE ASTRONOMIQUE

Grand miroir concave

La distance entre les lentilles peut être modifiée pour effectuer la mise au point

Lentille oculaire

Petit miroir plat

Correcteur (lentille très mince)

TÉLESCOPE À MIROIR

Les lumières nocturnes

Sans lumière, le paysage nocturne serait très différent. Les gens seraient incapables de se déplacer pour aller dîner, accomplir leur travail, rendre visite à des amis et à la famille, ou s'adonner à leurs loisirs. Les panneaux publicitaires n'illumineraient plus le décor. Encore plus grave, les services de secours auraient des difficultés à se rendre sur les lieux d'un accident ou d'un désastre, et les hôpitaux ne pourraient pas s'occuper des blessés.

Voir jusque dans l'espace

Les types de télescopes qui arrivent à détecter les rayons lumineux s'appellent des télescopes optiques (ci-dessous à droite). Ils sont généralement construits sur des montagnes, bien au-dessus de l'air poussiéreux et voilé près du sol. On les situe aussi loin des lumières brillantes des villes qui éclipseraient et bloqueraient la lumière faible des étoiles. D'autres types de télescopes détectent non pas les ondes lumineuses, mais les ondes radio naturelles provenant de l'espace. Ils possèdent de grandes antennes paraboliques (ci-dessous à gauche) et on les appelle des radiotélescopes.

La lumière laser

LA LUMIÈRE ORDINAIRE, qui est produite par le soleil ou par une lampe électrique, est un mélange de plusieurs longueurs d'ondes différentes, ou de couleurs. D'autre part, les ondes sont embrouillées et ondulent de façon non harmonieuse. La lumière laser est différente. Ses ondes sont de la même longueur, ou couleur, et elles sont harmonieuses, c'est-à-dire qu'elles ondulent en même temps. Il en résulte un rayon très intense d'une seule couleur qui ne se diffuse pas et ne s'affaiblit pas comme la lumière ordinaire. La lumière laser est même plus brillante que la lumière du soleil. Elle contient tant d'énergie qu'elle peut transpercer le métal. On utilise les lasers de maintes façons : dans l'industrie, la médecine et la chirurgie, pour faire des hologrammes, lire les code-barres et les disques compacts, et envoyer des messages le long de câbles optiques.

Les lasers industriels
Si on braque des lasers à grande longueur d'onde sur une surface, ils produisent une chaleur intense. Cette chaleur peut facilement découper des tissus pour les habits, et même des métaux solides tels que l'acier. Elle peut aussi faire fondre ou souder des pièces métalliques.

Un tube fournit ou "pompe" de l'énergie sous forme d'éclairs lumineux dans le milieu actif

Miroir opaque

Milieu actif (dans ce laser, il s'agit d'un cristal de rubis)

Le fonctionnement d'un laser

"Laser" est l'acronyme de l'anglais *Light Amplification by Stimulated Emission of Radiation*. La lumière laser est produite en faisant passer de l'énergie, comme de la lumière ordinaire ou de l'électricité, dans une substance appelée milieu actif. Au fur et à mesure que le milieu actif absorbe l'énergie, ses atomes commencent à libérer de la lumière d'une longueur d'onde particulière. Quand la lumière d'un atome frappe ses voisins, ceux-ci libèrent à leur tour des jets identiques de lumière. L'énergie lumineuse s'accumule en se réfléchissant sur les miroirs spéciaux situés aux extrémités du tube laser. Lorsque la lumière devient assez intense, une partie s'échappe à travers l'un des miroirs et forme le rayon laser.

La lumière fait des allers-retours

Miroir semi-transparent

Rayon laser

L'ingénieur et physicien Théodore Maiman (1927 -) construisit le premier laser opérationnel en 1960. Celui-ci produisait un rayon laser en alimentant ou en "pompant" un cristal de rubis avec une lumière produite par un tube à éclair comme le flash d'un appareil photographique. L'appareil tout entier n'était pas plus long qu'une allumette mais il fonctionnait très bien. Maiman s'était basé sur des recherches antérieures effectuées par Nikolay Basov et Charles H Townes sur les lasers et les masers, qui utilisaient les micro-ondes à la place de la lumière.

Grands et petits
Les lasers industriels à haute puissance pourraient remplir plusieurs pièces tout entières. D[es] lasers à plus faible puissance son[t] utilisés en médecine pour pénét[rer] certaines parties du corps, particulièrement dans les opéra[tions] chirurgicales délicates. La chale[ur] faisceau scelle les vaisseaux sang[uins,] ce qui réduit l'hémorragie prod[uite] par la coupure. Les lasers à sem[i-] conducteur, utilisés pour la lect[ure] des CD-ROM et des CD audio [sont] de la taille de gros grains de riz.

VOIR AUSSI : LA LUMIÈRE PAGE 124, L'OPTIQUE DE FIBRES PAGE 102

Les lasers dans les loisirs

Les spectacles de lumière les plus impressionnants sont obtenus avec des faisceaux de laser. La couleur de la lumière dépend des éléments chimiques du milieu actif. Ce milieu peut être un solide, comme un cristal, un liquide, ou un gaz, comme de l'argon ou du dioxyde de carbone. La lumière laser peut parcourir d'énormes distances sans se diffuser ou s'affaiblir ; elle peut même faire l'aller-retour jusqu'à la Lune. Comme la lumière ordinaire, la lumière laser voyage en lignes parfaitement droites. Les rayons laser sont donc utilisés comme des "règles" pour l'arpentage et pour aligner de grands bâtiments comme les gratte-ciel, les tunnels et les ponts.

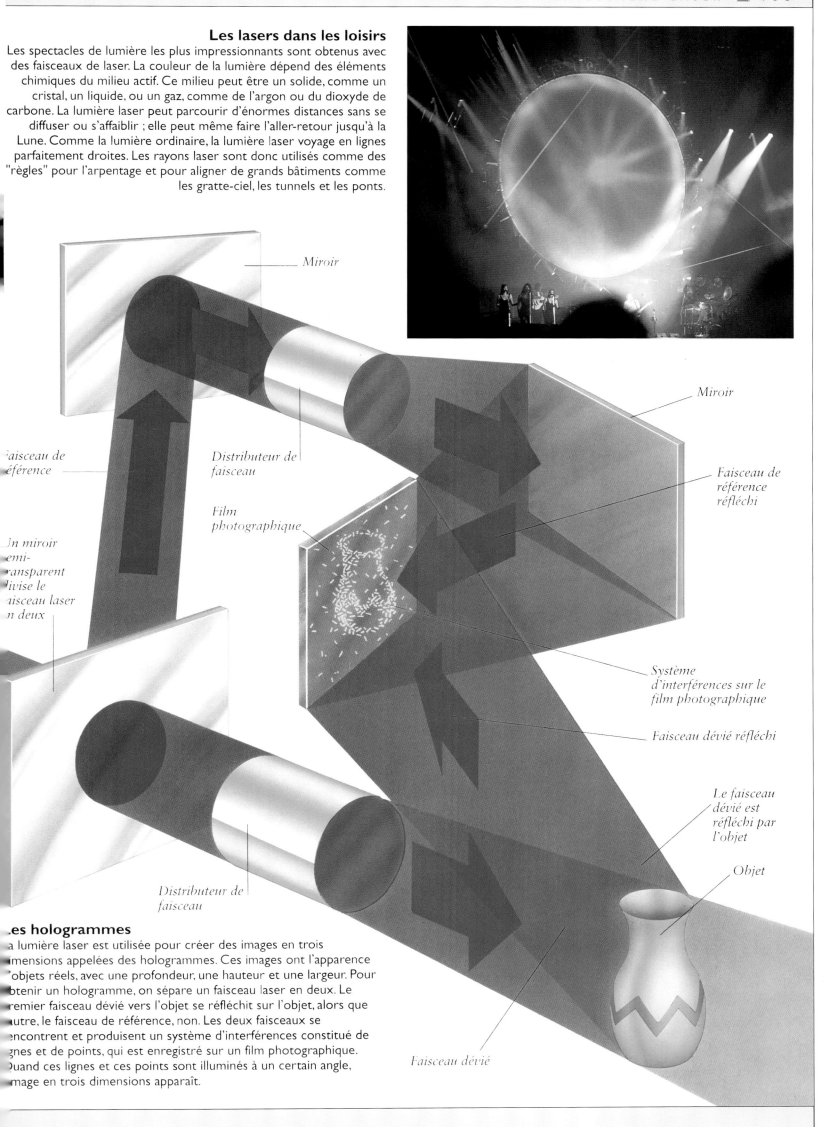

Miroir

Miroir

Faisceau de référence

Distributeur de faisceau

Faisceau de référence réfléchi

Un miroir semi-transparent divise le faisceau laser en deux

Film photographique

Système d'interférences sur le film photographique

Faisceau dévié réfléchi

Le faisceau dévié est réfléchi par l'objet

Objet

Distributeur de faisceau

Faisceau dévié

Les hologrammes

La lumière laser est utilisée pour créer des images en trois dimensions appelées des hologrammes. Ces images ont l'apparence d'objets réels, avec une profondeur, une hauteur et une largeur. Pour obtenir un hologramme, on sépare un faisceau laser en deux. Le premier faisceau dévié vers l'objet se réfléchit sur l'objet, alors que l'autre, le faisceau de référence, non. Les deux faisceaux se rencontrent et produisent un système d'interférences constitué de lignes et de points, qui est enregistré sur un film photographique. Quand ces lignes et ces points sont illuminés à un certain angle, l'image en trois dimensions apparaît.

Au-delà de la lumière

LA LUMIÈRE EXISTE SOUS FORME de combinaison de rayons électriques et magnétiques, que l'on appelle les ondes électromagnétiques ou ondes EM. Mais ce n'est là qu'une seule forme d'ondes EM. Il existe toute une gamme d'ondes EM qui constituent le spectre électromagnétique ou SEM. Ces ondes constituent toutes des ondulations d'énergie électromagnétique. Elles voyagent toutes à la même vitesse. Elles arrivent toutes à se déplacer dans l'espace. Elles diffèrent surtout dans leurs longueurs d'onde, et donc dans leurs fréquences (nombre d'ondes par seconde). Il est possible de voir la partie lumineuse du spectre EM, mais les autres ondes sont invisibles à l'œil humain. Nous pouvons cependant les détecter de différentes façons. Par exemple, nous pouvons ressentir la chaleur des ondes infrarouges.

Comment voir les ondes EM

Nos yeux n'arrivent à voir que la partie lumineuse du spectre EM. Nous utilisons donc des appareils électroniques pour détecter les autres ondes et les convertir en lumière. Cet écran d'une tour de contrôle aérien montre les "crochets" du radar sous forme de points lumineux. Les crochets représentent les réflexions, ou les échos, des ondes radio qui sont renvoyées par les avions à proximité.

À quelle hauteur exactement ?

Le matériel EM moderne est extrêmement sophistiqué et précis. Un radar de satellite fonctionnant sur ondes centimétriques peut envoyer un faisceau d'ondes vers le sol, puis récupérer et chronométrer leur réflexion pour déterminer l'altitude du satellite avec une précision de 10 cm près.

Le spectre électromagnétique

Le schéma ci-dessous montre la gamme d'ondes électromagnétiques étalées sur toute la longueur du spectre. Les ondes radio ont la plus grande longueur d'onde et la fréquence la plus basse. Les rayons gamma ont les ondes les plus courtes. La plupart de ces ondes existent à l'état naturel, sur Terre ou en provenance du Soleil ou de l'espace. Nous avons aussi réussi à trouver des moyens de produire et d'utiliser la plupart de ces ondes d'une façon ou d'une autre, comme l'expliquent les pages suivantes.

ÉMISSION DE RADIO

ÉMISSION DE TÉLÉVISION

ANTENNE PARABOLIQUE DE RADAR

FOUR À MICRO-ONDES

Les ondes radio longues

Les ondes radio les plus longues font plusieurs kilomètres de long d'une pointe à la suivante. Elles transportent surtout des émissions de radio.

Les ondes radio plus courtes

Celles-ci sont surtout utilisées pour la radio FM et les émissions de télévision (VHF et UHF : très haute fréquence et ultra haute fréquence). Leurs ondes ont la longueur d'un bras.

Les ondes radio les plus courtes

Certains systèmes de télévision et de radar (voir ci-dessus) utilisent des ondes radio plus courtes ; chaque onde ne mesure que quelques dizaines de centimètres de long.

Les ondes ultracourtes

Les ondes ultracourtes sont utilisées dans les fours à micro-ondes pour produire de la chaleur, et aussi dans les radars et les satellites. Elles ne mesurent que quelques centimètres.

VOIR AUSSI : À PROPOS DES ONDES PAGE 110, LA LUMIÈRE PAGE 124, LA LUMIÈRE RÉFLÉCHIE PAGE 126

Les images par rayonnement thermique

Les prises de vue en infrarouge montrent la chaleur dégagée par les objets. Leurs couleurs ne sont pas réelles. Elles représentent les types et les proportions des ondes infrarouges dégagées ou réfléchies par chaque objet. Ces valeurs sont ensuite transformées en couleurs que nous pouvons reconnaître. Les images infrarouges prises d'un avion ou d'un satellite, comme celle qui se trouve à gauche, peuvent être utilisées de nombreuses façons. L'eau propre et claire apparaît en noir, alors que l'eau polluée est plus bleue. Dans les forêts, les arbres plus jeunes peuvent être différenciés des plus âgés. Dans les champs, les cultures saines apparaissent normalement en rouge vif. Une couleur plus terne indique un état de sécheresse, de maladie, ou d'attaque d'insectes nuisibles.

Des ondes surprenantes

▶ Les ondes radio les plus courtes sont réfléchies par les milliards de gouttelettes d'eau dans les nuages. C'est comme cela que le radar d'un satellite météorologique produit les images de formations nuageuses au-dessus d'une région au sol.

▶ Les rayons X naturels provenant de l'espace ne peuvent pas pénétrer très loin dans l'atmosphère terrestre. Les télescopes à rayons X doivent donc être transportés au-dessus de la couche atmosphérique, dans une fusée ou par satellite, ou même avec un ballon-sonde.

▶ Les rayons gamma sont très dangereux pour les organismes vivants. On les utilise pour tuer les germes et pour stériliser les instruments et appareils médicaux.

GRANDES DÉCOUVERTES

Vers 1894, Guglielmo Marconi (1874 – 1937) s'intéressa aux "ondes électriques" que le scientifique Heinrich Hertz avait étudiées. Marconi décida de fabriquer son propre appareil pour créer et détecter ces ondes, et pour envoyer des messages grâce à elles. En 1896, il envoya des signaux radio dans son jardin ; en 1899, ce fut à travers la Manche entre la France et l'Angleterre, et en 1901 à travers l'Atlantique entre l'Angleterre et Terre-Neuve. Les émissions de radio publiques commencèrent dans les années 20.

Les atomes rendus visibles par les rayons X

Les rayons X nous aident à déterminer les structures atomiques, grâce à la technique de la diffraction des rayons X. Des rayons sont envoyés sous forme de faisceau sur un objet qui les diffuse ou les diffracte (les dévie). Ils forment alors une structure de lignes et de courbes sur du film sensible aux rayons X ou un écran. Les détails de la structure révèlent la taille et la forme des atomes et molécules de la substance, ainsi que la façon dont ils sont organisés. Ceci aide à déterminer la structure des alliages de métaux, des médicaments, des plastiques, et même des germes de virus.

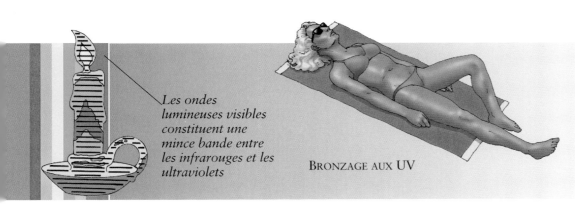

Les ondes lumineuses visibles constituent une mince bande entre les infrarouges et les ultraviolets

BRONZAGE AUX UV

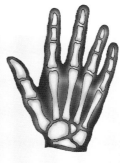

RADIOGRAPHIE DE L'INTÉRIEUR DU CORPS

Les infrarouges
Plus minces qu'un fil, ces rayons véhiculent de la chaleur. Ils sont produits par tout corps chaud, tel que le feu, le Soleil, ou notre propre corps.

Les ultraviolets
Encore plus courts que les ondes lumineuses, les rayons ultraviolets peuvent être dangereux. Ils provoquent un rougissement (coup de soleil) puis un assombrissement (bronzage) de la peau.

Les rayons X
Chacune des ondes fait moins d'un millionième de millimètre de long. Les rayons X traversent ou pénètrent les substances molles, comme la chair humaine.

Les rayons gamma
Ceux-ci constituent les ondes magnétiques les plus courtes et ils ont donc la fréquence la plus élevée, avec un million de millions de millions qui passent par seconde.

L'emploi du SEM

NOUS UTILISONS DIFFÉRENTS TYPES D'ONDES électromagnétiques selon les buts. Les radio-émetteurs produisent des ondes radio artificielles qui transportent des émissions de radio et de télévision sous forme codée, en variant la taille ou la fréquence des ondes. Les micro-ondes cuisent les aliments et véhiculent aussi les communications des satellites, échangeant des faisceaux d'informations avec des stations au sol. Les rayons X peuvent permettre de voir à l'intérieur du corps des êtres humains et des animaux. Ils permettent aussi de voir à l'intérieur des valises et des bagages aux contrôles de sécurité. Détecter et étudier les ondes EM naturelles qui nous entourent nous aide aussi à mieux comprendre le monde, l'espace et l'univers.

Le four à micro-ondes
Dans un four à micro-ondes, un mécanisme appelé magnétron produit des micro-ondes d'environ 12 cm de long, qui frappent un ventilateur. Celui-ci réfléchit les ondes de tous les côtés sur les aliments. Les ondes traversent les aliments, touchent les molécules d'eau, et les font vibrer. Ceci provoque de la chaleur.

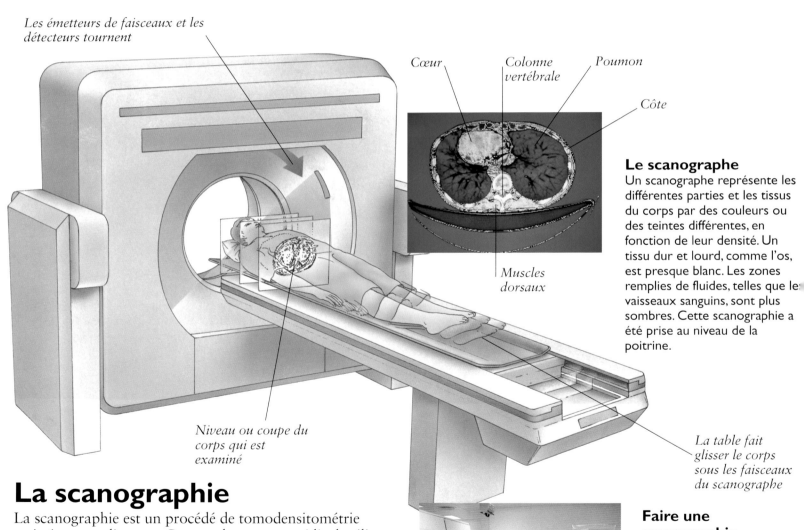

Les émetteurs de faisceaux et les détecteurs tournent

Cœur   *Colonne vertébrale*   *Poumon*

Côte

Le scanographe
Un scanographe représente les différentes parties et les tissus du corps par des couleurs ou des teintes différentes, en fonction de leur densité. Un tissu dur et lourd, comme l'os, est presque blanc. Les zones remplies de fluides, telles que les vaisseaux sanguins, sont plus sombres. Cette scanographie a été prise au niveau de la poitrine.

Muscles dorsaux

Niveau ou coupe du corps qui est examiné

La table fait glisser le corps sous les faisceaux du scanographe

La scanographie
La scanographie est un procédé de tomodensitométrie assistée par ordinateur. Ce type de scanner médical utilise des faisceaux de rayons X de très faible puissance qui tournent autour du corps d'une personne. Des détecteurs perçoivent la force exercée par les faisceaux pour traverser le corps, montrant quel pourcentage de l'énergie du faisceau a été absorbé par les différentes parties du corps, telles que les muscles et les os. Un ordinateur analyse les résultats et reproduit une série d'images montrant des "coupes" transversales du corps.

Faire une scanographie
La scanographie est indolore et sans danger. La personne reste allongée de façon immobile sur une table, pendant que les émetteurs de rayons X et les détecteurs tournent autour du corps. La table avance lentement pour que les faisceaux couvrent chaque niveau du corps.

VOIR AUSSI : AU-DELÀ DE LA LUMIÈRE PAGE 136, L'ATMOSPHÈRE PAGE 152

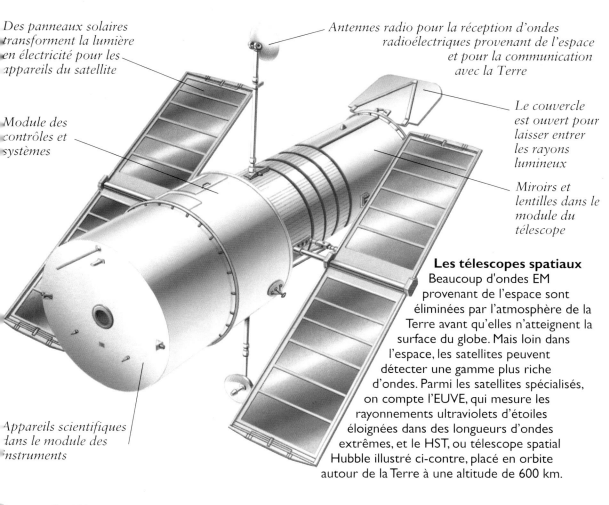

Des panneaux solaires transforment la lumière en électricité pour les appareils du satellite

Module des contrôles et systèmes

Antennes radio pour la réception d'ondes radioélectriques provenant de l'espace et pour la communication avec la Terre

Le couvercle est ouvert pour laisser entrer les rayons lumineux

Miroirs et lentilles dans le module du télescope

Appareils scientifiques dans le module des instruments

Les télescopes spatiaux

Beaucoup d'ondes EM provenant de l'espace sont éliminées par l'atmosphère de la Terre avant qu'elles n'atteignent la surface du globe. Mais loin dans l'espace, les satellites peuvent détecter une gamme plus riche d'ondes. Parmi les satellites spécialisés, on compte l'EUVE, qui mesure les rayonnements ultraviolets d'étoiles éloignées dans des longueurs d'ondes extrêmes, et le HST, ou télescope spatial Hubble illustré ci-contre, placé en orbite autour de la Terre à une altitude de 600 km.

Les radiotélescopes

Le Soleil et d'autres étoiles envoient des ondes radio dans l'espace. Pour les détecter sur Terre, les astronomes utilisent des radiotélescopes. Les immenses antennes paraboliques sont braquées vers le ciel pour récupérer et réunir les ondes. Les radiotélescopes doivent être de grande taille parce que les ondes radio peuvent mesurer plusieurs kilomètres de long. Le plus grand radiotélescope à antenne unique se trouve à Arecibo au Porto Rico. L'antenne a été construite dans un creux naturel de la jungle et mesure 305 m de diamètre. Au fur et à mesure que la Terre tourne, l'antenne est tournée pour être braquée sur une autre région du ciel. Une autre solution est d'utiliser plusieurs antennes plus petites et de les relier par ordinateur. Les antennes sont espacées pour recevoir des parties des mêmes ondes dans différents endroits.

GRANDES DÉCOUVERTES

Christiaan Huygens (1629 – 1695) découvrit les anneaux de Saturne et mit aussi au point la première horloge à pendule comptant le temps avec précision. En 1678, il émit l'hypothèse que la lumière voyageait sous forme d'ondes. Il expliqua que ces ondes étaient les vibrations de particules minuscules qui constituaient une substance mystérieuse : "l'éther". Beaucoup de gens à cette époque croyaient que l'éther était présent partout, même dans l'espace. Cette notion de l'éther fut finalement réfutée. Mais l'idée fondamentale de Huygens que la lumière était constituée d'ondes a aidé les scientifiques par la suite à découvrir sa vraie nature.

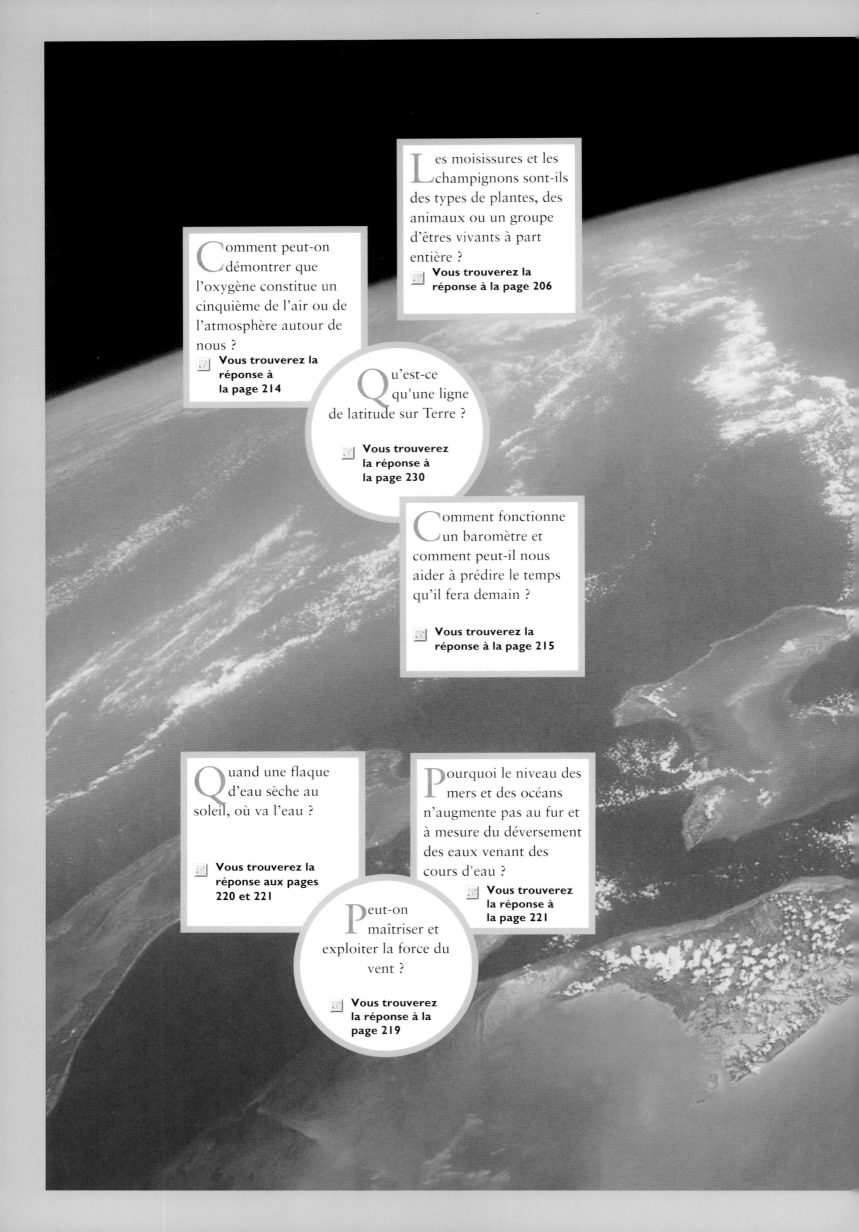

Les moisissures et les champignons sont-ils des types de plantes, des animaux ou un groupe d'êtres vivants à part entière ?
Vous trouverez la réponse à la page 206

Comment peut-on démontrer que l'oxygène constitue un cinquième de l'air ou de l'atmosphère autour de nous ?
Vous trouverez la réponse à la page 214

Qu'est-ce qu'une ligne de latitude sur Terre ?
Vous trouverez la réponse à la page 230

Comment fonctionne un baromètre et comment peut-il nous aider à prédire le temps qu'il fera demain ?
Vous trouverez la réponse à la page 215

Quand une flaque d'eau sèche au soleil, où va l'eau ?
Vous trouverez la réponse aux pages 220 et 221

Pourquoi le niveau des mers et des océans n'augmente pas au fur et à mesure du déversement des eaux venant des cours d'eau ?
Vous trouverez la réponse à la page 221

Peut-on maîtriser et exploiter la force du vent ?
Vous trouverez la réponse à la page 219

La Terre et la vie

NOTRE DEMEURE EST UNE GIGANTESQUE BOULE DE ROCHE de 12 800 km de diamètre, gravitant dans l'espace. Sa surface subit des changements perpétuels. Chaque jour, différentes conditions météorologiques se succèdent au-dessus des continents et des océans. Chaque année, des volcans entrent en éruption et des tremblements de terre fendent le paysage. Sur une période de plusieurs millions d'années, les roches se plissent pour donner naissance à des montagnes, et de vastes continents dérivent autour du globe.

La planète Terre

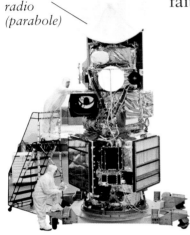

POUR UN ASTRONAUTE là-haut dans l'espace, la Terre ressemble à une petite boule, de couleur dominante bleue, avec des taches de nuages blancs et de la terre verte ou brune. Ici, sur terre, notre monde est énorme et intimidant. La Terre est une sphère légèrement aplatie mesurant à peu près 12 800 km de diamètre et 40 000 km de circonférence. Presque les trois quarts de sa superficie sont en fait recouverts d'eau.

Antenne radio (parabole)

Les cartes par satellite
Chaque région de la Terre a été photographiée et ses dimensions mesurées par des satellites d'étude tels que Landsat ou Spot. Ils parviennent à détecter des différences inférieures à 10 cm.

La cartographie de la Terre

Chaque colline, vallée, cours d'eau, falaise ou étang à la surface terrestre de la Terre a été cartographié. La même chose a été faite avec les montagnes et les fosses abyssales au fond des océans (voir plus loin), grâce à l'utilisation d'ondes sonores par sondage ou sonar. Des cartes comme celle-ci déforment les dimensions des masses terrestres, comme cela est expliqué ci-dessous, faisant paraître les zones proches des pôles plus grandes. La seule manière de représenter réellement une carte de la Terre est de lui donner la même forme que la Terre elle-même c'est-à-dire une forme de boule ou de globe.

Des cartes déformées

Une vraie carte de la Terre représente une surface courbe ou sphérique. Dès l'instant que cette dernière est aplatie pour être mise sur une feuille de papier, il y a des distorsions. On appelle projection cartographique la façon dont on effectue cet aplatissement et ce transfert. D'autres projections donnent aux continents des formes différentes (comparez les formes de l'Antarctique, en blanc, sur ces deux exemples). Les différents types de projection ont chacun leur propre utilisation, telle que montrer le circuit d'un voyage autour du monde ou les superficies terrestres et marines relatives dans une région donnée.

PROJECTION ÉQUIVALENTE DE LAMBERT

PROJECTION VII DE WAGNER

GROENLAND

ROCHEUSES

AMÉRIQUE DU NORD

Mississippi

Atlantique Nord

Amazone

AMÉRIQUE DU SUD

ANDES

Mer du Sud

Les cartes anciennes
Il y a 4 000 ans environ, les anciens Égyptiens mirent au point la science et l'art d'établir les cartes ou cartographie. Ils avaient besoin de cartes pour tracer la trajectoire et les crues du Nil et aussi pour planifier leurs voyages en Méditerranée. Au fur et à mesure de l'expansion des empires grec et romain, les cartes devinrent de plus en plus importantes. À l'époque médiévale, on ne connaissait pas encore toute la surface de la Terre. On représentait les cieux, des chutes d'eau imaginaires ou des bêtes telles que les dragons sur les rebords des cartes. La plupart des gens croyaient que la planète était plane.

VOIR AUSSI : À L'INTÉRIEUR DE LA TERRE PAGE 144, LA TERRE DANS L'ESPACE PAGE 174

Océan Arctique

Lena

Ienisseï

Ob

ASIE

Irtysh

OURAL

EUROPE

ALPES *Danube*

Huang He

Pacifique
Nord

ATLAS

HIMALAYA

Chang Jiang
(Yang Tse Kiang)

Nil

ARABIE

INDE

Mékong

ASIE DU
SUD-EST

AFRIQUE

Congo (Zaïre)

Océan
Indien

Pacifique
Sud

AUSTRALIE

tlantique
Sud

Mer du
Sud

Les cercles
Les lignes des Cercles
représentent les
points les plus
éloignés, au nord ou
au sud, au niveau
desquels le Soleil ne
se lève pas au-dessus
de l'horizon à une
certaine période de
l'année.

Les Tropiques
Les lignes des Tropiques
représentent les points les plus
éloignés, au nord ou au sud, au
niveau desquels le Soleil est encore
directement au-dessus des têtes à
une certaine période de l'année.

GRANDES DÉCOUVERTES

James Hutton (1726-1797) fut l'un des premiers à étudier la
géologie en tant que science à part entière. Il
voyait des changements dans le paysage se
dérouler très lentement autour de lui,
comme l'érosion des bords des fleuves et
l'éboulement des falaises. Hutton soutint
que les mêmes processus devaient avoir eu
lieu depuis la formation de la Terre. Il
avait fallu énormément de temps, des
millions d'années, pour donner à la
planète son aspect actuel. Ceci
allait à l'encontre des opinions
de ses collègues mais, petit à
petit, le point de vue de Hutton
fut accepté.

À l'intérieur de la Terre

LA TERRE A L'AIR IMMENSE ET SOLIDE. Mais à l'intérieur, elle est pour la plupart en fusion ou partiellement en fusion et elle est toujours en mouvement. La Terre entière fait à peu près 12 800 km de diamètre. Cependant, la couche externe dure, la croûte, mesure seulement entre 25 et 35 km, sous les masses de terre et les continents principaux, et entre 5 et 10 km sous les océans. Sous la croûte se trouve la couche la plus épaisse : le manteau, d'une profondeur de 2 900 km. À l'intérieur du manteau se situent les deux parties du noyau de la Terre. Le noyau externe, épais de 2 200 km, est composé de roches presque liquides qui sont riches en fer. Le noyau interne solide, de 2 500 km de diamètre, est aussi composé principalement de fer et de nickel. Si l'on pouvait descendre vers le centre de la Terre dans un trou de forage, la température deviendrait insupportable au niveau même de la croûte. Au niveau du noyau, elle atteint presque 5 000 °C.

Les couches

Le manteau constitue la plus grande partie du volume de la Terre. Il est relativement ferme dans sa partie supérieure, mais en profondeur, il devient à moitié fondu ou visqueux. Le manteau est constitué de roches minérales riches en silicium, en magnésium et en fer. La lithosphère est formée des 60 à 90 km de roches relativement rigides du manteau supérieur en plus de la croûte. Elle est froide et stable, et se divise en énormes plaques lithosphériques (voir page suivante). Dans la croûte, les températures augmentent de 2 à 3 °C tous les 90 m de descente, mais ce rapport diminue rapidement.

Noyau interne

Noyau externe

Manteau

Le manteau inférieur formé d'aesthénosphère plastique

Le manteau supérieur forme, avec la croûte, la lithosphère solide

Croûte océanique

Croûte continentale

Les socles des montagnes

Les montagnes sont de vastes blocs de roche qui se projettent plus haut que le niveau normal –et plus bas, aussi. De même qu'un morceau de bois plus épais flotte plus haut et plus profondément qu'un morceau mince, les montagnes à la surface de la croûte terrestre "flottent" plus haut et plus profondément sur la roche à moitié fondue qui se trouve au-dessous que la croûte océanique beaucoup plus fine.

VOIR AUSSI : LA PLANÈTE TERRE PAGE 142, LA TERRE DANS L'ESPACE PAGE 174

La croûte océanique est jeune, aucune partie n'est vieille de plus de 200 millions d'années

Une partie de la croûte continentale fait plus de 3 milliards d'années

La croûte et le manteau sont séparés par le "moho" (discontinuité de Mohorovičié)

Le forage en profondeur

La plupart des forages creusés pour les minéraux, comme le pétrole brut, font quelques centaines de mètres de profondeur. Le forage le plus profond creusé dans le fond marin au niveau de l'océan Pacifique oriental, atteint 2 111 m de profondeur. Sur la terre ferme, le plus profond forage est parvenu jusqu'aux environs de 12 260 m sous la péninsule de Kola, dans le nord de la Russie. La température des roches qui se trouvent au fond du forage dépasse 200 °C. Et pourtant, on est à peine au milieu de la croûte.

Une simple piqûre d'aiguille

Des projets comme celui du tunnel sous la Manche entre la France et l'Angleterre sont des exploits technologiques. Les tunnels jumelés font presque 48 km (30 miles) de long et vont pratiquement jusqu'à 100 m de profondeur sous la mer. Malgré tout, ceci ne représente qu'une minuscule piqûre d'aiguille dans la surface de la planète.

Une Terre agitée

SUR UNE CARTE DU MONDE, le littoral est de l'Amérique du Sud a une étrange ressemblance avec le contour de la côte ouest de l'Afrique. Si on regarde le contour des plates-formes de ces deux continents, à plusieurs centaines de mètres sous la surface de la mer, la ressemblance est encore plus frappante. Les deux parties s'emboîteraient comme les morceaux d'un puzzle géant. En effet, ce fut le cas, jadis. La théorie de la dérive des continents, autrefois balayée d'un revers de main, est à présent un fait scientifique bien établi. Les principales masses de terre ou continents, ont moins changé à travers les âges que la croûte terrestre sous les océans. La croûte océanique a formé, de façon continue, de nouveaux îlots à partir de roches en fusion qui sont remontées, alors que d'autres ont fondu et ont disparu à nouveau dans les profondeurs. Les continents ont été transportés, tels des radeaux géants, sur des formes changeantes de la croûte océanique.

Un élément de preuve

Les preuves de la dérive des continents nous viennent de plusieurs domaines, dont la paléontologie. Les restes d'un reptile, le lystrosaure, ont été découverts en Afrique du Sud, en Antarctique, en Inde et en Chine, ce qui suggère que ces masses étaient reliées il y a 230 millions d'années.

IL Y A 40 MILLIONS D'ANNÉES

Les plaques lithosphériques

La croûte rigide de la Terre et la solide couche supérieure du manteau forment la lithosphère, épaisse d'environ 100 km. Celle-ci n'est pas une structure continue, comme une coquille d'œuf intacte. Elle est divisée en douze gros morceaux courbes, appelés plaques lithosphériques, qui ressemblent un peu aux bouts d'un puzzle géant en forme de ballon. Les plaques dérivent autour du monde, changeant la forme de la croûte océanique et emportant les continents avec elles.

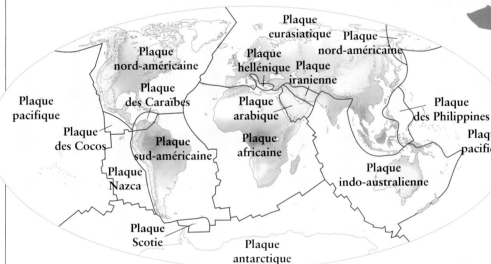

Plaque eurasiatique · Plaque nord-américaine · Plaque nord-américaine · Plaque hellénique · Plaque iranienne · Plaque des Caraïbes · Plaque pacifique · Plaque des Cocos · Plaque arabique · Plaque des Philippines · Plaque pacifique · Plaque sud-américaine · Plaque africaine · Plaque Nazca · Plaque indo-australienne · Plaque Scotie · Plaque antarctique

La tectonique des plaques

Selon la théorie de la tectonique des plaques, les plaques lithosphériques se déplacent et changent de forme sous l'impulsion de la chaleur, de la pression et du mouvement incroyables que l'on enregistre dans le manteau. Les roches en fusion remontent du manteau et se refroidissent, se rattachent à certains rebords des croûtes océaniques et élargissent leurs plaques. Ce sont les marges constructives des plaques. Pendant ce temps, alors que les plaques se déplacent en glissant, d'autres rebords de plaques sont poussés vers le bas et fondent dans le manteau. Ce sont les limites destructives des plaques.

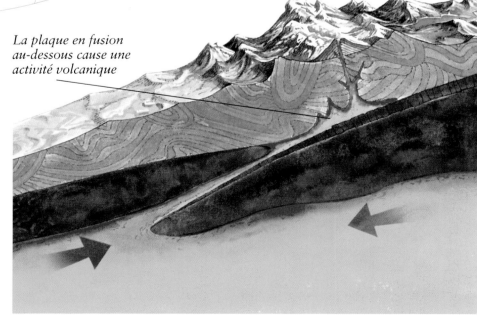

La plaque en fusion au-dessous cause une activité volcanique

VOIR AUSSI : LA PLANÈTE TERRE PAGE 142, LE CYCLE DES ROCHES PAGE 148

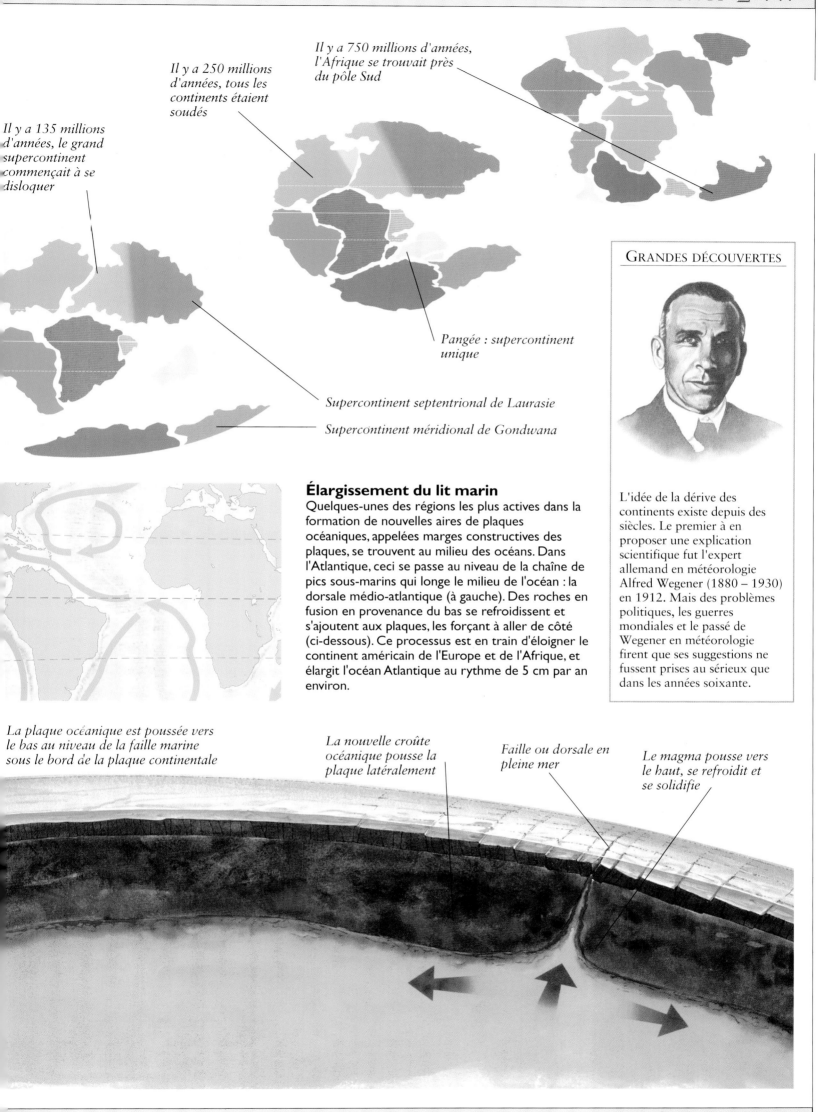

Il y a 135 millions d'années, le grand supercontinent commençait à se disloquer

Il y a 250 millions d'années, tous les continents étaient soudés

Il y a 750 millions d'années, l'Afrique se trouvait près du pôle Sud

Pangée : supercontinent unique

Supercontinent septentrional de Laurasie

Supercontinent méridional de Gondwana

GRANDES DÉCOUVERTES

L'idée de la dérive des continents existe depuis des siècles. Le premier à en proposer une explication scientifique fut l'expert allemand en météorologie Alfred Wegener (1880 – 1930) en 1912. Mais des problèmes politiques, les guerres mondiales et le passé de Wegener en météorologie firent que ses suggestions ne fussent prises au sérieux que dans les années soixante.

Élargissement du lit marin

Quelques-unes des régions les plus actives dans la formation de nouvelles aires de plaques océaniques, appelées marges constructives des plaques, se trouvent au milieu des océans. Dans l'Atlantique, ceci se passe au niveau de la chaîne de pics sous-marins qui longe le milieu de l'océan : la dorsale médio-atlantique (à gauche). Des roches en fusion en provenance du bas se refroidissent et s'ajoutent aux plaques, les forçant à aller de côté (ci-dessous). Ce processus est en train d'éloigner le continent américain de l'Europe et de l'Afrique, et élargit l'océan Atlantique au rythme de 5 cm par an environ.

La plaque océanique est poussée vers le bas au niveau de la faille marine sous le bord de la plaque continentale

La nouvelle croûte océanique pousse la plaque latéralement

Faille ou dorsale en pleine mer

Le magma pousse vers le haut, se refroidit et se solidifie

Le cycle des roches

LES ROCHES DE LA CROÛTE TERRESTRE sont constituées de diverses combinaisons de minéraux comme la silice, l'olivine, le pyroxène et des centaines d'autres. Les minéraux, à l'image de toute substance ou matière, sont formés d'atomes, pour la plupart réunis en molécules. Ces atomes, molécules et minéraux existent cependant en quantité limitée sur Terre. Les roches ont subi des dommages par les forces responsables de l'érosion et du vieillissement que sont le vent, la pluie, la chaleur, la glace et les vagues. Par la suite, elles reforment d'autres roches grâce à la chaleur, à la pression et aux changements chimiques. Cela signifie que les mêmes minéraux forment tour à tour un type de roche, puis un autre au cours des millions d'années de l'ère géologique. Ce processus est connu sous le nom de cycle des roches.

L'érosion
Les forces de la nature sont particulièrement rudes dans les régions désertiques. Le sable soulevé par le vent s'entasse pour former des dunes en forme de croissants. Si des roches plus dures recouvrent des roches plus molles, ces dernières sont décapées pour laisser des formations ressemblant à des champignons.

Les roches en action

Il existe trois principaux types de roches. Les roches ignées se forment lorsque les minéraux d'une roche sont si chauds qu'ils fondent, puis se refroidissent et se solidifient à nouveau. Les roches qui se forment lorsque la lave d'un volcan durcit sont ignées. Les roches sédimentaires se forment lorsque de minuscules particules s'érodent ou se détachent d'autres roches puis se déposent en couches, comme au fond des océans. Elles s'entassent et se cimentent petit à petit, soudées par une action chimique, pour donner à nouveau une roche dure. Les roches métamorphiques se forment quand d'autres genres de roche sont assujetties à une forte pression et à une température élevée, comme au niveau du socle d'une montagne. Elles se transforment, ou se métamorphosent, en de nouveaux types de roche sans pour autant fondre.

Des roches ignées se forment quand la lave se refroidit

Les fortes chaleurs et pressions donnent naissance à des roches métamorphiques

Des particules emportées par la mer se déposent sous forme de couches de sédiments

VOIR AUSSI : LA PLANÈTE TERRE PAGE 142, UNE TERRE AGITÉE PAGE 146

Quelle dureté ?

Les minéraux et les roches sont regroupés selon leur composition chimique, ainsi que leurs propriétés physiques telles que la couleur, la densité, la taille des grains, l'éclatement ou le clivage, le type de cristal et la dureté. L'échelle de Moh est basée sur la dureté de dix minéraux bien connus. Chacun d'eux gratte le minéral qui le précède sur l'échelle et est gratté par celui qui le suit.

1. STÉATITE
   (une poudre fine)
2. GYPSE
3. CALCITE
4. FLUORITE
5. APATITE
6. ORTHOSE
7. QUARTZ
8. TOURMALINE
9. CORINDON
10. DIAMANT
   (la plus dure des substances naturelles)

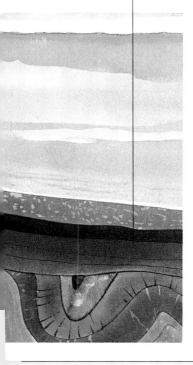

Les particules déposées se tassent et se collent pour former des roches sédimentaires

Les couches du temps

Les roches sédimentaires se forment en couches horizontales au fond des mers, des lacs, le long des fleuves et aussi dans les déserts sous forme de grès. Ces couches sont une représentation du passage du temps sur plusieurs millions d'années. Seules les roches sédimentaires contiennent des fossiles. Tout reste fossilisé d'animal ou de plante est détruit lorsqu'il fond pour donner une roche ignée, ou bien est altéré par la température et la pression dans la formation de roches métamorphiques. Au cours du temps, les roches sédimentaires peuvent être pliées ou déformées par les mouvements de la Terre ou bien s'éroder sous forme de particules qui deviendront des roches sédimentaires plus tard.

Les types de roches

Il existe des centaines de types de roche. Beaucoup d'entre elles ont un usage spécifique, en particulier dans le passé, quand les gens utilisaient plus les matériaux naturels que nous ne le faisons de nos jours. Le granite et le basalte sont des roches ignées. Le grès, le calcaire et les brèches sont des roches sédimentaires. En gros, les roches sédimentaires couvrent les deux tiers de la surface de la Terre car elles se forment sur le fond des océans, se superposant aux roches ignées du fond marin. Le marbre, le schiste et le gneiss sont métamorphiques.

FALAISE DE CALCAIRE
(ROCHE SÉDIMENTAIRE)

BLOCS DE GRANITE
(ROCHE IGNÉE)

STATUE DE MARBRE
(ROCHE MÉTAMORPHIQUE)

Les volcans et les séismes

RARES SONT LES ÉVÉNEMENTS NATURELS plus terrifiants que les éruptions volcaniques ou les séismes (tremblements de terre). Un volcan est un endroit où de la roche liquide brûlante (le magma), en provenance du centre de la Terre, fond à travers la croûte et fait éruption à la surface. Les tremblement de terre sont des ondes de choc déclenchées par un mouvement brusque au niveau d'une fissure dans l'écorce terrestre. Aussi bien les volcans que les tremblements de terre sont d'une terrifiante imprévisibilité. Cependant, ils n'ont pas lieu n'importe où. La plupart d'entre eux ont lieu dans des zones qui coïncident avec les failles comprises entre les imposantes plaques tectoniques qui constituent la surface de la Terre.

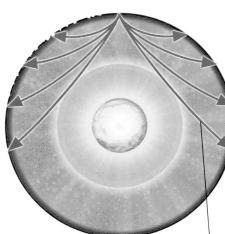

Des ondes P plongent dans les profondeurs de la Terre et sont réfléchies par le noyau

Des fissures s'ouvrent

Les plaques coulissent

Comment se produit un tremblement de terre

La plupart des tremblements de terre commencent parce que des plaques tectoniques s'accrochent ou adhèrent parfois lorsqu'elles glissent l'une à côté de l'autre. Pendant un instant, les roches sur les deux bords de la faille se plient et se détendent. Puis tout d'un coup, elles se rompent ou glissent, envoyant des ondes de choc, appelées ondes sismiques, qui vibrent à travers le sol.

Quelle est la puissance d'un tremblement de terre ?

Il y a plusieurs manières d'enregistrer l'amplitude ou la puissance d'un tremblement de terre. Le moyen le plus couramment utilisé est l'échelle de Richter qui est basée sur la hauteur des ondes enregistrées sur un sismographe : un appareil qui détecte les vibrations du sol. Cependant, un séisme qui mesure 6 sur l'échelle de Richter a différents effets selon le type de sol. Il cause plus de dégâts là où les bâtiments ont leurs fondations dans le sol ou une roche molle que dans les régions où ils sont construits sur une roche solide. L'échelle de Mercalli modifiée (ci-dessous) indique la violence d'un tremblement de terre à travers ses effets.

Des ondes S traversent le manteau et dévient vers la surface

Les ondes sismiques

La plupart des ondes sismiques se propagent dans le sol à une vitesse équivalant à 20 fois celle du son. Elles sont à leur intensité la plus forte près du foyer du séisme ou hypocentre : l'endroit souterrain où commence le tremblement. L'épicentre est le point situé à la surface de la terre au-dessus de l'hypocentre. La puissance des ondes de choc faiblit graduellement à mesure qu'elles s'éloignent du foyer.

ONDES SISMIQUES ENREGISTRÉES SUR UN SISMOGRAPHE

2 RESSENTIES PAR PLUSIEURS PERSONNES : EFFETS LÉGERS

6 RESSENTIES PAR TOUS : QUELQUES DÉGÂTS

8 DOMMAGES STRUCTURELS À GRANDE ÉCHELLE

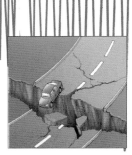

11 LARGES FAILLES, BÂTIMENTS RASÉS

VOIR AUSSI : LA PLANÈTE TERRE PAGE 142, UNE TERRE AGITÉE PAGE 146

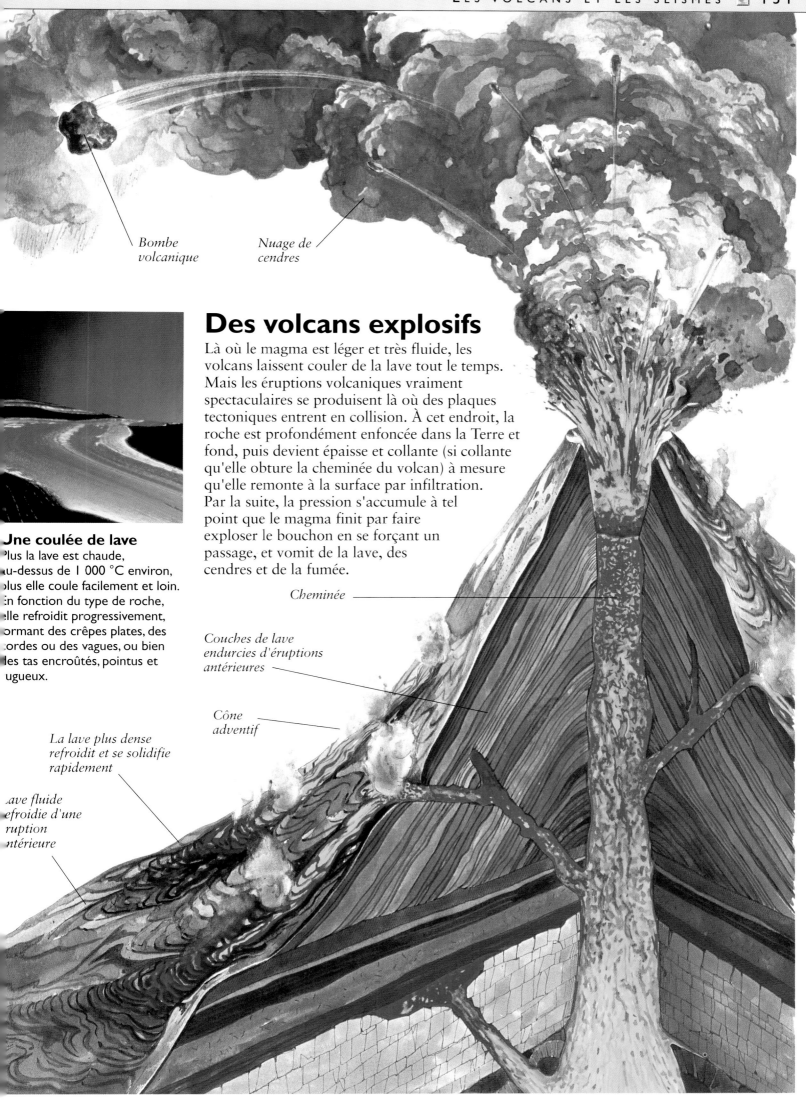

Bombe volcanique

Nuage de cendres

Des volcans explosifs

Là où le magma est léger et très fluide, les volcans laissent couler de la lave tout le temps. Mais les éruptions volcaniques vraiment spectaculaires se produisent là où des plaques tectoniques entrent en collision. À cet endroit, la roche est profondément enfoncée dans la Terre et fond, puis devient épaisse et collante (si collante qu'elle obture la cheminée du volcan) à mesure qu'elle remonte à la surface par infiltration. Par la suite, la pression s'accumule à tel point que le magma finit par faire exploser le bouchon en se forçant un passage, et vomit de la lave, des cendres et de la fumée.

Cheminée

Couches de lave endurcies d'éruptions antérieures

Cône adventif

Une coulée de lave
Plus la lave est chaude, au-dessus de 1 000 °C environ, plus elle coule facilement et loin. En fonction du type de roche, elle refroidit progressivement, formant des crêpes plates, des cordes ou des vagues, ou bien des tas encroûtés, pointus et rugueux.

La lave plus dense refroidit et se solidifie rapidement

Lave fluide refroidie d'une éruption antérieure

L'atmosphère

NOTRE PLANÈTE EST ENVELOPPÉE d'une fine couverture de gaz appelée atmosphère. Son épaisseur par rapport à la Terre est comparable à une peau d'orange par rapport au fruit : elle mesure à peu près 1 000 km d'épaisseur avant de laisser la place au néant obscur de l'espace. Sans l'atmosphère, notre planète serait sans vie comme la Lune. C'est elle qui nous donne de l'air pour respirer et de l'eau pour boire. Elle nous maintient au chaud grâce à l'effet de serre naturel. Elle nous protège également des rayons nuisibles du Soleil ainsi que des météorites.

AURORES
BORÉALE ET
AUSTRALE

Les couches de l'air

Les scientifiques divisent l'atmosphère en couches. Nous vivons dans la couche la plus basse appelée troposphère. Comparée au reste de l'atmosphère, la troposphère est une soupe dense et épaisse qui contient les trois quarts des gaz de l'atmosphère, même si elle ne dépasse pas 12 km de hauteur. La troposphère est réchauffée par le Soleil mais elle obtient la plus grande partie de cette chaleur de façon indirecte, après réflexion par le sol. L'air devient moins dense et plus froid à mesure que l'on monte.

LES MÉTÉORES
(ÉTOILES FILANTE
BRÛLENT DANS L
MÉSOSPHÈRE

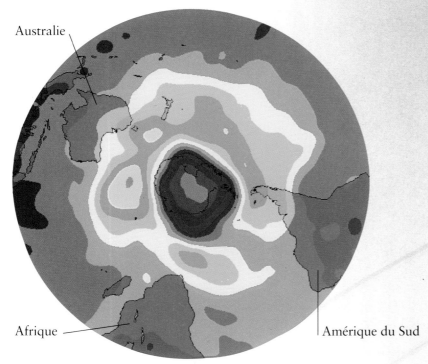

Australie

Afrique

Amérique du Sud

BALLON-
SONDE

LES SEULS NUAGES DANS
LA STRATOSPHÈRE SONT
LES RARES NUAGES
"NACRÉS" SITUÉS À
22 – 24 KM

La pénétration du Soleil

La stratosphère contient une couche mince, mais indispensable, du gaz appelé ozone. Jusque-là, elle a réussi à nous protéger des dangereux rayons ultraviolets du Soleil. Mais de nos jours, elle est en train de subir les attaques de produits chimiques tels que les CFC (hydrocarbures chlorofluorés) jadis utilisés dans les bombes aérosols et comme liquide de refroidissement dans les réfrigérateurs. À présent, des trous apparaissent dans l'ozone au-dessus du pôle Sud (en rouge, ci-dessus) et du pôle Nord, chaque printemps, et leur apparition dure plus longtemps d'année en année.

LA PLUPART DES PHÉNOMÈNES
MÉTÉOROLOGIQUES SE
PRODUISENT DANS LA
TROPOSPHÈRE

VOIR AUSSI : LA PLANÈTE TERRE PAGE 142, LE TEMPS ET LE CLIMAT PAGE 154

EXOSPHÈRE :
300 À 700 KM

Nitrogène 78 %

Argon 0,93 %

Oxygène 21 %

*Dioxyde de carbone
0,03 %*

*Néon, hélium et autres
gaz : 0,04 %*

Les gaz atmosphériques

Deux gaz constituent à eux seuls plus
de 99 pour cent de l'atmosphère. Il
s'agit du nitrogène (78 pour cent) et de
l'oxygène (21 pour cent). Le dernier
centième est composé d'argon, de
dioxyde de carbone, de vapeur d'eau et
d'infimes traces d'autres gaz tels que
l'hélium et l'ozone.

NAVETTE SPATIALE

THERMOSPHÈRE :
80 À 300 KM

L'adaptation à la pression

Du fait que l'air se raréfie avec l'altitude,
la pression atmosphérique baisse.
Avant d'arriver à la stratosphère, la
pression de l'air ou pression
atmosphérique devient trop faible pour
que les êtres humains puissent y
survivre. De ce fait, si l'on veut aller si
haut, soit à bord d'un avion ou d'un
dirigeable, il faut être dans une cabine
pressurisée. Les alpinistes qui escaladent
les plus hauts pics du monde ont
généralement besoin de masques à
oxygène pour respirer. Même à ce
niveau peu élevé (quelques kilomètres
seulement), l'oxygène devient très rare.
L'oxygène ne baisse que de quelques
pourcents, mais cela suffit à rendre la
respiration très malaisée.

MÉSOSPHÈRE :
50 À 80 KM

AVION DE RECONNAISSANCE
D'ALTITUDE

MONTAGNES
LES PLUS
HAUTES

STRATOSPHÈRE :
12 À 50 KM

TROPOSPHÈRE :
0 À 12 KM

Le temps et le climat

LES CHANGEMENTS QUI SE PRODUISENT dans l'atmosphère d'un jour à l'autre et d'une semaine à l'autre constituent ce que l'on appelle le temps. Nous le constatons à travers le ciel ensoleillé ou couvert, la température, le vent, la pluie ou son absence, le gel, la neige ou la glace. Le temps a des effets sur notre vie quotidienne, soit que nous voulions organiser un pique-nique ou que nous pilotions un avion de ligne dans une tempête. On appelle climat une succession particulière de types de temps au cours d'une période plus longue : des années, des décennies ou des siècles. Le climat détermine le genre d'animaux et de plantes qui vivent dans un lieu donné, ainsi que les cultures pratiquées durant les différentes saisons.

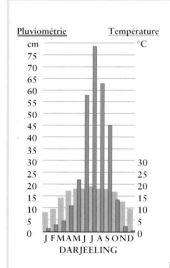

Le climat mondial

La chaleur du soleil réchauffe, à des degrés variables, les différentes parties des terres et de la mer. Puisque le soleil est à la verticale dans les régions tropicales, ses rayons ont moins d'atmosphère à traverser et la chaleur fournie est donc plus intense. L'air chaud monte et l'air frais se déplace latéralement pour remplir le vide. Ce mouvement à grande échelle dans l'atmosphère est connu sous le nom de vent. Les eaux des mers se réchauffent également sous le soleil à des degrés différents et chauffent l'air au-dessus d'elles. Le mouvement de rotation de la Terre entraîne l'atmosphère avec elle. Le résultat final est le cycle annuel régulier des types de vents, représenté sur l'illustration de droite. Les principaux vents ont été baptisés à l'époque où les bateaux à voile, qui avaient besoin de la force du vent, transportaient des cargaisons autour du monde.

SEATTLE

VENTS D'OUEST

ALIZÉS DU NORD-EST

CALMES ÉQUATORIAUX

MANAU

ALIZÉS DU SUD-EST

VENTS D'OUEST

La température et la pluviométrie

Les tableaux suivants montrent la pluviométrie (en bleu) et la température (en orange) moyennes de quelques villes du monde. Ils représentent divers types de climat et montrent comment ces derniers sont influencés par la proximité de la mer ou des masses de terre. Seattle, sur la côte ouest de l'Amérique du Nord, a un climat tempéré océanique avec des étés chauds et secs et des hivers frais et pluvieux. Darjeeling, en Inde, a un climat de mousson avec une saison très pluvieuse. Manaus, au Brésil, a un climat équatorial humide avec des températures sensiblement constantes tout au long de l'année. Le Cap, en Afrique du Sud, et Melbourne, en Australie, ont des fourchettes de températures similaires mais la pluviométrie mensuelle est plus régulière à Melbourne qu'à Londres où il fait plus frais. Le cap Zhelanlya, dans la région asiatique de l'Arctique, est gelé la majeure partie de l'année.

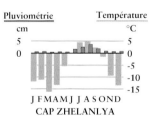

CAP ZHELANLYA

DARJEELING

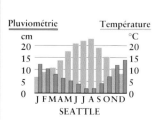

SEATTLE

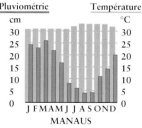

MANAUS

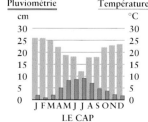

LE CAP

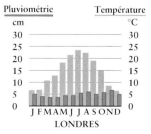

LONDRES

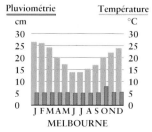

MELBOURNE

VOIR AUSSI : LA PLANÈTE TERRE PAGE 142, L'ATMOSPHÈRE PAGE 152

ENTS D'EST POLAIRES

• CAP
ZHELANLYA

Cercle polaire Artique

Températures moyennes en juillet

	plus de 30 °C
	20 à 30 °C
	10 à 20 °C
	0 à 10 °C
	-10 à 0 °C
	-20 à -10 °C
	-30 à -20 °C
	Au-dessous de -30 °C
	Vents dominants

• LONDRES

ENTS D'OUEST

•DARJEELING

Tropique du Cancer

ZÉS DU
RD-EST

ALIZÉS DU
NORD-EST

LMES ÉQUATORIAUX   CALMES ÉQUATORIAUX

Équateur

CALMES ÉQUATORIAUX

ALIZÉS DU
SUD-EST

ALIZÉS DU
SUD-EST

Tropique du Capricorne

LE CAP •

• MELBOURNE

VENTS D'OUEST

VENTS D'OUEST

Cercle polaire Antarctique

VENTS D'EST POLAIRES

La sécheresse

.es régions désertiques
·eçoivent moins de 250 mm de
·récipitations par an. Les
·récipitations comprennent
·outes les formes d'eau ou d'eau
·elée qui atteignent le sol, telles
que la pluie, le brouillard, la
·rume, la grêle, la rosée, la neige
·t la gelée. Du fait que tout être
·ivant a besoin d'eau pour
·urvivre, la vie est presque
·bsente dans le désert.

Les tempêtes

Certains systèmes climatiques sont calmes et se déplacent lentement.
Ce n'est pas le cas de tous. Un ouragan est une zone où les vents se
déplacent rapidement, à 112 km/h ou plus, et tournoient autour d'un
centre calme : l'œil. Cette photo satellite montre un ouragan qui
s'approche des côtes de la Floride.

Les inondations

La plupart des régions ont un
sol qui est naturellement adapté
aux précipitations moyennes.
Lorsqu'il y a un surplus de
pluies, les rivières et les fleuves
n'arrivent plus à contenir l'eau et
débordent de leur lit. Le
réchauffement planétaire
pourrait entraîner un surplus
pluviométrique dans certaines
régions.

Les montagnes et les vallées

QUELQUES-UNES DES HAUTES MONTAGNES DU MONDE sont des volcans isolés, comme le Kilimandjaro en Afrique, qui se sont érigées au fil d'éruptions successives. Mais la plupart des montagnes forment de grandes chaînes qui s'étendent sur des centaines ou des milliers de kilomètres. Toutes ces chaînes ont été érigées par l'énorme puissance du mouvement de la croûte terrestre. Certaines d'entre elles sont des dalles géantes, appelées blocs faillés ou horsts, soulevées par de puissants tremblements de terre. Cependant, la majeure partie des chaînes montagneuses les plus importantes, comme l'Himalaya et les Andes, sont des plissements montagneux créés par la déformation des roches lorsque les immenses plaques tectoniques s'écrasent les unes contre les autres.

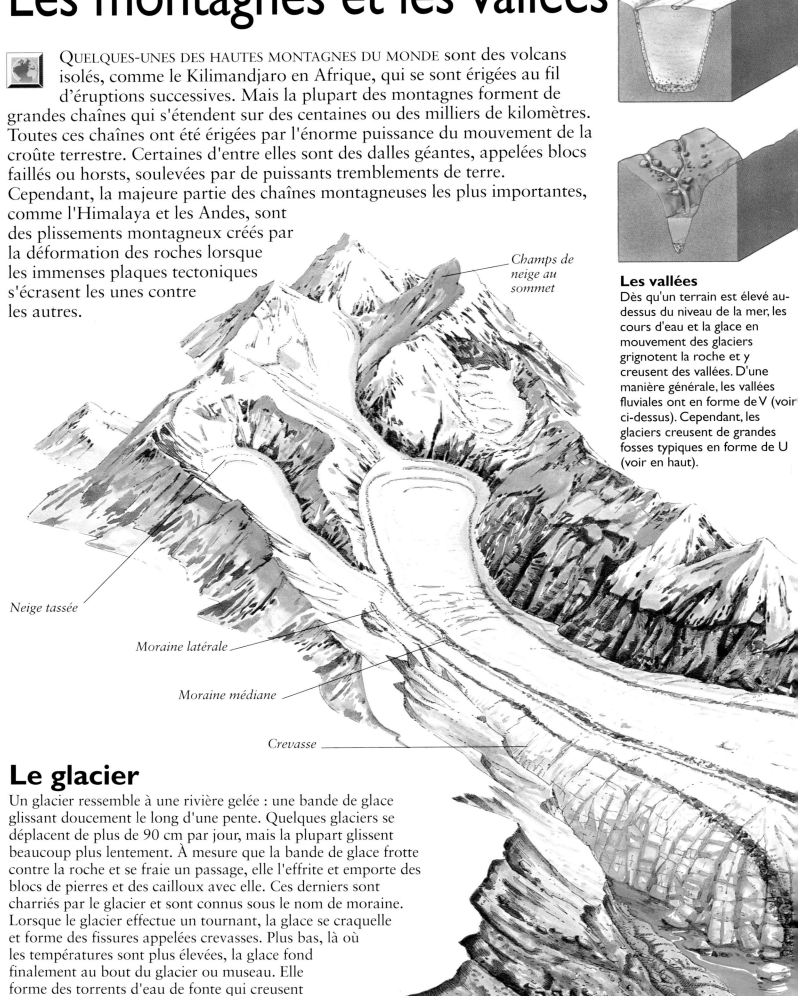

Champs de neige au sommet

Neige tassée

Moraine latérale

Moraine médiane

Crevasse

Les vallées

Dès qu'un terrain est élevé au-dessus du niveau de la mer, les cours d'eau et la glace en mouvement des glaciers grignotent la roche et y creusent des vallées. D'une manière générale, les vallées fluviales ont en forme de V (voir ci-dessus). Cependant, les glaciers creusent de grandes fosses typiques en forme de U (voir en haut).

Le glacier

Un glacier ressemble à une rivière gelée : une bande de glace glissant doucement le long d'une pente. Quelques glaciers se déplacent de plus de 90 cm par jour, mais la plupart glissent beaucoup plus lentement. À mesure que la bande de glace frotte contre la roche et se fraie un passage, elle l'effrite et emporte des blocs de pierres et des cailloux avec elle. Ces derniers sont charriés par le glacier et sont connus sous le nom de moraine. Lorsque le glacier effectue un tournant, la glace se craquelle et forme des fissures appelées crevasses. Plus bas, là où les températures sont plus élevées, la glace fond finalement au bout du glacier ou museau. Elle forme des torrents d'eau de fonte qui creusent des gorges profondes avant de quitter le glacier.

VOIR AUSSI : UNE TERRE AGITÉE PAGE 146, LE CYCLE DES ROCHES PAGE 148

Les montagnes jeunes
Des chaînes de montagnes telles que les Alpes et l'Himalaya sont jeunes. Leurs pics pointus n'ont pas encore été érodés par la glace, la neige, le vent et la pluie. En fait, l'Himalaya continue encore de croître de 2 cm environ par an.

Les vieilles montagnes
Les plus vieux pics, comme les chaînes galloises ou cambriennes, en Grande-Bretagne, et les Appalaches dans l'Est des États-Unis, ont été arrondis et polis par l'érosion. Les Appalaches ont 250 millions d'années environ et leur pic le plus élevé est le mont Mitchell qui culmine à 2 037 m.

Les montagnes en plissements
Qu'elles soient formées à partir de sédiments se déposant au fond de l'océan ou de plateaux volcaniques, la plupart des roches ont tendance à constituer des couches plates. Mais à mesure que les plaques tectoniques se rejoignent, des plis se forment quand celles-ci pressent l'une contre l'autre horizontalement. Parfois, les plissements ne sont que de minuscules rides mesurant seulement quelques millimètres de long. Mais parfois aussi, ce sont des plissements gigantesques avec des centaines de kilomètres entre les crêtes.

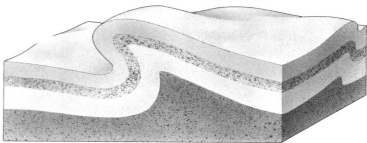

UN PLISSEMENT ÉTENDU SE FORME

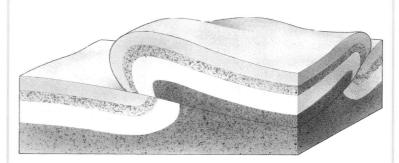

LE PLISSEMENT SE ROMPT AU NIVEAU DU PLAN DE POUSSÉE

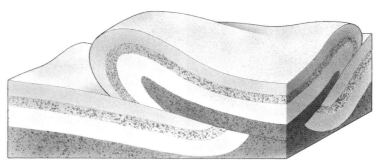

UN CHEVAUCHEMENT SE CRÉE

Les montagnes en blocs faillés
Lorsque la croûte terrestre bouge, les forces énormes que ce mouvement engendre peuvent parfois suffire à fendre des blocs géants et à les soulever de façon à créer de grands ensembles de montagnes à sommets plats. La Forêt Noire, en Allemagne, est formée de cette façon.

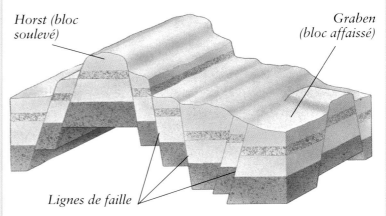

Horst (bloc soulevé)

Graben (bloc affaissé)

Lignes de faille

Les fleuves et les lacs

 LA TERRE EST UNE PLANÈTE très humide dont la surface contient à peu près 1,3 milliards de kilomètres cubes d'eau. Cependant, plus de 97 pour cent de cette eau est salée et se trouve dans les mers et les océans. En outre, 2,2 pour cent de cette eau est gelée au niveau des pôles et des glaciers. Ce qui laisse moins de 1 pour cent d'eau douce, mais cette fraction joue un rôle capital dans la vie de la planète. En fait, cette eau n'est jamais complètement utilisée, mais suit plutôt un cycle sans fin : elle s'évapore des océans et de la terre, se condense pour former des nuages, tombe sous forme de pluie, puis coule à nouveau dans les rivières pour finalement se jeter dans les océans.

Un lit à sec
Certains fleuves ne coulent qu'à la suite de fortes pluies saisonnières. Tout le reste de l'année, ils s'assèchent, laissant apparaître des lits durcis appelés oueds ou arroyos. Les cours d'eau perpétuels, c'est-à-dire qui coulent toute l'année, dépendent de l'eau qui remonte du sous-sol pour leur approvisionnement entre les orages.

Les deltas
Les fleuves emportent souvent d'énormes quantités de particules de sédiments tels que le sable et le limon. Mais lorsqu'ils rejoignent la mer ou un lac, la vitesse de l'eau diminue soudain et elle perd sa capacité à charrier les sédiments. De ce fait, le sable et le limon se déposent au fond et forment un énorme éventail appelé delta. Avec le temps, le fleuve se divise en plusieurs bras principaux en traversant le delta.

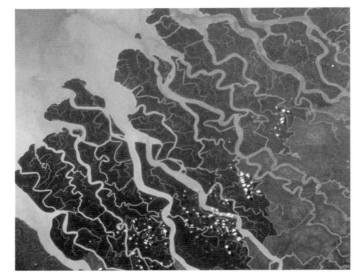

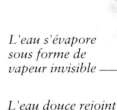

L'eau s'évapore sous forme de vapeur invisible ———

L'eau douce rejoint la mer au niveau de l'estuaire

Le cycle de l'eau
Le cycle de l'eau commence par l'évaporation de l'eau, sous l'effet de la chaleur du soleil, principalement des mers et des océans, mais aussi des fleuves et des lacs. Les arbres, les cultures et d'autres plantes dégagent également, ou transpirent, de l'eau. Tout ceci donne de la vapeur d'eau qui s'élève dans l'atmosphère. À mesure que l'air se refroidit, la vapeur d'eau se condense en de fines gouttelettes d'eau ou en cristaux de glace pour former des nuages. L'eau tombe des nuages sous forme de pluie ou de neige ; par la suite, soit elle s'infiltre dans le sol et est recueillie par les plantes, soit elle coule vers les fleuves pour retourner dans les lacs, les mers et les océans.

Les marais et marécages
Dans certaines régions plates ou basses, l'eau ne coule pas facilement. Elle repose plutôt à la surface de petits lacs, ou mares obstrués par des plantes, pour constituer un marais. Le delta de l'Okavango au Botswana est l'endroit où le fleuve Okavango se subdivise en plusieurs dizaines de petits ruisseaux et ralentit sa course, déposant ses particules de sédiments tels que la boue et le limon. Des marais comme ceux-ci couvrent environ le sixième de la surface terrestre du globe, et on compte parmi eux quelques-uns des habitats sauvages les plus précieux du monde.

VOIR AUSSI : L'EAU PAGE 32, LE CYCLE DES ROCHES PAGE 148

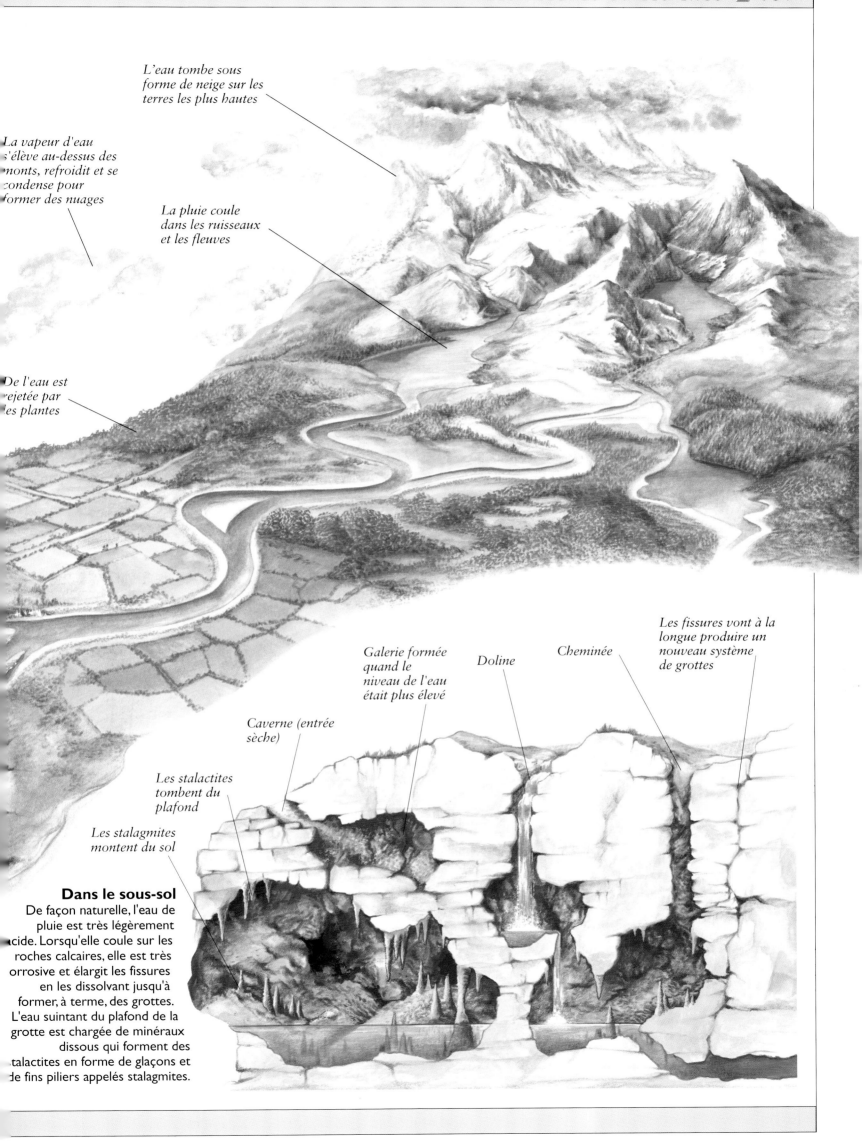

L'eau tombe sous forme de neige sur les terres les plus hautes

La vapeur d'eau s'élève au-dessus des monts, refroidit et se condense pour former des nuages

La pluie coule dans les ruisseaux et les fleuves

De l'eau est rejetée par les plantes

Les fissures vont à la longue produire un nouveau système de grottes

Cheminée

Doline

Galerie formée quand le niveau de l'eau était plus élevé

Caverne (entrée sèche)

Les stalactites tombent du plafond

Les stalagmites montent du sol

Dans le sous-sol

De façon naturelle, l'eau de pluie est très légèrement acide. Lorsqu'elle coule sur les roches calcaires, elle est très corrosive et élargit les fissures en les dissolvant jusqu'à former, à terme, des grottes. L'eau suintant du plafond de la grotte est chargée de minéraux dissous qui forment des stalactites en forme de glaçons et de fins piliers appelés stalagmites.

Les paysages côtiers

LE LITTORAL N'EST JAMAIS STATIQUE. Il change chaque seconde au rythme des vagues qui déferlent puis se retirent. Il change chaque heure avec le flux et le reflux des eaux. Il change chaque mois sous les attaques de la chaleur, du froid, du vent, de la pluie et des déferlantes qui le façonnent et le déforment. Sur les côtes rocheuses, les falaises abruptes et les éboulements, ainsi que les barrières pendantes témoignent de l'énorme pouvoir érosif de la mer sur la terre. Les roches dures résistent mieux à la dégradation et se dressent fièrement en promontoires, alors que les roches plus molles s'effondrent pour former des baies et des arches. Sur les côtes basses, où la mer est peu profonde, les plages et les bancs de galets, de sable et de boue, accumulés par les vagues qui déposent leurs sédiments, prouvent que la mer peut aussi être une force créatrice. Partout il y a un mélange de progrès et de recul.

Des roches résistantes
Les roches dures comme le granite peuvent résister aux vagues pendant un certain temps. Les couches ou strates de roches sédimentaires sont, par contre, dégradées en plates-formes.

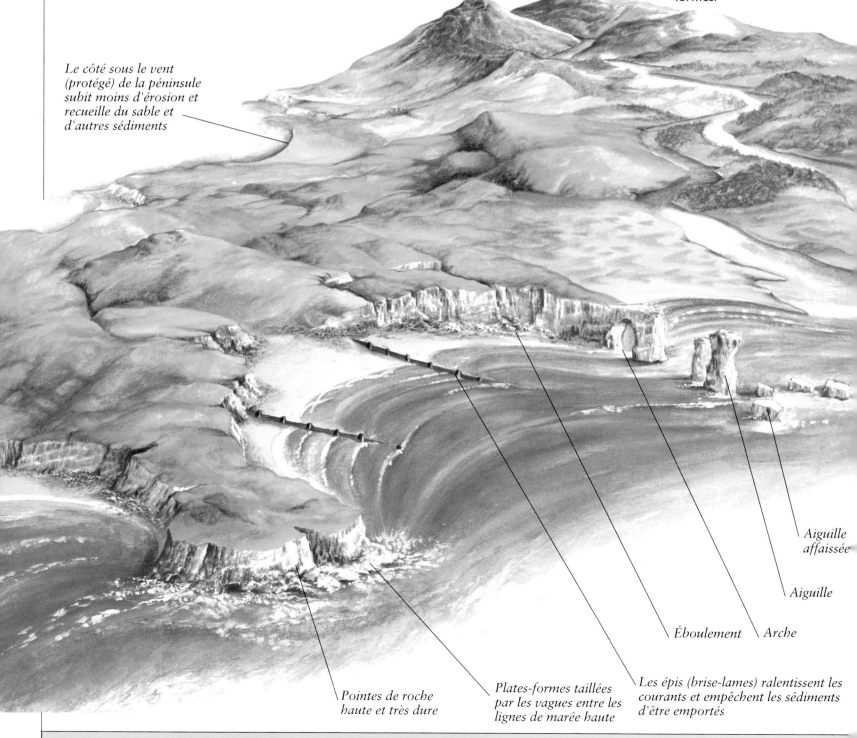

Le côté sous le vent (protégé) de la péninsule subit moins d'érosion et recueille du sable et d'autres sédiments

Aiguille affaissée

Aiguille

Éboulement *Arche*

Pointes de roche haute et très dure

Plates-formes taillées par les vagues entre les lignes de marée haute

Les épis (brise-lames) ralentissent les courants et empêchent les sédiments d'être emportés

VOIR AUSSI : UNE TERRE AGITÉE PAGE 146, LE CYCLE DES ROCHES PAGE 148

Un gîte pour la faune et la flore

Une côte rocheuse constitue un gîte solide où s'incrustent divers êtres vivants tels que les algues, les éponges, les coraux, les bernacles, les moules et autres crustacés. À leur tour, ces derniers constituent des abris pour de petits animaux comme les crabes, les escargots de mer et les vers marins. Sur une plage sablonneuse, la majorité des êtres vivants s'enfouissent dans le sable jusqu'à la montée de la marée, à l'abri du déferlement des grains de sable.

Baie sablonneuse

Langue de terre

Un estuaire se forme à l'endroit où les courants marins ballottent des sédiments de gauche à droite

Les types de littoraux

La forme et les caractéristiques des côtes varient énormément. Elles sont, essentiellement, de trois types. Lorsque des massifs rocheux délimitent la côte, on trouve généralement des falaises et des promontoires découpés. À mesure que les vagues dégradent les falaises, elles laissent apparaître de hauts rochers isolés résistants et taillent une large plate-forme au pied des falaises. Quand le terrain est bas et composé de sédiments mous, la mer crée de larges plages et des barres. Lorsque les vagues s'abattent en biais sur la côte, des matériaux sont déportés le long du littoral, donnant naissance à des formations telles que des bandes de sables, appelées presqu'îles, au travers des baies et des estuaires.

Des hauts et des bas

Toutes les 12 heures environ, le niveau de la mer baisse jusqu'à la marée basse, puis remonte jusqu'à la marée haute. Les marées sont dues à la gravité de la Lune qui attire l'eau des océans pour donner une forme ovale à la Terre, créant un gonflement sur chaque côté de celle-ci. Alors que la terre tourne sur elle-même, ces gonflements restent sur place sous la Lune. Il en résulte que ces gonflements se déplacent autour du globe et font monter et baisser la marée à leur passage.

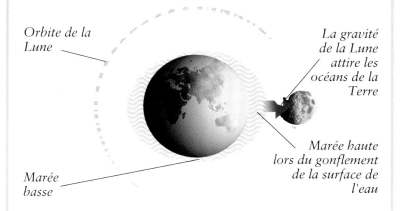

Orbite de la Lune

La gravité de la Lune attire les océans de la Terre

Marée haute lors du gonflement de la surface de l'eau

Marée basse

La Lune attire l'eau de la Terre à elle. Il en résulte une marée haute sur le côté de la Terre le plus proche de la Lune et une marée basse sur le côté opposé.

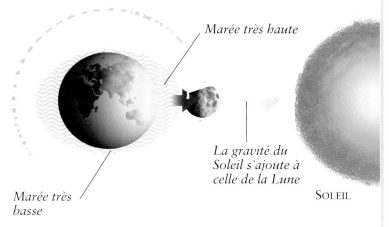

Marée très haute

La gravité du Soleil s'ajoute à celle de la Lune

Marée très basse

SOLEIL

Les marées printanières sont plus hautes et plus basses que d'habitude. La Lune et le Soleil sont alignés et leurs forces de gravité s'ajoutent pour donner des gonflements plus importants.

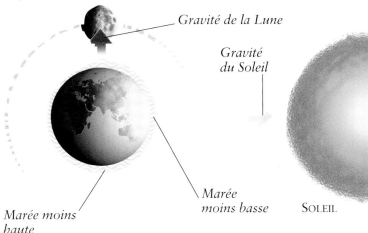

Gravité de la Lune

Gravité du Soleil

Marée moins basse

SOLEIL

Marée moins haute

Les marées de mortes-eaux ne sont pas aussi hautes et basses que d'habitude. Le Soleil et la Lune sont à angle droit et leurs forces de gravité se neutralisent pour donner des gonflements moins importants.

Les mers et océans

LES TROIS-QUARTS DE LA SURFACE DE LA TERRE se trouvent sous l'eau, submergés sous cinq grands océans qui sont tous reliés ensemble : l'océan Pacifique, l'océan Atlantique, l'océan Indien, l'océan Antarctique et l'océan Arctique. L'eau des océans est maintenue en mouvement perpétuel par le vent, le Soleil et les marées. En fouettant la surface de l'eau, le vent crée des vagues et des courants qui se déplacent sur des milliers de kilomètres autour de la Terre. La chaleur du Soleil, aidée par les différences chimiques des eaux océaniques, secoue les océans jusque dans leurs abîmes les plus profonds.

De la glace flottante
À proximité des pôles, des glaciers et des nappes de glace flottent sur l'océan. D'énormes morceaux de glace appelés icebergs se détachent parfois quand les vagues ballottent la glace. Seul un neuvième du volume d'un iceberg émerge de la surface de l'eau.

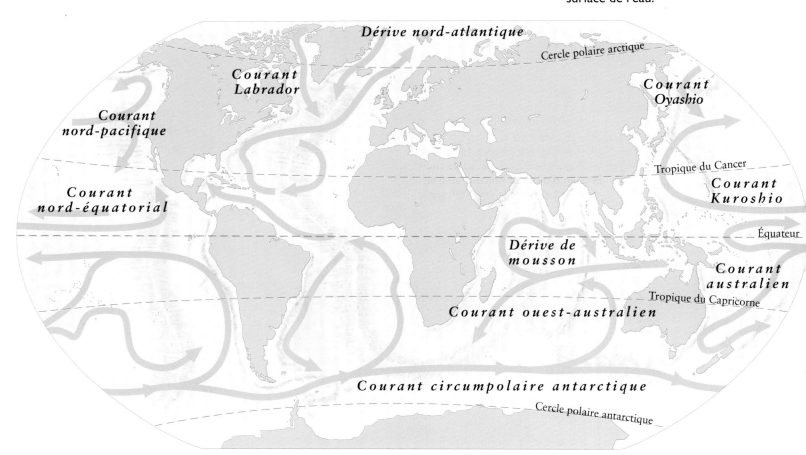

Dérive nord-atlantique

Cercle polaire arctique

Courant Labrador

Courant Oyashio

Courant nord-pacifique

Tropique du Cancer

Courant Kuroshio

Courant nord-équatorial

Équateur

Dérive de mousson

Courant australien

Tropique du Capricorne

Courant ouest-australien

Courant circumpolaire antarctique

Cercle polaire antarctique

Des fleuves dans les océans

Les plus grands fleuves du monde ne sont pas les fleuves que l'on trouve sur les masses terrestres, mais les courants océaniques. Ceux-ci font parfois plusieurs dizaines de kilomètres de large, des centaines de pieds de profondeur, et déplacent des quantités d'eau énormes à travers le calme relatif des eaux qui les entourent. Ils sont le résultat de plusieurs facteurs combinés : l'action des vents dominants qui soufflent sur les océans, la forme du fond marin, et l'effet de rotation de la Terre. Les courants principaux sont divisés de part et d'autre de l'Équateur en deux boucles géantes appelées des tourbillons qui longent en permanence les limites de chaque océan. Dans l'hémisphère Nord, les tourbillons circulent dans le sens des aiguilles d'une montre ; dans l'hémisphère Sud, ils circulent en sens inverse. De ces tourbillons se détachent de nombreux tourbillons plus petits.

Sous la surface d'un océan
Autour des limites de chaque océan se trouve un plateau étroit où l'eau est moins profonde : elle atteint rarement plus de 130 m de profondeur. On l'appelle le plateau continental. Sur le rebord de ce plateau, le fond de la mer plonge soudainement dans les profondeurs obscures du bassin océanique, dont la profondeur moyenne dépasse 1 800 m. Au milieu de l'Atlantique, de la roche en fusion remonte des profondeurs et forme des chaînes de montagnes, repoussant le fond marin de part et d'autre. Ce phénomène est connu sous le nom d'expansion des fonds océaniques.

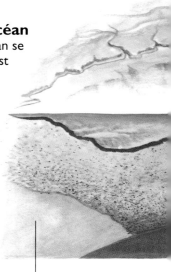

Croûte continentale

VOIR AUSSI : UNE TERRE AGITÉE PAGE 146, LE TEMPS ET LE CLIMAT PAGE 154

LES MERS ET OCÉANS 🔖 163

GRANDES DÉCOUVERTES

Peu d'hommes ont mieux aidé à notre compréhension des océans que Jacques Cousteau (1910 – 1997). En 1943, il contribua au développement du scaphandre autonome. Cet appareil permit aux plongeurs de nager sous l'eau pendant de longues périodes sans porter une lourde combinaison et sans être relié à la surface par une corde de sécurité. Cousteau a aussi popularisé beaucoup de créatures et paysages sous-marins à travers ses nombreux livres et films.

L'exploration des fonds marins

En 1964, un incroyable petit vaisseau sous-marin appelé Alvin fut construit par la marine américaine. Les sous-marins normaux ne pouvaient pas descendre à plus de 300 m sans être écrasés par la pression de l'eau. Mais avec son épaisse coque en alliage de titane, Alvin fut le premier à descendre à plus de 4 000 m. Il révéla un grand nombre des secrets des abîmes et a été rejoint par de nombreux autres vaisseaux semblables tels que Deep Flight.

CONCOMBRE DE MER
(HOLOTHURIE)

Les monstres des abîmes

De nombreuses créatures des fonds marins ont une apparence vraiment étrange. Les concombres de mer, qui ont la taille d'un bras humain, se fraient un chemin à travers la vase, filtrant au passage des particules comestibles.

Plateau continental

CÔTE DE L'AMÉRIQUE DU NORD

GRANDS MASSIFS

Talus continental

Piton sous-marin

Plaine abyssale

...te océanique

Roche en fusion venant du dessous

Dorsale médio-atlantique

Le fond de la mer est repoussé de part et d'autre de la dorsale

La vie sur Terre

La vie sur Terre se limite à une zone étroite située entre les couches les plus basses de l'atmosphère et le fond de l'océan. Mais au sein de cette zone, on trouve une incroyable diversité d'êtres ou organismes vivants. L'ensemble de tous les organismes vivant sur la Terre, c'est-à-dire les plantes, les animaux, les microbes et tout le reste, constitue la biosphère. Celle-ci n'est pas séparée du monde non vivant, elle est intimement lié avec lui, avec le sol, les roches, l'eau et l'air.

ALGUES

MOUSSES ET HÉPATIQUES

FOUGÈRE

CONIFÈRES

PLANTES À FLEURS

Plantes (350 000 à 400 000 espèces)

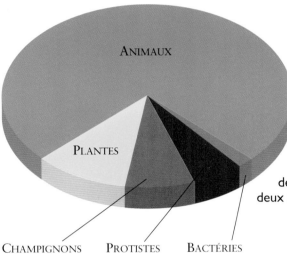

ANIMAUX

PLANTES

CHAMPIGNONS   PROTISTES   BACTÉRIES

Combien d'espèces ?

Les êtres vivants sont divisés en cinq larges groupes ou règnes. Chaque type d'être vivant, tel un tigre ou un chêne, constitue une espèce. Le règne animal contient de loin le plus grand nombre d'espèces, sans doute plus de cinq millions. Seuls les principaux groupes de chaque règne figurent ici. Dans des types de classification plus anciens, il n'existait que deux règnes : les animaux et les plantes.

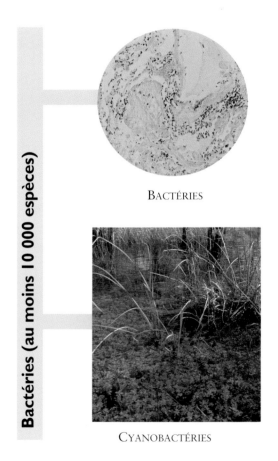

BACTÉRIES

Bactéries (au moins 10 000 espèces)

CYANOBACTÉRIES

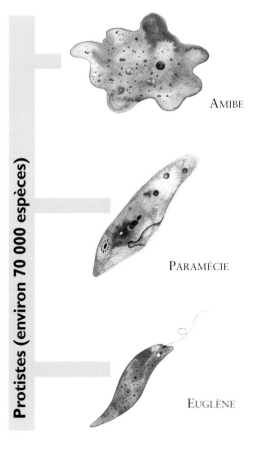

AMIBE

PARAMÉCIE

EUGLÈNE

Protistes (environ 70 000 espèces)

Les bactéries

Il s'agit là d'êtres vivants microscopiques, unicellulaires et sans noyau (centre de contrôle). Les cyanobactéries (algues bleu-vert) forment une "mousse" à la surface des étangs.

Les protistes

Ils sont aussi des organismes microscopiques unicellulaires. Mais ils contiennent chacun un noyau. On peut compter dans cette catégorie des types animaliers, tels les amibes, et des types botaniques, tels les euglènes.

Les plantes

Une plante est un être vivant qui emprisonne la lumière du Soleil grâce au processus de photosynthèse, et qui s'en sert pour sa survie et sa croissance. Les plantes à fleurs se reproduisent par la floraison ou éclosion et comprennent la plupart des arbres non conifères, les arbustes, les graminées, les fleurs et l'herbe

VOIR AUSSI : L'ÉVOLUTION DE LA VIE PAGE 166, LA PRÉHISTOIRE PAGE 168

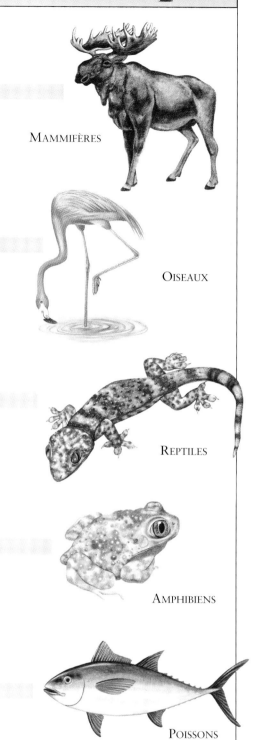

ÉPONGES

MÉDUSES, ANÉMONES
ET CORAUX

VERS

MOLLUSQUES

INSECTES

ARAIGNÉES ET
SCORPIONS

CRUSTACÉS

ÉTOILES DE MER
ET OURSINS

Invertébrés (près de 2 millions d'espèces répertoriées à ce jour)

MAMMIFÈRES

OISEAUX

REPTILES

AMPHIBIENS

POISSONS

Vertébrés (plus de 42 000 espèces)

Les animaux

La plupart des animaux peuvent se déplacer, percevoir leur environnement, et obtenir de l'énergie en mangeant ou en ingérant d'autres êtres vivants. Il en existe deux types principaux : les invertébrés, qui n'ont pas de colonne vertébrale, et les vertébrés, comme nous.

CHAMPIGNONS
COMESTIBLES ET
VÉNÉNEUX

Champignons (environ 100 000 espèces)

MOISISSURES

LEVURE

ROUILLE

MILDIOU

MYCOSES

Les champignons

Cette catégorie comprend les champignons comestibles et vénéneux, les levures microscopiques, et les moisissures qui poussent sur de la vieille nourriture. Les champignons obtiennent leur énergie en décomposant ou en faisant pourrir d'autres êtres vivants.

GRANDES DÉCOUVERTES

Aristote (384 – 322 BC) vivait en Grèce antique et fut l'un des premiers grands naturalistes, en plus d'être un philosophe et un scientifique. Il passa beaucoup de temps à observer les animaux et les plantes, surtout le long des côtes de la Méditerranée. Il étudia l'intérieur de créatures telles que l'étoile de mer, et suggéra l'idée de classer les organismes selon leurs similarités. Il fut aussi le maître du jeune Alexandre le Grand. Aristote se demandait si les êtres vivants étaient fixes et restaient indéfiniment les mêmes, ou s'ils évoluaient et se transformaient au fil du temps. La plupart des scientifiques soutiennent aujourd'hui la théorie de l'évolution des organismes.

L'évolution de la vie

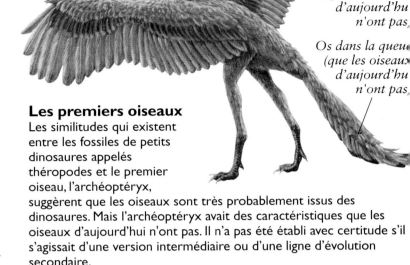

AU COURS DE L'HISTOIRE de la Terre, les conditions ont changé. Le climat est resté chaud et sec pendant une période, puis il s'est refroidi et humidifié, avant de faire place à la période glaciaire. Les êtres vivants ont aussi changé ou évolué pour mieux s'adapter à leur environnement. Les fossiles montrent que des millions d'espèces de plantes et d'animaux ont vécu sur Terre à une certaine époque. À mesure que les conditions ont changé et que ces espèces n'ont plus été capables de résister à une concurrence avec des types mieux adaptés, la plupart sont mortes ou se sont éteintes. D'autres espèces, telles que les ginkgos, les requins et les crocodiles, ont survécu pratiquement sans changer pendant des centaines de millions d'années.

Griffes sur les aile. (que les oiseaux d'aujourd'hu n'ont pas)

Bec muni de dent. (que les oiseaux d'aujourd'hu n'ont pas)

Os dans la queu. (que les oiseaux d'aujourd'hu n'ont pas)

Les premiers oiseaux
Les similitudes qui existent entre les fossiles de petits dinosaures appelés théropodes et le premier oiseau, l'archéoptéryx, suggèrent que les oiseaux sont très probablement issus des dinosaures. Mais l'archéoptéryx avait des caractéristiques que les oiseaux d'aujourd'hui n'ont pas. Il n'a pas été établi avec certitude s'il s'agissait d'une version intermédiaire ou d'une ligne d'évolution secondaire.

Lobe charnu à la base de la nageoire

Des fossiles vivants
Des poissons à nageoires charnues vivaient il y a très longtemps, et les premières grosses créatures terrestres en sont probablement issues. On pensait que les poissons à nageoires charnues s'étaient tous éteints il y a 100 millions d'années, jusqu'en 1938 où on en trouva un bel et bien vivant près des îles Comores. Il s'agit du cœlacanthe. On en a découvert et étudié plusieurs autres depuis.

HOMO ERECTUS OU "HOMME DEBOUT"

Cerveau de grosse taille

Fabriquait et utilisait des outils et le feu

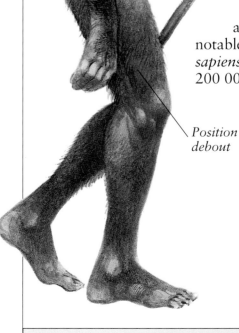

Position debout

Les premiers êtres humains

Par rapport aux autres animaux, les humains ne sont sur Terre que depuis très peu de temps. Les premières créatures ressemblant aux hommes, les hominidés, sont apparues il y a quatre millions d'années. Ils étaient courts de taille et ressemblaient à leurs ancêtres anthropoïdes. Petit à petit, les humains ont grandi de taille et leur cerveau a grossi de façon notable. Les humains "complètement modernes" comme nous (*l'Homo sapiens sapiens*) ont sans doute commencé leur évolution il y a moins de 200 000 ans.

L'évolution du cheval
De nombreux fossiles ont été découverts qui montrent l'évolution des chevaux. De petits animaux des bois, ressemblant à des petits cerfs, vivaient sur Terre il y a des millions d'années. Au fur et à mesure de l'apparition de vastes étendues de prairies, ils ont développé des pattes plus longues pour pouvoir galoper plus vite à travers les plaines. Le cheval moderne, *Equus*, fit sa première apparition en Amérique du Nord.

HYRACOTHÉRIUM (IL Y A 40 MILLIONS D'ANNÉES)

MÉSOHIPPUS (IL Y A 30 MILLIONS D'ANNÉE

VOIR AUSSI : LA PLANÈTE TERRE PAGE 142, LA VIE SUR TERRE PAGE 164

Charles Darwin (1809 – 1882) avança la théorie de l'évolution. Sur une période de millions d'années, les espèces vivantes changent ou évoluent pour s'adapter à leur environnement, selon le processus de la sélection naturelle ou la "survie du plus fort". Dans chaque génération, certains individus ont des caractéristiques qui les rendent mieux adaptés à leur environnement. Ils ont plus de chances de survivre et de transmettre ces caractéristiques à leurs descendants.

Les fossiles et la manière dont ils se sont formés

Les fossiles sont des restes de plantes, d'animaux, de bactéries et d'autres organismes morts, préservés depuis des millions d'années et généralement transformés en pierre. Ils peuvent être constitués de parties appartenant aux organismes eux-mêmes, le plus souvent de parties dures telles que les dents, les os, les coquilles et l'écorce. Ils peuvent aussi être des signes et des traces, telles que des empreintes ou des crottes. Un fossile se forme quand un être vivant meurt et que ses parties molles se décomposent (1). Au fond de la mer, ses os et autres parties dures se trouvent bientôt ensevelis sous le sable et la vase (2). Sur une période de plusieurs millions d'années, des changements chimiques, alliés à la pression de la vase du dessus, transforment cette vase en roche solide (3). L'infiltration de l'eau dans la vase cause aussi des métamorphoses chimiques : elle transforme ces parties en pierre, mais conserve leur forme. Des mouvements de terrain ultérieurs arrivent parfois à amener les fossiles à la surface (4).

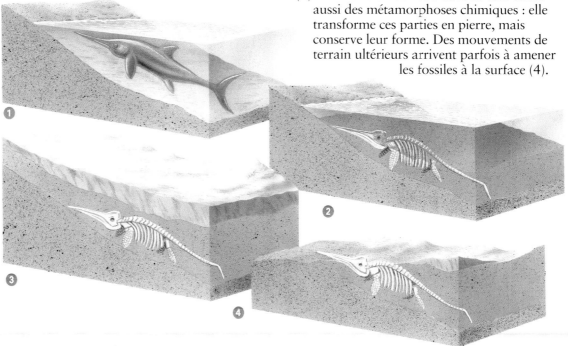

L'homme des glaces

Même dans les périodes préhistoriques les plus récentes, les restes préservés de plantes, d'animaux et de personnes nous montrent comment le monde a changé. Il s'agit dans certains cas de corps humains complets, parfois même avec leurs vêtements, leurs outils et d'autres objets. "Otzi, l'homme des glaces" en est un exemple. Il est mort sur un glacier dans les Alpes européennes il y a 5 000 ans à peu près. Son corps a été gelé dans la glace, comme s'il avait été placé dans un congélateur. Ses vêtements et articles de voyage indiquent que le peuple auquel il appartenait confectionnait des tuniques, des chaussures et des chapeaux, ainsi que des armes telles que des lances et des flèches, faites à partir de matériaux naturels comme l'herbe, le cuir et la pierre.

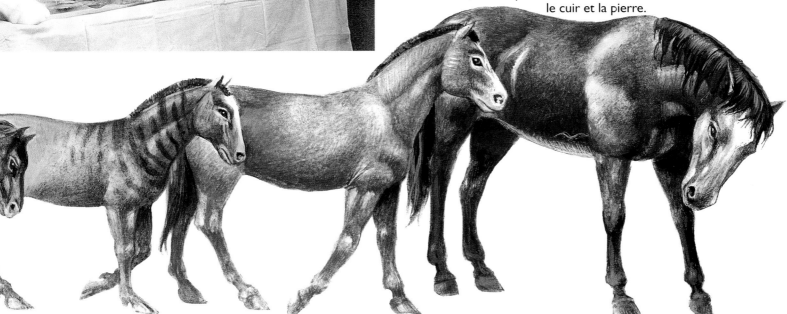

MERYCHIPPUS (IL Y A 25 MILLIONS D'ANNÉES)   PLIOHIPPUS (IL Y A 5 MILLIONS D'ANNÉES)   EQUUS, LE CHEVAL MODERNE

La préhistoire

DURANT DES MILLIARDS D'ANNÉES, les seuls êtres vivants sur Terre étaient des organismes microscopiques unicellulaires. Puis, il y a 700 millions d'années environ, les premiers vrais animaux, tels que les méduses et les éponges, ont fait leur apparition dans les mers. Ils étaient entièrement constitués d'un corps mou, mais de rares fossiles nous donnent un aperçu de leur apparence. Au cours des 200 millions d'années qui ont suivi, des créatures avec des parties dures (coquilles et os) sont apparues. C'est à partir de cette période, le début du cambrien, que les traces de fossiles deviennent plus détaillées. Certains types d'animaux, comme les requins et les crocodiles, ont survécu pendant de longues périodes. D'autres se sont éteints rapidement à la suite de changements de conditions. D'autres encore ont progressivement changé ou évolué de leurs formes préhistoriques à leur forme actuelle.

Les temps géologiques

La Terre a 4,6 milliards d'années. De la même façon que le temps d'une montre est divisé en heures, en minutes et en secondes, l'histoire de la Terre est divisée en quatre grandes parties appelées ères. Les trois premières, qui s'étendent sur quatre milliards d'années, sont souvent regroupées sous le nom de précambrien ; en effet, très peu de fossiles sont parvenus jusqu'à nous pour nous en apprendre plus sur cette période. La dernière, appelée le phanérozoïque, a débuté il y a 540 millions d'années et se divise en quatre ères. Celles-ci sont à leur tour divisées en périodes, allant de 2 à 80 millions d'années.

Les fossiles
Ils sont principalement constitués des parties dures d'êtres vivants, comme les dents, les griffes, les coquilles et le bois, transformées en pierre et préservées dans la roche.

Les hommes apparaissent il y a 2 millions d'années

Les dinosaures et beaucoup d'autres animaux et plantes s'éteignent il y a 65 millions d'années

L'ère des dinosaures

Début de la vie terrestre, d'abord avec les plantes, puis avec des animaux ressemblant à des insectes

Animaux à corps mou tels que les vers et les méduses

Animaux à coquille comme les trilobites

L'ère des poissons

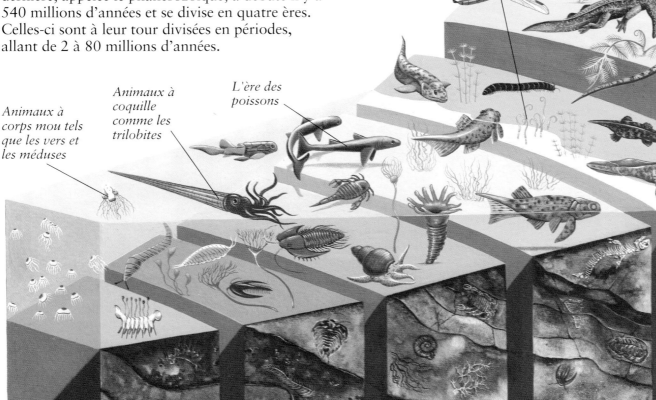

| Périodes (en millions d'années) | PRÉCAMBRIEN JUSQU'À 540 | CAMBRIEN DE 540 À 505 | ORDOVICIEN DE 505 À 433 | SILURIEN DE 433 À 410 | DÉVONIEN DE 410 À 360 |

VOIR AUSSI : LE CYCLE DES ROCHES PAGE 148, L'ÉVOLUTION DE LA VIE PAGE 166

Des extinctions en masse

Les fossiles montrent qu'à plusieurs moments de l'histoire de la Terre, de massives extinctions ont eu lieu, au cours desquelles de nombreuses espèces vivantes se sont très vite éteintes. L'extinction qui eut lieu à la fin du crétacé a touché les dinosaures, les ptérosaures (reptiles volants) ainsi que de nombreuses autres espèces. L'extinction de la fin du permien fut encore plus radicale. En se basant sur les fossiles trouvés, on peut déduire que près de 4/5 de toutes les formes de vie furent décimées.

L'ichtyostéga, un des premiers animaux terrestres

L'ère des mammifères et des oiseaux
Des oiseaux géants règnent pendant une certaine période
Les animaux à fourrure s'épanouissent durant la période glaciaire
CARBONIFÈRE DE 360 À 286
PERMIEN DE 286 À 245
TRIAS DE 245 À 202
JURASSIQUE DE 202 À 144
CRÉTACÉ DE 144 À 65
TERTIAIRE DE 65 JUSQU'À NOS JOURS

La Terre en danger

Nous, les humains, dominons la Terre mais nos activités menacent sérieusement de causer des dégâts irréparables à la planète. Notre exploitation soutenue de ses ressources fragiles menace aussi bien l'atmosphère que les plantes et les animaux. Les pots d'échappement et les cheminées polluent l'air. Les rivières sont empoisonnées par les produits chimiques agricoles. L'abattage des forêts fait disparaître la campagne au profit du béton.

Le Soleil envoie des ondes lumineuses, de la chaleur et d'autres formes d'énergie que l'on appelle rayonnement solaire

Les dangers d'inondation
Le réchauffement de la planète, dû à une intensification de l'effet de serre, pourrait faire monter les températures sur Terre de 4 °C vers le milieu du 21ème siècle. Ceci provoquerait la fonte d'une bonne partie des glaces au niveau des pôles, entraînerait une montée du niveau de la mer et causerait des inondations dévastatrices dans les zones basses, y compris de nombreux ports et terres côtières.

L'atmosphère abîmée

Deux phénomènes principaux sont en train d'endommager l'atmosphère. L'un est l'amincissement de la couche d'ozone, qui absorbe normalement la majeure partie des rayons ultraviolets dangereux provenant du Soleil et qui nous protège donc de lui. L'autre est l'effet de serre, qui a toujours existé, mais qui s'aggrave actuellement.

Une couche d'ozone en bon état emprisonne et réfléchit la plupart des rayons ultraviolets

Une couche d'ozone amincie laisse passer plus de rayons ultraviolets nocifs

VOIR AUSSI : L'ATMOSPHÈRE PAGE 152, LE TEMPS ET LE CLIMAT PAGE 154

Des contrastes planétaires

▶ Une personne consomme en moyenne 34 millions de kilojoules d'énergie par jour aux États-Unis ; en Inde, ce chiffre n'est que de 0,6 million.
▶ Les pays développés consomment les trois quarts de l'énergie du monde, mais ne représentent qu'un quart de sa population.
▶ À peine cinq pour cent de l'énergie consommée dans le monde provient de sources renouvelables telles que l'eau, le vent et la lumière du soleil.
▶ À peu près 2,5 millions d'hectares (soit la superficie du Massachusetts aux États-Unis) de forêt tropicale sont rasés chaque année.
▶ L'érosion détruit jusqu'à 7 millions d'hectares de terres arables chaque année à cause d'une surexploitation agricole.

Des eaux empoisonnées

L'or est un métal précieux qui peut rapidement enrichir les chercheurs d'or. Dans certaines parties de l'Amazonie, on trouve de minuscules particules d'or dans l'eau. On peut les extraire en les mélangeant à du mercure. Mais le mercure dont on n'a plus besoin ou qui est déjà utilisé est extrêmement nocif. Lorsqu'il s'en va à la dérive, il tue les poissons et les autres formes de vie aquatiques sur des centaines de kilomètres en aval.

Une partie des rayonnements sont renvoyés dans l'espace

Plus de gaz de serre emprisonnent davantage de rayonnements dans l'atmosphère

Les rayonnements supplémentaires sont transformés en chaleur et réchauffent l'atmosphère

L'érosion du sol

Lorsque le sol est cultivé de façon trop intensive, ses minéraux et substances nutritives s'épuisent. Les racines des arbres et autres plantes naturelles ne sont plus là pour maintenir ensemble les particules du sol. Celui-ci devient friable et est balayé par le vent ou entraîné par la pluie dans les rivières.

L'équilibre naturel de l'effet de serre est bouleversé et ceci entraîne le réchauffement de la planète

L'effet de serre

L'atmosphère reçoit différents types de rayons et d'ondes provenant du Soleil. Certains d'entre eux rebondissent et sont reflétés dans l'atmosphère avant d'être transformés en chaleur. Sans cet effet naturel, qui se produit depuis des millions d'années, la température sur Terre serait inférieure de 10 à 15 °C. Cependant, les gaz produits par l'activité humaine, comme le dioxyde de carbone et le méthane, augmentent l'effet de serre.

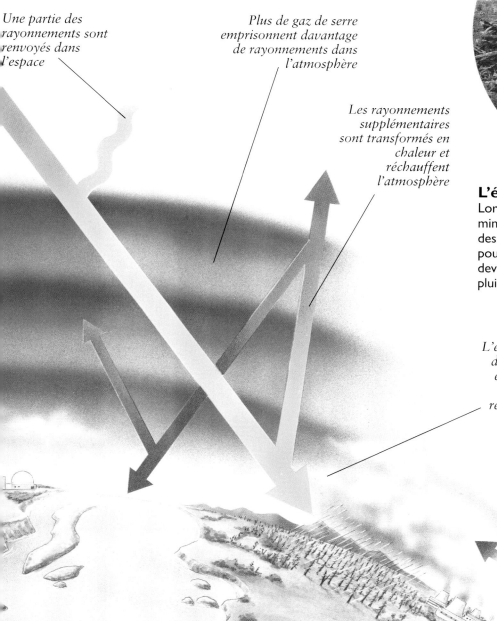

Comment un simple pendule arrive-t-il à indiquer l'heure en se balançant de droite à gauche ?

📷 **Vous trouverez la réponse à la page 239**

Comment la chaleur du Soleil nous parvient-elle à travers l'espace, et combien de temps met-elle pour nous atteindre ?

📷 **Vous trouverez la réponse à la page 237**

Les ondes radio proviennent naturellement de l'espace lointain, mais comment peut-on en créer ici sur Terre ?

📷 **Vous trouverez la réponse à la page 243**

Comment peut-on dire l'heure à partir d'une ombre ?

📷 **Vous trouverez la réponse à la page 230**

Il y a des moments où la moindre fraction de seconde compte. Quelle est notre vitesse de réaction aux événements soudains ?

📷 **Vous trouverez la réponse à la page 209**

La lumière du soleil semble être blanche, mais pourquoi un coucher de soleil est-il rouge ?

📷 **Vous trouverez la réponse à la page 234**

L'espace et le temps

LOIN DE NOTRE VIE QUOTIDIENNE sur Terre, l'univers constitue un monde étrange et vraiment extraordinaire. Des étoiles naissent et explosent. Des amas d'étoiles, appelés galaxies, s'éloignent les uns des autres. Les lignes droites sont en fait courbes, et le temps s'accélère ou ralentit. La science moderne arrive à expliquer certains de ces phénomènes stupéfiants, mais pas tous.

La Terre dans l'espace

IL Y A BIEN LONGTEMPS, les gens croyaient que la Terre était plate et occupait le centre de l'univers. Petit à petit, les études et les explorations scientifiques ont démontré que la Terre n'était pas plate mais ronde comme une balle, et que la position de la Terre dans l'espace était simplement celle d'une petite planète gravitant autour de notre étoile locale, le Soleil. Vus de notre planète, le Soleil, la Lune et les étoiles semblent se déplacer dans le ciel. Il est vrai que la Lune est en orbite autour de la Terre. Mais les déplacements du Soleil et des étoiles ne sont qu'apparents : ils sont en fait causés par les mouvements de la Terre.

Nicolas Copernic (1473 – 1543) étudia les arts, la médecine, et le droit avant de devenir un canon de l'Église en Pologne. Il s'intéressa ensuite à l'astronomie. Il suggéra que le système géocentrique qui plaçait la Terre au centre de tout, et auquel on croyait depuis l'Antiquité, ne collait pas avec les observations astronomiques. Il avança l'idée du système héliocentrique selon lequel la Terre et les autres planètes tourneraient autour du Soleil. Ceci provoqua de grandes discussions, mais marqua aussi le début d'une nouvelle ère scientifique.

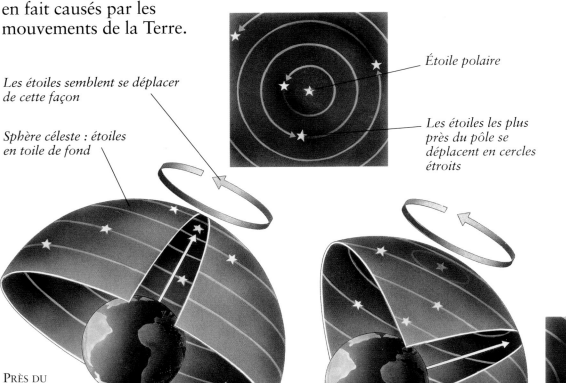

Étoile polaire

Les étoiles les plus près du pôle se déplacent en cercles étroits

Les étoiles semblent se déplacer de cette façon

Sphère céleste : étoiles en toile de fond

PRÈS DU PÔLE

La Terre tourne en fait dans ce sens

À UNE LATITUDE MOYENNE

Les étoiles les plus près du pôle se déplacent en cercles étroits

Les étoiles proches de l'Équateur décrivent de grandes courbes

Pourquoi les étoiles se déplacent

Les étoiles semblent se déplacer différemment dans le ciel nocturne selon l'endroit où on se trouve. Près des pôles géographiques Nord et Sud, elles poursuivent une course circulaire dans le ciel. Au nord, l'étoile du Nord ou Étoile polaire est directement alignée sur l'axe de rotation de la Terre. Elle donne donc l'impression d'être immobile alors que les autres étoiles tournent autour. À des latitudes moyennes, les étoiles qui sont le plus près des pôles (plus au nord ou au sud) donnent l'impression de voyager en cercles très étroits, alors que celles situées près de l'Équateur décrivent de plus grandes courbes. Près de l'Équateur, on voit les étoiles "de profil". Elles semblent se déplacer presque en lignes parallèles à travers le ciel. Bien sûr, les étoiles ne bougent presque pas. C'est la rotation de la Terre sur son axe qui leur donne une impression de mouvement.

PRÈS DE L'ÉQUATEUR

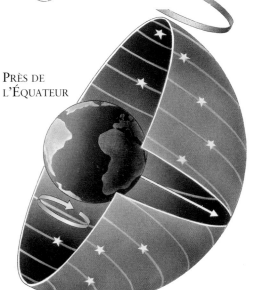

Les étoiles semblent traverser le ciel en ligne droite

VOIR AUSSI : LA PLANÈTE TERRE PAGE 142, L'EXPLORATION DE L'ESPACE PAGE 176

Données sur les planètes

Planète	Distance moyenne du Soleil (en millions de kilomètres)	Diamètre (en kilomètres)	Longueur d'une journée (en heures ou jours terrestres)	Longueur d'une année (en jours ou années terrestres)	Nombre de lunes
Mercure	58	4 878	58,6 jours	88 jours	0
Vénus	108	12 102	243 jours	224,7 jours	0
Terre	149	12 756	24 heures	365,3 jours	1
Mars	227	6 794	25 heures	687 jours	2
Ceinture d'astéroïdes entre Mars et Jupiter					
Jupiter	777	142 796	10 heures	11,9 ans	16
Saturne	1 425	120 660	10 heures	29,5 ans	Plus de 20
Uranus	2 869	51 100	23 heures	84 ans	Plus de 16
Neptune	4 489	49 600	16 heures	165 ans	8
Pluton	5 889	2 200	6 jours	248 ans	1

Une station dans l'espace

L'ex URSS lança la partie centrale de la station spatiale *Mir* en février 1986. Son nom signifie "paix" et "monde" en russe. La partie principale de la station fait 17 m de long et 4 m de large. Elle ressemble beaucoup à la station précédente *Saliout*, sauf qu'elle a quatre bâbords supplémentaires où des vaisseaux de passage peuvent s'arrimer, et deux modules privés pour les séjours prolongés dans l'espace. Le module scientifique *Kvant 1* fut ajouté à la partie principale en 1987. Beaucoup de gens ont vécu et travaillé dans la station *Mir*, certains pendant plus d'un an. Elle est desservie par un vaisseau de ravitaillement sans équipage, le *Progress*. Dans les années 1990, la station spatiale subit de nombreux problèmes, y compris des dégâts causés par un vaisseau de passage et des coupures de courant.

Un lever de Terre
En mai 1969, les astronautes de la mission spatiale Apollo 10 furent les premiers à voir la planète Terre depuis un autre monde. Alors qu'ils étaient en orbite autour de la Lune, au cours de leur mission de préparation en vue de l'atterrissage prochain d'Apollo 11, la Terre se leva au-dessus de l'horizon. Comme la Lune, la Terre ne produit pas sa propre lumière. Elle brille en réfléchissant la lumière du Soleil.

L'exploration de l'espace

L'ÈRE DE LA CONQUÊTE DE L'ESPACE DÉBUTA le 4 octobre 1957 avec le lancement du satellite soviétique *Spoutnik 1*. Il s'agissait d'une simple boule de métal de 58 cm de diamètre et pesant 84 kg, contenant un radioémetteur et un thermomètre. Le monde fut stupéfait. De nos jours, on compte une mission spatiale en moyenne chaque semaine, quand un lanceur se libère de force de la gravité de notre planète pour placer sa charge en orbite autour de la Terre, ou plus loin.

Les lanceurs

Le lanceur est le type de véhicule le plus puissant existant à l'heure actuelle : le moteur-fusée. Il doit en effet surmonter la force de gravité de la Terre, ce qui veut dire qu'il doit atteindre la vitesse orbitale de 27 350 km/h à une altitude de 160 km. En suivant cette trajectoire, la troisième loi du mouvement, qui veut que l'engin se déplace en ligne droite, est contrebalancée par la force de gravité de la Terre qui tente de l'attirer vers le bas. L'engin suit donc une trajectoire courbe, tombant sans cesse vers la surface alors que celle-ci se dérobe indéfiniment.

8 mins, 50 secs
Le gros réservoir de carburant est vide et est largué. Les moteurs principaux s'éteignent et les plus petits moteurs d'entrée en orbite donnent à l'orbiteur sa poussée finale en orbite basse, à 120 km d'altitude à peu près.

8 mins
La navette se rapproche de sa vitesse orbitale, propulsée par ses moteurs principaux.

2 mins, 12 secs
Les propulseurs s'épuisent et retombent à la mer où ils sont récupérés.

VOIR AUSSI : LA PLANÈTE TER

Les atterrissages sur la Lune

Les missions Apollo avaient pour but d'envoyer des personnes sur la Lune. Le premier homme à poser le pied sur la surface lunaire fut Neil Armstrong de la mission Apollo 11, le 20 juillet 1969. Cinq autres missions eurent lieu, essentiellement chargées d'effectuer des expériences, de prendre des mesures et de prélever des échantillons de roches lunaires pour les analyser sur Terre. La dernière de ces missions fut Apollo 17 en décembre 1972. Les prochaines missions à transporter des hommes vers un autre monde pourraient être celles à destination de Mars, prévues aux environs de 2020. Le voyage prendrait neuf mois dans chaque direction.

Étage de montée mis à feu à partir de la Lune

MODULE LUNAIRE APOLLO

L'étage de descente est resté sur la Lune

ASTRONAUTES AMÉRICAINS SUR LA LUNE

Parés au travail

Les portes de la soute de l'étage orbital s'ouvrent pour dévoiler son contenu, par exemple des satellites. La navette peut transporter 30 tonnes de chargement ou de charge utile dans l'espace. Au cours de certaines missions, l'équipage arrive à manœuvrer pour se rapprocher d'un satellite déjà en orbite. Le satellite est capturé et ramené sur Terre pour y subir des modifications ou des réparations.

L'activité extravéhiculaire

On appelle "marche dans l'espace" toute activité extravéhiculaire. Dans sa combinaison spatiale pressurisée, l'astronaute a sa réserve d'air pour respirer, tout en étant protégé des rayons intenses, des températures extrêmes et des minuscules particules de poussière qui flottent dans l'espace.

Réservoir de carburant

Orbiteur

Propulseur

La navette spatiale

La navette spatiale américaine est constituée de quatre parties principales : l'orbiteur, qui ressemble à un avion et qui comporte trois moteurs-fusée à l'arrière, un énorme réservoir contenant du carburant liquide pour le décollage, et deux propulseurs à propergol solide. Ceux-ci fournissent une poussée supplémentaire au décollage, quand la force gravitationnelle est la plus grande, et que la navette pèse 2 000 tonnes en tout.

Fauteuil volant

GRANDES DÉCOUVERTES

Konstantine Tsiolkovski (1857 – 1935) était un professeur de mathématiques qui anticipa plusieurs développements dans l'exploration de l'espace. Il avança l'idée qu'un moteur-fusée pouvait fonctionner dans le vide de l'espace, ce dont beaucoup de gens doutaient à son époque. Il eut aussi l'idée des scaphandres spatiaux, des stations spatiales et des satellites artificiels.

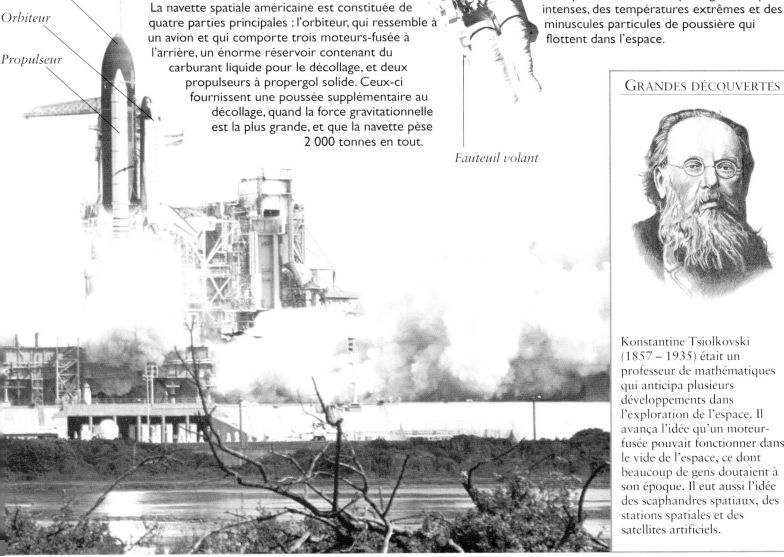

L'orbite de la Terre

UN SATELLITE EST UN OBJET qui tourne, ou orbite, autour d'un autre objet. La Lune est le satellite naturel de la Terre. Nous avons aussi lancé bon nombre de satellites artificiels, que nous appelons tout simplement des "satellites" et qui nous servent pour la topographie du sol, les télécommunications, la météorologie et l'espionnage d'éventuels ennemis. Mais la Terre elle-même est aussi un satellite : celui du Soleil. La rotation de la Terre sur son axe donne naissance au jour et à la nuit, et sa révolution elliptique ou allongée autour du Soleil produit les saisons.

AUTOMNE DANS L'HÉMISPHÈRE NORD, PRINTEMPS DANS L'HÉMISPHÈRE SUD

SOLEIL

Le voyage annuel

La Terre tourne comme une toupie sur son axe, qui constitue une ligne imaginaire traversant les pôles géographiques Nord et Sud. Elle effectue un tour complet toutes les 24 heures. De la Terre, on a l'impression que c'est le Soleil qui traverse le ciel dans la journée, puis disparaît à l'horizon le soir. Tout en tournant sur elle-même, la Terre valse dans l'espace à 30 km par seconde, effectuant son voyage annuel, ou révolution, autour du Soleil. L'axe de rotation ne se situe pas à angle droit par rapport au niveau ou plan de rotation. Il en résulte que pendant une partie de l'année, la partie supérieure, ou hémisphère Nord, de la Terre est inclinée vers le Soleil, ce qui produit les températures plus chaudes de l'été.

HIVER DANS L'HÉMISPHÈRE NORD, ÉTÉ DANS L'HÉMISPHÈRE SUD

Révolution de la Terre autour du Soleil

Les saisons

L'inclinaison de l'axe de rotation de la Terre à 23,5° du plan de son orbite autour du Soleil, donne lieu à la succession des saisons sur Terre. Près de l'Équateur, le Soleil est à son zénith à midi durant les équinoxes de printemps (vernaux) et d'automne, qui correspondent aux mois de mars et de septembre dans le calendrier. Durant le solstice d'été en juin, il se trouve au plus haut point dans le ciel dans l'hémisphère Nord, mais au plus bas dans l'hémisphère Sud, où l'on se trouve au milieu de l'hiver. Le cercle polaire antarctique est incliné de façon à se trouver caché du Soleil, et celui-ci ne se lève donc pas. Pendant ce temps, le cercle polaire arctique fait complètement face au Soleil, et celui-ci ne se couche donc jamais. Six mois plus tard, cette situation est inversée.

GRANDES DÉCOUVERTES

Le mathématicien et astronome Johannes Kepler (1571 – 1630) était partisan des idées de Copernic. Selon lui, la Terre n'était pas le centre de l'univers avec tous les astres tournant autour d'elle. C'est la Terre et les autres planètes qui tournaient autour du Soleil. Kepler calcula les orbites de la Terre et des autres planètes connues à cette époque, avec une grande précision mathématique : il s'agit des trois lois de Kepler sur le mouvement des planètes.

Bas égal froid

Pendant l'hiver, le Soleil est au-dessus de l'horizon pendant moins longtemps qu'en été. Il ne monte pas très haut dans le ciel non plus, donc ses rayons traversent l'atmosphère de la Terre en biais. Il en résulte que moins de chaleur provenant du Soleil atteint le sol et les températures sont donc plus basses. Cependant, dans l'autre hémisphère, le Soleil est plus haut dans le ciel pendant plus longtemps chaque jour. Ses rayons traversent l'atmosphère quasiment à la verticale. Ceci donne des températures plus élevées.

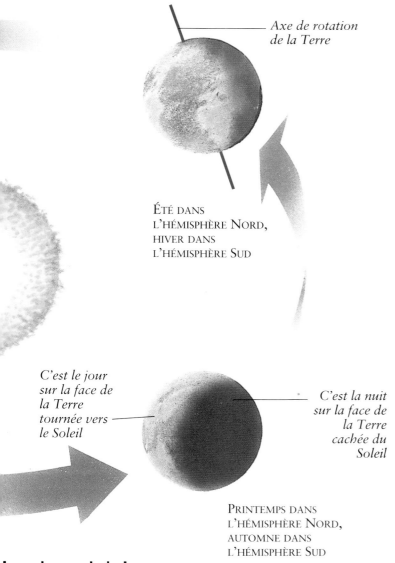

Axe de rotation
de la Terre

ÉTÉ DANS
L'HÉMISPHÈRE NORD,
HIVER DANS
L'HÉMISPHÈRE SUD

C'est le jour
sur la face de
la Terre
tournée vers
le Soleil

C'est la nuit
sur la face de
la Terre
cachée du
Soleil

PRINTEMPS DANS
L'HÉMISPHÈRE NORD,
AUTOMNE DANS
L'HÉMISPHÈRE SUD

Les phases de la Lune

La Lune tourne ou orbite autour de la Terre à une distance moyenne
de 384 400 km. Mais il s'agit d'une orbite elliptique, donc cette
distance varie entre 356 000 km et 407 000 km. Une orbite complète
dure à peu près un mois. Pour être plus précis, la Lune met 27,3 jours
pour tourner autour de la Terre, par rapport à la toile de fond
quasiment immobile des étoiles. On appelle cela un mois sidéral. Mais
la Lune a besoin de 29,5 jours pour faire le tour de la Terre par
rapport au Soleil, parce que pendant ce temps, la Terre effectue sa
propre révolution autour du Soleil. Il s'agit là d'un mois synodique. La
Lune ne produit pas sa propre lumière. Elle brille en réfléchissant la
lumière du Soleil. La tranche de Lune illuminée que nous voyons de la
Terre indique la phase de la Lune, et ces phases se répètent chaque
mois synodique.

Les paysages vus de l'espace

Les orbites des satellites varient selon leur fonction. Un satellite
d'observation qui prend des photographies de la Terre, comme
l'image ci-dessus, a une orbite basse de 500 à 1 000 km. Cependant,
elle peut être elliptique, et une partie de l'orbite peut se faire à moins
de 100 km d'altitude, pour effectuer des gros plans. Un satellite de
télécommunication orbite généralement à 35 800 km, juste au-dessus
de l'Équateur. À cette distance, chaque orbite dure 24 heures. La
Terre au-dessous effectue aussi un tour sur elle-même pendant cette
période. Vu de la surface terrestre, le satellite semble donc être
"suspendu" au même point dans le ciel. On parle d'orbite
géostationnaire. Cela veut dire que les antennes paraboliques sur
Terre n'ont pas besoin d'être tournées ou inclinées pour suivre le
satellite dans le ciel.

| PREMIER CROISSANT | PREMIER QUARTIER | LUNE GIBBEUSE CROISSANTE | PLEINE LUNE | LUNE GIBBEUSE DÉCROISSANTE | DERNIER QUARTIER | DERNIER CROISSANT |

Une Terre magnétique

LA TERRE EST EN RÉALITÉ un aimant géant. Sa force magnétique affecte tout matériau magnétique qui se trouve dans son champ d'action. C'est presque comme si un énorme aimant droit en acier était logé dans le globe. Comme un aimant droit, la Terre a deux extrémités ou pôles magnétiques. Ceux-ci ne se trouvent pas exactement aux pôles Nord et Sud géographiques autour desquels la Terre tourne, mais à proximité (voir page suivante). C'est aux pôles magnétiques que toute la force magnétique de la Terre est concentrée.

Tout objet qui peut pivoter librement, qu'il s'agisse d'un aimant droit ordinaire ou des minuscules particules chargées constituant les atomes, oscille pour qu'une de ses extrémités indique le pôle nord magnétique et l'autre le pôle sud. C'est ce que fait l'aiguille d'une boussole magnétique : elle indique le Nord et le Sud.

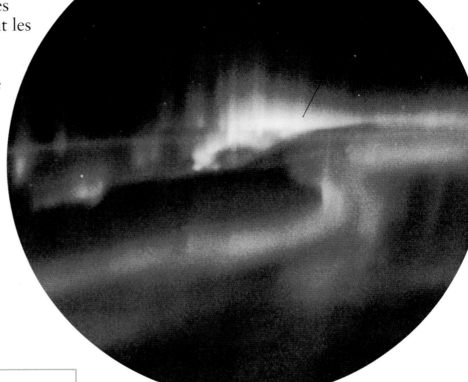

Les aurores sont de spectaculaires rideaux scintillants de couleurs qui ondulent dans le ciel nocturne

Des lumières haut dans le ciel

Les lumières du nord et du sud, ou aurores boréale et australe, semblent être créées par des particules à haute énergie provenant du Soleil et qui pénètrent dans les fissures du champ magnétique de la Terre au-dessus des pôles.

GRANDES DÉCOUVERTES

James Van Allen (1914 -) découvrit le champ magnétique externe de la Terre ou magnétosphère, en se basant sur des données rapportées par les premiers satellites et fusées. Il découvrit que la Terre était entourée de ceintures de rayonnement en forme de bouées, créées par les particules chargées provenant du Soleil, emprisonnées dans le champ magnétique de la Terre. Sur la face tournée vers le Soleil, ce champ s'étend sur 60 000 km dans l'espace. De l'autre côté, il est étiré en forme de queue par le souffle du vent solaire.

Les ceintures de rayonnement de Van Allen dans la magnétosphère

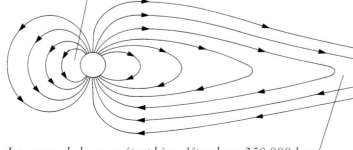

La queue de la magnétosphère s'étend sur 250 000 km

La navigation à l'aide d'aimants

Autrefois, les marins utilisaient des boussoles magnétiques pour s'orienter sur les océans. La boussole est relativement précise, mais elle est affectée par certaines fluctuations locales, appelées des anomalies magnétiques, se produisant dans le champ magnétique de la Terre. Celles-ci sont causées par la présence dans la croûte terrestre de masses rocheuses contenant du fer, ainsi que par d'autres phénomènes de ce genre. D'autre part, lorsqu'on se rapproche de l'extrémité nord ou sud du globe, les lignes de force magnétique traversent la Terre presque à la verticale. Ceci fait tournoyer l'aiguille dans tous les sens car elle essaie en vain de s'aligner avec le champ magnétique.

VOIR AUSSI : LES MYSTÈRES DU MAGNÉTISME PAGE 92, LA PLANÈTE TERRE PAGE 142

Les lignes de force magnétique pénètrent dans le globe à la verticale au niveau du pôle nord magnétique

Lignes de force magnétique invisibles

Le champ magnétique s'étend loin dans l'espace

Les lignes de force magnétique sont parallèles à la surface terrestre au niveau de l'équateur

Le champ magnétique

Le champ magnétique de la Terre enrobe la planète, comme si un énorme aimant droit était logé à l'intérieur du globe. L'effet de ce champ magnétique ne se limite aucunement aux aimants et autres matériaux à la surface de la Terre. Il s'étend dans l'atmosphère et affecte même les particules chargées qui se trouvent loin dans l'espace. La Terre est entourée par un cocon magnétique invisible appelé magnétosphère (voir illustration ci-contre).

Pôle sud magnétique

Les lignes de force s'arrondissent près du pôle

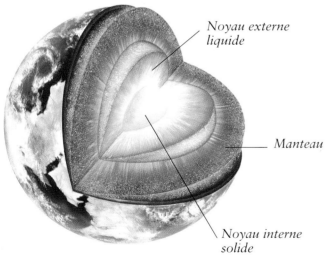

Noyau externe liquide

Manteau

Noyau interne solide

La géodynamo

Le noyau ferrique de la Terre ressemble à une dynamo géante, qu'on appelle parfois géodynamo. L'alliage de la chaleur et de la rotation de la Terre fait tournoyer le noyau externe liquide, ce qui produit d'énormes courants électriques. C'est cela qui crée le champ magnétique en vertu de l'effet électromagnétique.

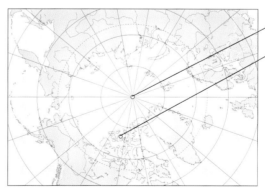

Pôle Nord géographique

Le pôle nord magnétique se situe à 70 ° nord de latitude et 100 ° ouest de longitude, sur l'île du Prince-de-Galles au Canada

Les pôles magnétiques

Le pôle nord magnétique de la Terre se trouve à plusieurs centaines de kilomètres d'ici, sur l'île du Prince-de-Galles, au Canada, du moins pour l'instant. Comme le pôle sud magnétique, il se déplace ou dérive avec le temps. Tous les 200 000 ans à peu près, il change de place avec le pôle sud, un processus que l'on appelle inversion magnétique.

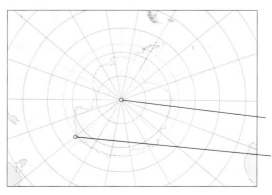

Pôle Sud géographique

Le pôle sud magnétique se trouve à 68 ° sud de latitude et 143 ° est de longitude, au sud de Terre Victoria en Antarctique

Les planètes intérieures

LA TERRE FAIT PARTIE DES QUATRE planètes qui gravitent relativement près du Soleil. Les autres sont Mercure, Vénus et Mars. Ces planètes intérieures atteignent toutes des températures assez élevées. Mercure et Mars cependant subissent un refroidissement considérable sur leur face non éclairée par le Soleil, puisqu'elles ont trop peu d'atmosphère pour retenir la chaleur. Les quatre planètes intérieures sont rocheuses ou terrestres, contrairement aux planètes extérieures, qui sont des boules de gaz.

La lune de la Terre

La plupart des planètes ont des lunes. La nôtre, la Lune, est en orbite à une distance moyenne de 384 000 km. La Lune fait à peu près un quart du diamètre de la Terre et seulement un quatre-vingtième de son poids. Elle a une structure interne similaire à celle de la Terre et sa surface est recouverte de cratères de météorites.

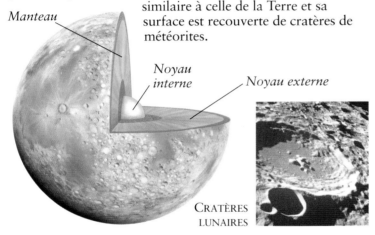

Manteau

Noyau interne

Noyau externe

CRATÈRES LUNAIRES

La Terre

Vue de l'espace, notre demeure révèle des changements plus fascinants que n'importe quelle planète. On observe des tourbillons de nuages blancs à sa surface qui créent chaque jour des formations différentes au-dessus des océans d'un bleu profond et des masses de terre parsemées de vert et de marron. À notre connaissance, la Terre est la seule planète habitée du système solaire. Cependant, certaines lunes de planètes extérieures, telles que Titan de Saturne, ont la même taille que la Terre et pourraient avoir une atmosphère et de l'eau, susceptibles d'abriter la vie, du moins telle que nous la connaissons.

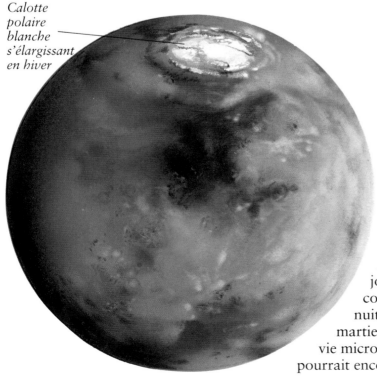

Calotte polaire blanche s'élargissant en hiver

Mars

Mars est surnommée la Planète rouge à cause de la poussière rougeâtre éparpillée à sa surface. Cette poussière est constituée d'oxydes ferriques, ce que nous appelons sur Terre de la rouille. Son paysage est ponctué de cratères, de gouffres géants et d'anciens volcans, dont la plus grande montagne du système solaire : le mont Olympus, qui mesure 25 km de haut. Mars est la seule planète à avoir une atmosphère et des températures journalières vaguement similaires à celles de la Terre. Mais sa couche atmosphérique est si mince que les températures chutent la nuit jusqu'à -130 °C. L'observation récente d'une météorite d'origine martienne suggère qu'à une certaine époque, il pourrait y avoir eu une vie microscopique de surface ou souterraine sur Mars, et aussi qu'il pourrait encore y avoir de l'eau dans le sous-sol.

VOIR AUSSI : LA PLANÈTE TERRE PAGE 142, LA TERRE DANS L'ESPACE PAGE 174

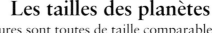

Vénus

Vénus est notre voisine la plus proche et n'est parfois éloignée que de 42 millions de kilomètres ! Elle est enveloppée d'une épaisse atmosphère de gaz carbonique entre autres, et de nuages d'acide sulfurique. L'atmosphère est si dense que la pression à la surface de la planète est 90 fois supérieure à celle de la Terre, et serait capable d'écraser complètement une maison. Les gaz emprisonnent la chaleur du Soleil de façon si hermétique que Vénus a un effet de serre aberrant, avec des températures montant jusqu'à 470 °C : ce sont les températures les plus élevées observées sur une planète. Vénus a à peu près la même taille que la Terre et environ quatre – cinquièmes de sa masse.

Les mers et les océans sont pour la plupart d'un bleu profond

Atmosphère dense composée de gaz, de fumées, de vapeurs, et de gouttelettes d'acide

La surface est cachée par les nuages

Cratères causés par les impacts de météorites

Atmosphère très mince composée de vapeurs de sodium

Mercure

La sonde spatiale Mariner 10 a révélé que Mercure était une planète aride et poussiéreuse. Elle est trop petite pour retenir une couche suffisante d'atmosphère, et il n'y a donc rien pour la protéger des météorites. Sa surface est criblée de cratères, comme celle de la Lune. Les températures à la surface peuvent monter jusqu'à 430 °C ou chuter jusqu'à -180 °C, ce qui représente les écarts les plus extrêmes de notre système solaire.

Les tailles des planètes

Les planètes intérieures sont toutes de taille comparable, par rapport aux différences qui existent entres les planètes extérieures. Mercure est la plus petite avec 4 878 km de diamètre, et sa masse est un dix-huitième celle de la Terre.

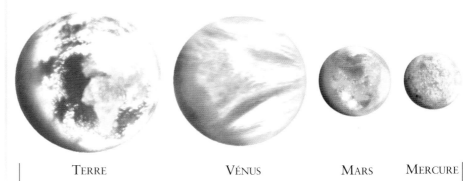

| TERRE | VÉNUS | MARS | MERCURE |

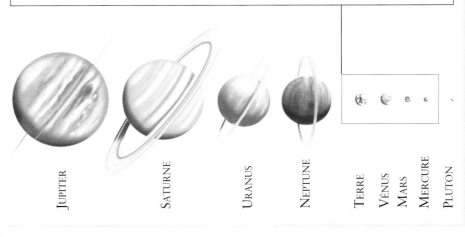

JUPITER · SATURNE · URANUS · NEPTUNE · TERRE · VÉNUS · MARS · MERCURE · PLUTON

Comètes et astéroïdes

EN PLUS DES PLANÈTES et de leurs lunes, des milliers de morceaux de roche et de glace gravitent autour du Soleil. On trouve parmi eux de minuscules particules de poussière ainsi que des mini-planètes de plusieurs centaines de kilomètres de diamètre. Il s'agit d'astéroïdes qui sont des débris résiduels du système solaire, des fragments trop éparpillés pour se regrouper et former une véritable planète. La plupart forment une large bande entre Mars et Jupiter, appelée la ceinture d'astéroïdes. Mais certains gravitent près de la Terre et s'écrasent parfois dessus. Heureusement, ils sont en général si petits qu'ils se consument en pénétrant dans l'atmosphère, donnant naissance aux étoiles filantes ou météores, visibles la nuit.

La comète Hale-Bopp
La plupart des comètes sont trop petites pour être visibles à l'oeil nu. Mais en 1995, une comète d'une taille et d'une clarté exceptionnelles fut repérée au-delà de Jupiter par Alan Hale et Thomas Bopp aux États-Unis. Baptisée Hale-Bopp selon la tradition, c'est-à-dire d'après ceux qui l'ont découverte, son observation depuis la Terre fut la plus claire en 1997. Les images du télescope spatial Hubble montrèrent son énorme noyau de 40 km de diamètre.

À l'intérieur d'une comète

La partie centrale ou noyau d'une comète est une grosse "boule de neige sale", un bloc de glace défoncé ressemblant à une pomme de terre et recouvert de poussière faisant généralement quelques centaines de mètres de large. Mais au fur et à mesure qu'elle se rapproche du Soleil, cette boule de neige sale commence à fondre sous l'effet de la chaleur. De la poussière, des vapeurs et des gaz sont projetés à l'arrière, formant une queue de plusieurs millions de kilomètres de long. Étant donné que cette queue est produite par le vent solaire, elle est toujours dans la direction opposée au Soleil. Quand la comète dépasse le Soleil et retourne vers l'espace lointain, sa queue fait face à la direction de son déplacement.

Noyau dans la tête

Tête

Queue

Des mauvais présages

Les gens pensaient autrefois que les comètes étaient des présages de catastrophes.

▶ Un livre chinois vieux de 2 400 ans répertorie 27 types de comètes ainsi que le type de désastre qu'elles apportent.

▶ Quand la comète de Halley apparut en 66 ap. J-C, les gens crurent qu'elle annonçait la fin de Jérusalem.

▶ En 1835, la comète de Halley fut rendue responsable d'un incendie à New York, du massacre de Fort Alamo et des guerres à Cuba et en Amérique Latine.

VOIR AUSSI : LA TERRE DANS L'ESPACE PAGE 174, LES PLANÈTES INTÉRIEURES PAGE 182

Les comètes et les cratères

Les comètes ont des orbites longues et ovales, ou elliptiques, autour du Soleil. Elles surgissent des profondeurs de l'espace, tournent autour du Soleil et disparaissent à nouveau, pour ne revenir que quelques années ou siècles plus tard. Si la Terre traverse la queue d'une comète, les particules de poussière de celle-ci deviennent des météoroïdes qui se consument dans notre atmosphère, créant un flux spectaculaire de météores. En de rares occasions, de gros morceaux de roche spatiale ne se consument pas complètement. Ils s'écrasent à la surface de la Terre à une vitesse incroyable, créant un énorme trou appelé cratère. Les morceaux qui arrivent à traverser l'atmosphère et à toucher la Terre s'appellent des météorites.

Une zone dangereuse

Un vaisseau spatial voyageant entre Mars et Jupiter doit franchir la ceinture d'astéroïdes. La plupart des astéroïdes sont éloignés les uns des autres, mais certains forment des groupes serrés qu'on appelle des essaims.

L'astronome américain Fred Whipple (1906 -) fut le premier à suggérer en 1949 que les comètes avaient un minuscule noyau de glace et de poussière, ainsi que du dioxyde de carbone, du méthane et de l'ammoniac gelés. C'est cette idée qui est à l'origine de l'appellation "boule de neige sale". La poussière et les gaz sublimés produisent la longue queue brillante de la comète. Les idées de Whipple furent confirmées en 1986.

Des signes de vie ?

En 1997, des scientifiques annoncèrent que la vie pourrait exister sur Mars. Et pourtant, il n'y avait aucun vaisseau près de Mars à cette époque. En réalité, une météorite trouvée sur Terre fut identifiée comme un fragment de roche qui aurait été détaché de Mars par une autre météorite. Une étude au microscope révéla de minuscules structures dans la roche qui pourraient être des fossiles de formes de vie minuscules. Se pourrait-il que ces organismes soient toujours en vie sur la Planète rouge ?

Certains astéroïdes font plusieurs kilomètres de diamètre

Certains astéroïdes sont aussi petits qu'une maison

Les planètes extérieures

LES PLANÈTES EXTÉRIEURES ou éloignées du système solaire, c'est-à-dire Jupiter, Saturne, Uranus, Neptune et Pluton, sont très différentes des planètes intérieures. À l'exception de Pluton, elles sont beaucoup plus grosses. Jupiter fait près de 1 500 fois la taille de la Terre. Elles ont toutes un petit noyau de fer et de roche, mais sont essentiellement constituées de gaz. Cela veut dire qu'elles sont toutes plutôt légères pour leur taille. Si l'on pouvait trouver une baignoire assez grande, Saturne arriverait à flotter dedans sans grande difficulté. Étant donné que les planètes extérieures sont si grandes et si loin du Soleil, elles sont très froides et leurs gaz sont devenus liquides ou même solides.

Les anneaux ne for... que 1 à 2 km d'épaisseur

Groupe d'anneaux minces

Tache rouge

L'une des lunes de Jupiter

Jupiter

Jupiter est la planète la plus grande, et elle est deux fois plus lourde que toutes les autres planètes réunies. Elle tourne si vite (une rotation complète en moins de dix heures) qu'elle est légèrement bombée près de son équateur. Bien que Jupiter soit composée essentiellement d'hydrogène et d'hélium, sa masse est si importante que ces substances se liquéfient près du centre sous la pression imposée par sa propre gravité ; elle contient aussi un petit noyau solide. Sur sa surface, on a observé un énorme tourbillon, la tache rouge, qui fait trois fois la taille de la Terre.

L'équateur de Jupiter est bombé, dû à sa vitesse de rotation

Les sondes spatiales
De nombreuses sondes dans l'espace lointain se sont rendues jusqu'aux planètes extérieures. Voyager 2 est passée près de Saturne, Uranus et Neptune. La sonde Cassini-Huygens quant à elle devrait atteindre Saturne en juillet 2004. L'orbiteur Cassini se mettra en orbite autour de Saturne alors que le module d'atterrissage Huygens se posera sur Titan, l'une des lunes de la planète.

Pluton

Pluton est la plus petite planète derrière Mercure. Elle est si éloignée que vu de sa surface, le Soleil ne serait pas beaucoup plus gros que les autres étoiles du ciel. Pluton a une lune baptisée Charon, qui fait plus de la moitié de sa taille. Elles forment un système de planètes jumelées, comme notre Terre et la Lune, tournant l'une autour de l'autre comme une paire d'haltères tournoyante. Pluton est si petite qu'elle est souvent considérée comme une planète mineure, plutôt que comme une planète à part entière

CHARON

PLUTON

VOIR AUSSI : LA TERRE DANS L'ESPACE PAGE 174, LES PLANÈTES INTÉRIEURES PAGE 182

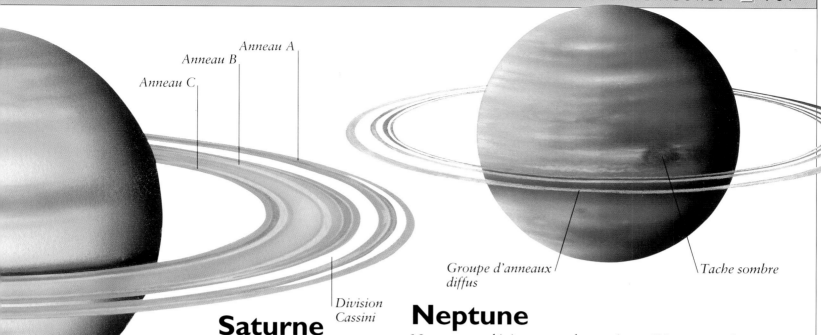

Anneau A

Anneau B

Anneau C

Groupe d'anneaux diffus

Tache sombre

Division Cassini

Saturne

Saturne a presque la même taille que Jupiter, et elle est aussi constituée essentiellement d'hélium et d'hydrogène "métalliques", aussi bien à l'état gazeux qu'à l'état liquide. Elle est entourée d'un halo d'anneaux scintillants constitués de milliards de minuscules blocs de glace et de poussière, la plupart n'étant pas plus gros qu'une balle de tennis, gravitant sans fin autour de la planète.

Neptune

Neptune est légèrement plus petite qu'Uranus, mais tout aussi froide. Son noyau rocheux est recouvert d'un océan d'eau, de méthane et d'ammoniac d'une profondeur de plusieurs milliers de kilomètres. Une épaisse atmosphère d'hydrogène et d'hélium l'enveloppe, à travers laquelle soufflent des vents à plus de 2 000 km/h. De loin, la planète a une apparence bleue parsemée de fins nuages blancs. Comme Jupiter, Neptune a une énorme zone de tourbillons appelée tache sombre.

La couleur bleu-vert vient du méthane présent doans l'atmosphére

Groupe d'anneaux diffus

Les tailles des planètes

Toutes les planètes extérieures, à l'exception de Pluton, ont des groupes d'anneaux, bien qu'aucun ne soit aussi spectaculaire que celui de Saturne. D'autre part, toutes sauf Pluton ont non pas une seule lune, mais tout un essaim de satellites naturels. Ganymède et Titan, les lunes respectives de Jupiter et de Saturne, sont toutes les deux bien plus grosses que la planète Mercure.

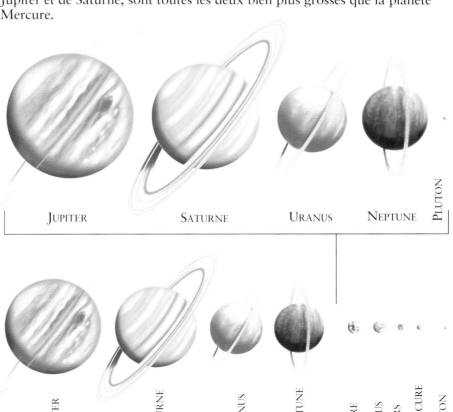

JUPITER   SATURNE   URANUS   NEPTUNE   PLUTON

JUPITER   SATURNE   URANUS   NEPTUNE   TERRE   VÉNUS   MARS   MERCURE   PLUTON

Uranus

Uranus n'est pas aussi grosse que Jupiter ou Saturne, mais elle fait quand même quatre fois la taille de la Terre et quatorze fois sa masse. Elle est si éloignée du Soleil que les températures à sa surface chutent jusqu'à -210 °C. Bizarrement, Uranus est presque inclinée sur le côté au cours de sa révolution autour du Soleil. Une année entière fait 84 ans terrestres.

Le Soleil

LE SOLEIL EST NOTRE ÉTOILE LOCALE ; c'est une gigantesque boule de feu qui tourne sur elle-même et où se consument des gaz constitués de trois quarts d'hydrogène et d'un quart d'hélium. Il est si grand (plus de 1,3 millions de fois le volume de la Terre et 333 420 fois sa masse) que les pressions en son centre sont inimaginables. De telles pressions suffisent à transformer le Soleil en une énorme centrale d'énergie nucléaire par le processus de fusion d'atomes d'hydrogène, libérant tant d'énergie que les températures montent jusqu'à 15 millions de degrés Celsius. La surface du Soleil constitue un gigantesque brasier.

Couronne ⸻

Chromosphère ⸻

À l'intérieur du Soleil

La surface du Soleil ou photosphère subit des températures de plus de 5 500 °C, ce qui est assez élevé pour fondre n'importe quelle substance. Elle est mouchetée de taches brillantes, appelées granules, à travers lesquelles la chaleur provenant du noyau après avoir traversé les zones radiatives et convectives fait irruption à la surface. Au-dessus de la photosphère se trouve l'atmosphère du Soleil, qui est constituée de la chromosphère au-dessous et de la couronne au-dessus. D'énormes langues d'hydrogène chaud, appelées des protubérances et ressemblant à des flammes, sont projetées à plus de 100 000 km dans l'espace.

Protubérance solaire

Noyau

GRANDES DÉCOUVERTES

Galileo Galilei, dit Galilée (1564 – 1642) fut l'un des plus grands scientifiques de tous les temps. Il fit plusieurs découvertes sur la gravité et l'accélération. Mais il est mieux connu pour avoir été le premier à utiliser un télescope pour scruter les cieux et effectuer d'importantes découvertes, qui sont décrites dans son livre *Le messager des étoiles* (1610). Il fut le premier à voir des montagnes sur la Lune, ainsi que les lunes de Jupiter et les taches solaires. Malheureusement, il abîma gravement sa vue en regardant directement le Soleil.

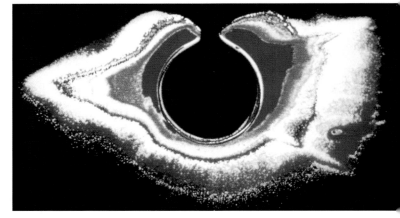

La puissance du Soleil

La lumière et les autres formes de rayonnement provenant du Soleil nous fournissent de la chaleur et de la lumière directement, ainsi que de l'énergie lumineuse utilisée par les plantes. Des combustibles comme le pétrole et le charbon étaient autrefois de minuscules organismes et des plantes qui ont emmagasiné de l'énergie grâce au Soleil.

VOIR AUSSI : LA TERRE DANS L'ESPACE PAGE 174, LES ÉTOILES PAGE 190

Photosphère
Zone convective
Zone radiative

SOHO

Bien que le Soleil ne soit pas très éloigné comparé à d'autres corps astronomiques et malgré sa grandeur, il y a encore beaucoup de choses que les scientifiques ne comprennent pas à son sujet. C'est pour cette raison que le 2 décembre 1995, la NASA a lancé SOHO, un observatoire solaire et héliosphérique. Celui-ci est en ce moment en orbite autour du Soleil, en équilibre entre l'attraction gravitationnelle de la Terre et celle du Soleil. Il observe le Soleil en permanence et devrait pendant plusieurs années fournir un flot d'informations, qu'il relayera vers la Terre grâce à son antenne radio.

Panneaux solaires

Antenne radio parabolique

Tache solaire   Protubérance solaire   Granules

Les taches solaires

Sur la surface du Soleil se trouvent des taches solaires moins chaudes qui sont plus sombres. Elles apparaissent normalement en groupes et se déplacent sur la face du Soleil au cours de sa rotation. Leur nombre varie, mais il semble y en avoir le plus tous les 11 ans. Certains scientifiques pensent qu'elles sont à l'origine des temps plus froids et orageux sur Terre.

Orbite de la Lune autour de la Terre

C'est le jour sur la face éclairée de la Terre

C'est la nuit sur la face non éclairée de la Terre

La Lune se trouve entre le Soleil et la Terre

La lune brille en réfléchissant la lumière du Soleil

Ombre de la Lune sur la Terre

Éclipse totale de la Lune quand la Terre se trouve entre elle et le Soleil

Des ombres solaires

De temps à autre, la Terre s'interpose entre le Soleil et la Lune, et parfois la Lune fait de même. On appelle cela une éclipse, parce que l'une éclipse le Soleil pour l'autre. Une éclipse lunaire se produit quand la Lune pénètre dans la zone d'ombre de la Terre. Une éclipse solaire se produit quand la Lune se place entre le Soleil et la Terre, projetant une ombre de quelques kilomètres de large sur la Terre. D'autres planètes sont aussi éclipsées par leurs lunes. De la Terre, on peut voir la Lune et son ombre se déplaçant à la surface de la planète.

Face cachée de la lune

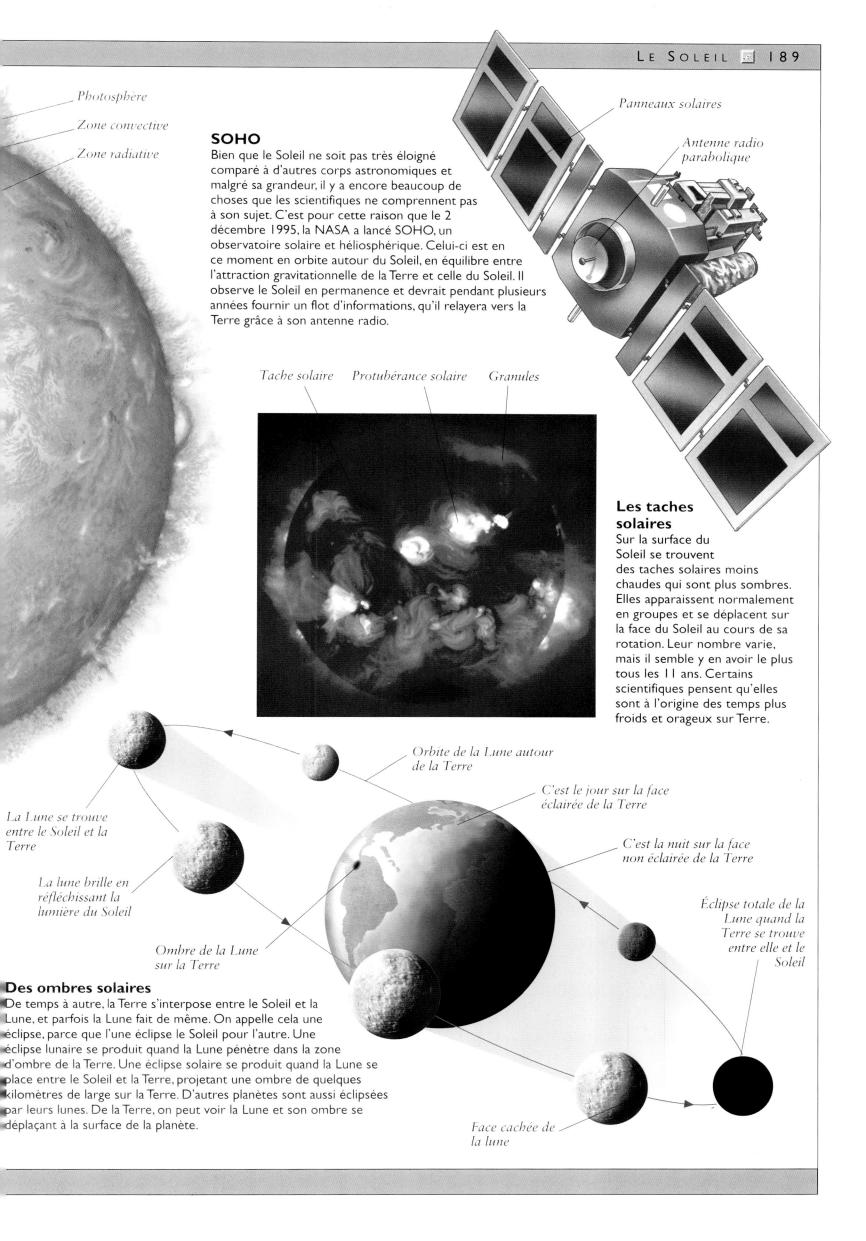

Les étoiles

LES QUELQUES CENTAINES OU MILLIERS D'ÉTOILES que l'on voit briller dans le ciel nocturne ne représentent qu'une infime fraction du nombre total d'étoiles éparpillées dans l'Univers. Il en existe des milliards et des milliards et, comme notre Soleil, elles sont toutes d'énormes boules de gaz qui se consument. En fait, notre Soleil est moyen et même petit pour une étoile. Il existe des étoiles géantes rouges qui sont cent fois plus grosses et des étoiles supergéantes qui sont 500 fois plus grosses que le Soleil ! Il existe aussi des naines blanches qui sont plus petites que la Terre, des étoiles de neutrons ou pulsars qui font juste quelques kilomètres de diamètre, ainsi que de nombreux autres objets incroyables dans l'espace lointain.

La couleur des étoiles

La couleur des étoiles peut nous en dire long sur elles.

▶ Plus une étoile est blanche et plus sa température est élevée, plus elle est lumineuse.

▶ Plus elle est rouge et froide, plus elle est diffuse.

▶ Les étoiles rouges froides qui sont lumineuses doivent donc être relativement proches, alors que les étoiles chaudes et blanches qui sont diffuses doivent se trouver assez loin.

▶ Les étoiles d'un blanc bleuâtre font plus de 25 000 °C en surface.

▶ Les étoiles jaunâtres font à peu près 6 000 °C.

▶ Les étoiles rouge orangé font moins de 3 500 °C.

La naissance d'une étoile
Les étoiles naissent dans des nuages de poussière et de gaz appelés des nébuleuses. Les amas se contractent par leur propre force de gravité.

Prête à briller
En se contractant de plus en plus, chaque amas commence à chauffer, mais pas assez pour se mettre à briller.

Elle brille enfin !
Les amas plus petits arrêtent leur croissance et deviennent des "naines brunes". Si l'amas atteint une température de 10 millions de degrés Celsius, des fusions nucléaires se déclenchent et l'amas se condense jusqu'à devenir une étoile lumineuse.

Une clarté régulière
Dans une étoile de taille moyenne, la chaleur essaie d'agrandir l'étoile, mais ce phénomène est contrebalancé par la gravité qui essaie de la rapetisser. L'étoile reste donc à la même taille et brille de façon régulière pendant des milliards d'années.

La vie des étoiles

Des étoiles se forment, ou naissent, et s'éteignent, ou meurent, à tout moment et partout dans l'Univers. En observant différents types d'étoiles, nous assistons en fait aux différentes étapes de la vie d'une étoile. Les astronomes ont réussi à reconstituer l'histoire de la vie d'étoiles types. Les grosses étoiles ont généralement des vies courtes mais spectaculaires : elles brûlent férocement pendant 10 millions d'années au maximum avant de s'effondrer pour donner naissance à un trou noir. Les étoiles moyennes comme le Soleil ont une durée de vie de dix milliards d'années environ avant d'exploser ou d'être réduites à la taille de naines blanches. Les petites étoiles continuent à briller faiblement pendant beaucoup plus longtemps.

La fusion nucléaire fait briller l'étoile

De l'hydrogène brûle dans le noyau de l'étoile pour produire de l'hélium qui brûle à son tour

VOIR AUSSI : LE SOLEIL PAGE 188, LES GALAXIES PAGE 192, L'ESPACE LOINTAIN PAGE 194

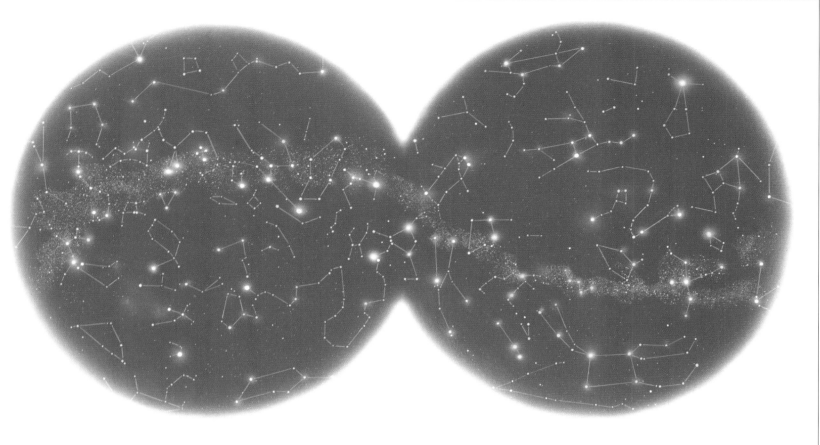

Le ciel nocturne

Puisque la Terre tourne, les constellations tournent aussi dans le ciel nocturne. Et puisque la Terre tourne autour du Soleil, différentes étoiles apparaissent et disparaissent chaque nuit. Mais cela n'est dû qu'au mouvement de la Terre ; les étoiles, elles, restent plus ou moins au même endroit.

Plus grosse et plus rouge

Quand l'hydrogène est complètement brûlé, le noyau de l'étoile rétrécit et commence à fusionner des atomes d'hélium à la place. Les couches externes gazeuses de l'étoile refroidissent et enflent, et on obtient une géante rouge.

L'effondrement

Dans les plus grosses étoiles, les changements se poursuivent dans le noyau, et l'étoile commence soudainement à absorber de l'énergie au lieu d'en libérer. Elle s'effondre en quelques secondes.

Les débris d'une étoile qui a explosé ou supernova s'effondrent pour former un pulsar

Naine blanche

Trou noir

La mort

Les restes d'une supernova peuvent se condenser pour former un pulsar, c'est-à-dire une étoile qui tourne à très grande vitesse et qui est constituée en majeure partie de particules atomiques appelées neutrons. Une petite étoile (plus petite que notre Soleil) refroidit petit à petit et rétrécit pour donner une naine blanche. Elle peut continuer à rétrécir jusqu'à ce que toute sa matière soit réduite à un seul point de densité infinie que l'on appelle un trou noir.

Une supernova

L'effondrement d'une gigantesque étoile ressemble à une énorme explosion nucléaire que l'on appelle une supernova. Pendant quelques semaines, elle brille autant que plusieurs millions de Soleils. Les traces d'existence de supernovae par les astronomes remontent à la Chine et à l'Égypte anciennes.

Une grande étoile se transforme en supergéante, avec une pression énorme en son centre

Quand les transformations chimiques commencent à produire du fer dans le noyau, l'étoile s'effondre soudain

Les galaxies

Jusqu'en 1918 environ, les astronomes pensaient que toutes les étoiles formaient un amas circulaire géant avec notre Soleil au milieu. La bande de lumière diffuse que l'on voit parfois dans le ciel lors d'une nuit sombre est la vue de biais de ce disque : on l'appelle la Voie lactée ou Galaxie. Il s'agit d'un énorme groupe comprenant 100 milliards d'étoiles, et d'un diamètre d'à peu près 106 000 années-lumière. Mais peu de temps après, dès les années trente, ces idées furent revues et corrigées, plus d'une fois. En fait, notre galaxie n'en est qu'une parmi des millions d'autres éparpillées dans tout l'Univers. Chaque galaxie contient des milliards d'étoiles.

La Voie lactée
Notre galaxie est la bande lumineuse pâle que l'on voit parfois la nuit dans le ciel. Il est difficile de distinguer des étoiles à l'intérieur. On dirait presque que quelqu'un a versé du lait dans le ciel, d'où le nom de Voie lactée. Le mot *galaxie* vient du grec ancien qui veut dire "laiteux".

Notre galaxie

Les galaxies ne sont pas éparpillées de façon homogène dans l'Univers. Elles sont regroupées en nombre variant d'une demi-douzaine à plusieurs milliers. Notre galaxie fait partie d'un amas de 3 000 galaxies appelé "groupe local". Tous les autres amas sont si lointains que tout ce que nous voyons d'eux, ce sont des points lumineux. Mais à l'intérieur du groupe local, il est possible d'identifier plusieurs formes différentes de galaxies (voir ci-contre). Notre galaxie est une spirale, tout comme la galaxie d'Andromède.

Notre Soleil et notre système solaire se situent à peu près ici

Les bras s'amincissent aux extrémités

VOIR AUSSI : LE SOLEIL PAGE 188, LES ÉTOILES PAGE 190, L'ESPACE LOINTAIN PAGE 194

GRANDES DÉCOUVERTES

William Herschel
(1738 – 1822) a suivi une
formation d'organiste, mais il
était si passionné
d'astronomie qu'il construisit
son propre télescope géant
dans le sous-sol de sa maison
à Bath, en Angleterre. Il
agrandit la liste des cinq
planètes connues depuis
l'Antiquité, c'est-à-dire
Mercure, Vénus, Mars,
Jupiter, et Saturne, en y
ajoutant une nouvelle qu'il
découvrit en 1781. Il voulut la
baptiser George, d'après le roi
George III d'Angleterre, mais
elle est aujourd'hui connue
sous le nom d'Uranus.

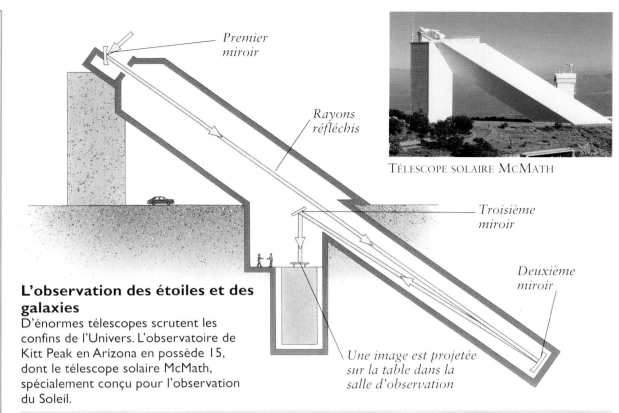

Premier miroir

Rayons réfléchis

TÉLESCOPE SOLAIRE MCMATH

Troisième miroir

Deuxième miroir

Une image est projetée sur la table dans la salle d'observation

L'observation des étoiles et des galaxies

D'énormes télescopes scrutent les confins de l'Univers. L'observatoire de Kitt Peak en Arizona en possède 15, dont le télescope solaire McMath, spécialement conçu pour l'observation du Soleil.

Les types de galaxies

Il existe plusieurs types de galaxies, qui sont déterminés par la forme de celles-ci. Les galaxies ne sont pas immobiles, elles se déplacent dans l'espace à une vitesse vertigineuse. Parfois, il arrive même qu'elles entrent en collision les unes avec les autres. Lorsque ceci se produit, sur une durée de plusieurs centaines de millions d'années, la force de gravité de chaque galaxie arrache de longues traînées d'étoiles et de gaz à l'autre. Il existe aussi des radiogalaxies qui produisent peu de lumière, mais qui émettent d'énormes quantités d'ondes radio et autres types d'ondes électromagnétiques.

Espace vide entre les galaxies

Disque ou bulbe central

SPIRALE

Bras

SPIRALE BARRÉE

Région centrale

IRRÉGULIÈRE

ELLIPTIQUE

L'espace lointain

LES ÉTOILES ET LES GALAXIES produisent constamment d'énormes quantités d'ondes ou de rayonnement. Une partie de ce rayonnement est constitué de lumière. Mais il s'agit pour la plupart de rayonnement invisible, dont les longueurs d'ondes sont trop longues ou trop courtes pour pouvoir être perçues par l'œil humain. Les astronomes utilisent des télescopes spéciaux pour détecter le rayonnement invisible, qui comprend les rayons X, les rayons gamma et les ondes radio. Ceci a mené à la découverte des objets les plus fascinants de l'espace lointain. Parmi ceux-ci, on peut citer les pulsars, les quasars et les trous noirs, dont l'existence remet en cause les principes et lois scientifiques en vigueur, et demande de nouvelles façons de penser.

Les radiotélescopes

L'antenne parabolique ou les câbles d'un radiotélescope interceptent de faibles ondes radio provenant de l'espace. Les signaux sont si faibles qu'il est préférable que l'antenne soit de grande taille. Le plus grand radiotélescope à antenne unique est celui d'Arecibo au Porto Rico, en Amérique du Sud. Il est logé dans une vallée située dans les collines et son antenne mesure 305 m de diamètre.

Les lieux où naissent les étoiles et les galaxies

Une nébuleuse est un énorme nuage constitué d'hydrogène et autres gaz, de poussière et de morceaux de matière interstellaire ; elle produit aussi bien de la lumière que différentes formes de rayonnement. La nébuleuse de l'Aigle révèle des "doigts" de gaz projetant des globules de gaz appelés EGG (*Evaporating Gaseous Globules*). Il s'agit de nurseries d'étoiles qui, dans plusieurs milliards d'années, se seront condensées pour donner naissance à des étoiles. Cette image de la nébuleuse de l'Aigle, qui se trouve à 7 000 années-lumière de la Terre, a été prise par le télescope Hubble.

Centre du trou noir

Matière et énergie pénètrent en tourbillonnant dans une sorte d'entonnoir pour arriver au trou noir central

Les trous noirs

Les trous noirs sont des endroits où la gravité est si forte qu'elle aspire tout, y compris la lumière ; c'est pour cela que le trou est noir. Personne n'en a jamais vu, mais on pense qu'un trou noir se forme quand une étoile ou une galaxie devient si compacte qu'elle s'effondre sous la force de sa propre gravité. Elle rétrécit jusqu'à devenir un point incroyablement petit appelé une singularité.

VOIR AUSSI : LES GALAXIES PAGE 192, L'UNIVERS PAGE 196

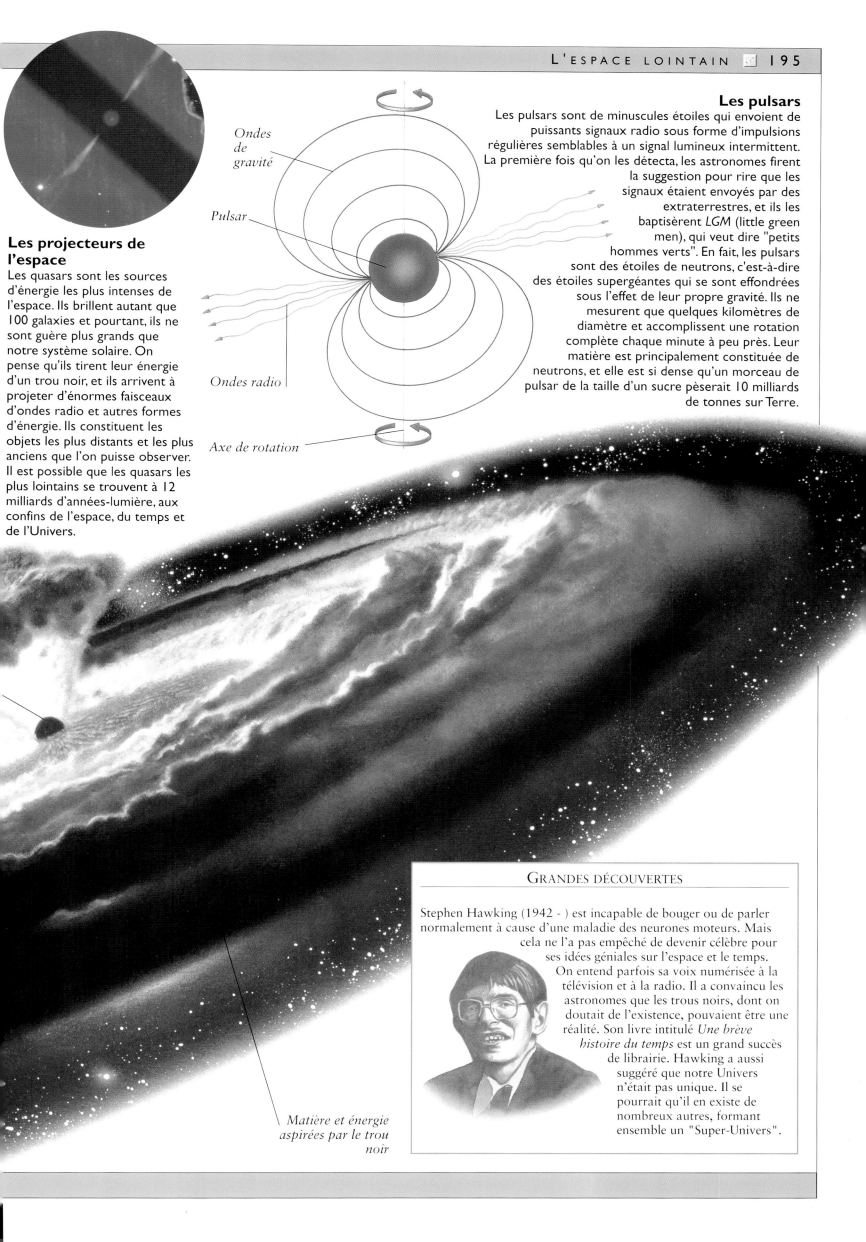

Les pulsars

Les pulsars sont de minuscules étoiles qui envoient de puissants signaux radio sous forme d'impulsions régulières semblables à un signal lumineux intermittent. La première fois qu'on les détecta, les astronomes firent la suggestion pour rire que les signaux étaient envoyés par des extraterrestres, et ils les baptisèrent *LGM* (little green men), qui veut dire "petits hommes verts". En fait, les pulsars sont des étoiles de neutrons, c'est-à-dire des étoiles supergéantes qui se sont effondrées sous l'effet de leur propre gravité. Ils ne mesurent que quelques kilomètres de diamètre et accomplissent une rotation complète chaque minute à peu près. Leur matière est principalement constituée de neutrons, et elle est si dense qu'un morceau de pulsar de la taille d'un sucre pèserait 10 milliards de tonnes sur Terre.

Ondes de gravité

Pulsar

Ondes radio

Axe de rotation

Les projecteurs de l'espace

Les quasars sont les sources d'énergie les plus intenses de l'espace. Ils brillent autant que 100 galaxies et pourtant, ils ne sont guère plus grands que notre système solaire. On pense qu'ils tirent leur énergie d'un trou noir, et ils arrivent à projeter d'énormes faisceaux d'ondes radio et autres formes d'énergie. Ils constituent les objets les plus distants et les plus anciens que l'on puisse observer. Il est possible que les quasars les plus lointains se trouvent à 12 milliards d'années-lumière, aux confins de l'espace, du temps et de l'Univers.

Matière et énergie aspirées par le trou noir

GRANDES DÉCOUVERTES

Stephen Hawking (1942 -) est incapable de bouger ou de parler normalement à cause d'une maladie des neurones moteurs. Mais cela ne l'a pas empêché de devenir célèbre pour ses idées géniales sur l'espace et le temps. On entend parfois sa voix numérisée à la télévision et à la radio. Il a convaincu les astronomes que les trous noirs, dont on doutait de l'existence, pouvaient être une réalité. Son livre intitulé *Une brève histoire du temps* est un grand succès de librairie. Hawking a aussi suggéré que notre Univers n'était pas unique. Il se pourrait qu'il en existe de nombreux autres, formant ensemble un "Super-Univers".

L'Univers

PERSONNE NE CONNAÎT LA TAILLE RÉELLE de l'Univers. Peut-être que ses limites sont trop lointaines pour qu'on puisse les détecter. Peut-être aussi qu'il est infini et continue sans fin. Ou bien peut-être qu'il se courbe sur lui-même, et qu'il est donc aussi infini qu'un cercle. Peut-être a-t-il des liens avec d'autres Univers. Ce que nous savons par contre avec certitude, c'est que l'Univers est en expansion constante. Les galaxies s'éloignent de nous dans toutes les directions et à grande vitesse. Autrefois, on considérait l'Univers comme quelque chose qui englobait tout ce qui existait. Mais récemment, les cosmologistes (scientifiques qui étudient la nature de l'Univers) ont réduit cette acception pour n'inclure que ce nous pouvons connaître : l'espace, le temps et la matière.

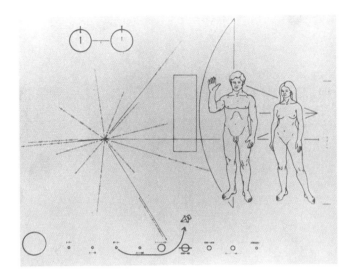

L'échelle universelle

Nous arrivons à nous faire une idée des tailles et des distances dans notre environnement immédiat, comme par exemple la taille d'un terrain de foot en mètres carrés, ou la distance jusqu'à l'école en kilomètres. Mais les tailles et les distances sont trop importantes dans l'espace pour que nous puissions correctement les concevoir. Une mesure de la distance en kilomètres produirait des chiffres si longs que les scientifiques utilisent l'année-lumière comme unité de distance. Une année-lumière représente la distance parcourue par la lumière, ou n'importe quelles autres ondes électromagnétiques, en un an, c'est-à-dire 9 460 000 000 000 km. Même avec cette unité, les distances jusqu'aux quasars éloignés se mesurent en milliards d'années-lumière.

Un vaisseau pionnier

Bien que les êtres humains ne soient pas allés plus loin que la Lune, des sondes inhabitées explorent l'espace plus lointain, et découvrent plus de choses sur nos planètes voisines. En 1989, la sonde Voyager 2 a atteint Neptune (elle avait été lancée en 1977) où elle a découvert six nouvelles lunes. Elle a maintenant dépassé les limites du système solaire et se lance dans l'immensité de l'espace. Tout comme sa compagne Voyager 1, elle contient une plaque dorée ornée de représentations du corps humain, de la Terre et de nos planètes et étoiles voisines, et même des enregistrements de la parole et de musique. Sera-t-elle jamais trouvée ?

La planète Terre fait environ 12 800 km de diamètre

Le système solaire fait environ 7 milliards de kilomètres de diamètre

La lumière provenant de l brillante la plus proche, A Centaure, met 4,3 années nous atteindre ; elle se sit à une distance de 4,3 ann lumière

VOIR AUSSI : L'ESPACE LOINTAIN PAGE 194, À PROPOS DU TEMPS PAGE 198

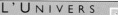

Les Univers d'autrefois

Notre compréhension de l'Univers et notre vision de la Terre comme une minuscule boule tournant sur elle-même dans l'immensité de l'espace, nous semblent si familières qu'il est difficile d'imaginer que des gens aient pu penser différemment. Mais il a fallu des milliers d'années d'étude et de réflexion scientifique pour arriver à ces idées. Les Égyptiens de l'Antiquité représentaient l'Univers comme une pyramide où la Terre était la base et les quatre côtés les cieux. Les anciens hindous pensaient que le monde était une plaque reposant sur le dos de quatre éléphants debout sur une tortue géante flottant dans le vide.

Est-ce la fin de l'Univers ?

Le rayonnement provenant de certains quasars met 12 milliards d'années pour nous atteindre. Ceci remonte à la naissance de l'Univers, donc à son début plutôt qu'à sa fin.

Une galaxie spirale typique fait 100 000 années-lumière de diamètre

GRANDES DÉCOUVERTES

Edwin Hubble (1889 – 1953) fut l'un des grands astronomes du 20ème siècle. Ayant reçu une formation d'avocat, et ayant aussi eu une carrière à succès comme boxeur, il s'intéressa à l'astronomie dans les années vingt. Au cours de travaux avec le télescope géant du mont Wilson en Californie, il montra qu'il existait beaucoup d'autres galaxies. Hubble utilisa aussi le décalage spectral vers le rouge (voir ci-contre) pour démontrer que ces autres galaxies s'éloignent de la nôtre à une vitesse considérable, et que l'Univers doit donc être en expansion.

Le décalage spectral vers le rouge

Les études effectuées sur les ondes lumineuses émises par les galaxies démontrent qu'elles ont un spectre lumineux décalé vers le rouge. En d'autres termes, les ondes sont légèrement plus longues, et donc tirent plus vers le rouge qu'on ne serait porté à le penser. (Ceci résulte de l'effet Doppler qui se produit aussi avec les ondes sonores). Plus les galaxies sont éloignées, plus leur spectre lumineux se décale vers le rouge, ce qui veut dire qu'elles se déplacent plus vite. Les galaxies les plus éloignées ont un décalage vers le rouge si important qu'elles doivent se déplacer pratiquement à la vitesse de la lumière. La conclusion de cela est que l'Univers est en expansion, et que cette expansion s'accélère !

À propos du temps

LE TEMPS SEMBLE ÊTRE la seule constante de notre monde. Le tic-tac régulier d'une horloge indique le passage des secondes, des minutes et des heures. On ne peut ni accélérer le temps, ni le faire revenir en arrière. Mais est-ce vraiment le cas ? Les idées scientifiques modernes répondent à cette question par la négative. Le temps n'est pas constant. Il varie. Plus on se déplace vite, plus le temps passe lentement. Il existe même des théories qui disent qu'il serait possible d'arrêter le temps voire de le faire revenir en arrière.

L'accélération du temps ?

Dans un passé confus et lointain, il ne se passait, semble-t-il, pas grand chose, et le temps avait l'air d'avancer au ralenti. Il a fallu des milliers d'années à nos ancêtres primates pour devenir des être humains. Puis, les gens ont découvert l'agriculture et ont commencé à vivre dans des villes. On a l'impression aujourd'hui que le temps file à toute allure, avec les changements presque hebdomadaires apportés par les nouvelles inventions.

Il y a 4 000 ans
Les gens se mettent à vivre dans de petites huttes, puis à s'installer dans des villes. La révolution de la civilisation commence, avec la construction de grandes cités, de temples et autre bâtiments magnifiques.

Il y a 400 ans
La Renaissance permet à la science de faire un bond en avant. De nouvelles idées et expériences abondent. La révolution industrielle qui suit, au début du 18ème siècle, accélère l'arrivée de nouveaux gadgets et inventions.

Plus vite égal plus lent

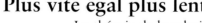

La théorie de la relativité d'Einstein prédit que le temps est relatif au mouvement. Plus on se déplace vite, plus le temps passe lentement. Les astronautes qui passent plusieurs mois en orbite autour de la Terre, dans la station *Mir*, sont une ou deux secondes plus jeunes à leur retour que s'ils étaient restés à la surface de la Terre.

Il y a 40 ans
Des avions peuvent transporter des passagers en seulement quelques heures sur des distances qui demandaient autrefois un voyage de plusieurs jours. Les gratte-ciel s'élèvent dans les villes autour du monde. La radio, puis la télévision font leur apparition dans les foyers, permettant la révolution des communications.

VOIR AUSSI : L'ÉVOLUTION DU TEMPS 200, LE PASSÉ ET L'AVENIR PAGE 202

La mesure du temps

Nos années, nos mois et nos jours sont calculés en fonction de la rotation de la Terre et de la Lune dans l'espace et de leur révolution autour du Soleil. Des appareils de calcul du temps, tels que les chandelles graduées et les cadrans solaires, ont permis de diviser les jours en heures. Les horloges mécaniques ont été inventées au 17ème siècle, et elles se sont progressivement améliorées pour atteindre une précision de quelques dixièmes de seconde. Les horloges électroniques et atomiques d'aujourd'hui ont une précision de quelques millionièmes de secondes.

Les heures
Une heure ou deux peuvent ne pas faire une grande différence quand le temps n'est pas un facteur essentiel dans les événements traditionnels.

Les minutes
Les minutes ont gagné de l'importance au fur et à mesure que les appareils de mesure du temps sont devenus plus précis, comme avec les horaires de train ou de bus par exemple.

Les fractions de seconde
Avec le chronométrage électronique, un ou deux centièmes de seconde peuvent faire la différence entre un ancien et un nouveau record mondial.

Il y a 4 milliards d'années
La Terre naît d'une boule de gaz et de poussières qui s'est formée dans l'espace, s'est réchauffée, puis s'est lentement refroidie.

Il y a 4 ans
Les missions spatiales envoient de nombreux nouveaux satellites de télécommunication pour faire face à la révolution de l'information qui se manifeste par la prolifération des téléphones mobiles, l'augmentation des transferts de données informatiques et l'arrivée de l'Internet.

Aujourd'hui
La station spatiale internationale est en train d'être assemblée en orbite pièce par pièce, ce qui prendra 20 ans en tout.

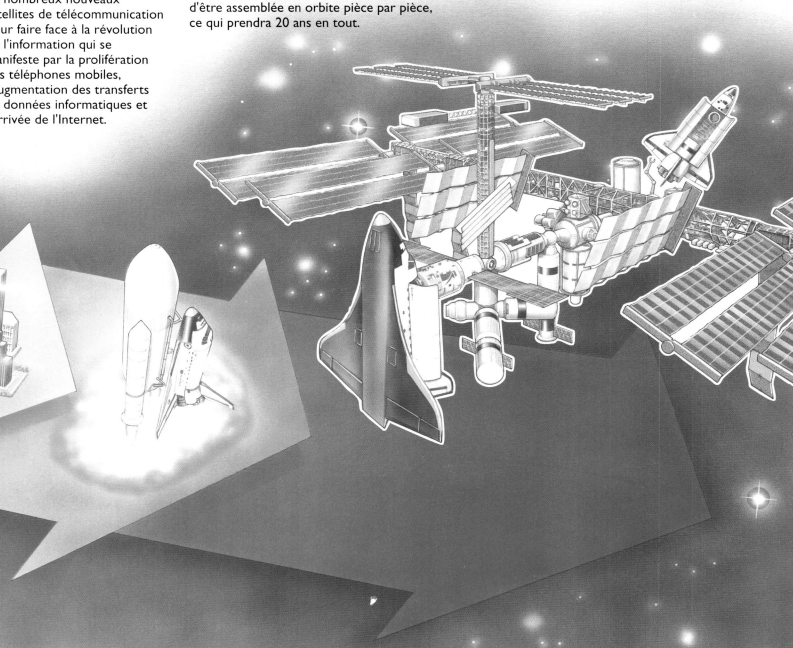

L'évolution du temps

Tout le monde est conscient du temps qui passe. Cependant, les scientifiques ont des difficultés à cerner avec précision la nature du temps. Dans notre esprit sensé, il n'avance que dans une seule direction, du passé vers l'avenir. Mais si on étudie les lois scientifiques de base, les choses ne se passent pas toujours forcément ainsi. Par exemple, les lois du mouvement s'appliquent tout aussi bien si le temps avance que s'il recule. Aujourd'hui, les scientifiques conçoivent le temps non plus comme quelque chose qui avance ou recule, mais comme une dimension à part entière. Nous vivons trois dimensions tous les jours. Il s'agit des dimensions spatiales de la longueur, de la largeur et de la hauteur. En y ajoutant la quatrième dimension du temps, on obtient le continuum spatio-temporel, que l'on appelle aussi "l'espace-temps".

La relativité du temps
Quelle heure est-il ? Si on envoyait une image de notre montre en direct, sous forme d'ondes radio à un ami qui se trouve sur une planète éloignée, cette image mettrait quelques minutes avant d'atteindre cet ami. Qui aurait alors l'heure correcte, vous ou lui ? On ne peut déterminer le temps que par rapport à autre chose, par exemple, la position du Soleil dans le ciel. C'est pour cela que l'on parle de la relativité du temps.

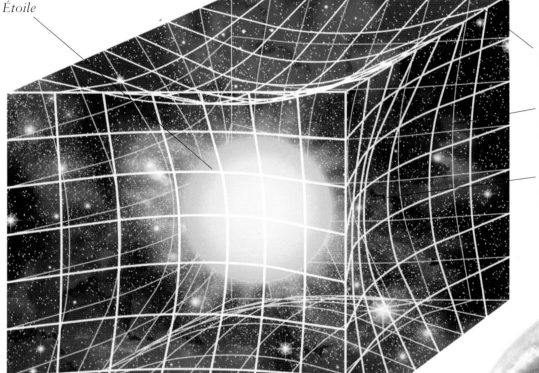

Étoile

Les trois dimensions de l'espace

L'espace est déformé ou plié par la force de gravité de l'étoile

La déformation est plus grande à proximité de l'étoile

L'espace-temps distordu

Selon la théorie de la relativité générale, la gravité n'attire pas que les atomes de matière, elle attire tout. L'énorme force gravitationnelle d'une étoile peut même étirer et plier l'espace-temps. Quand cela se produit, un rayon lumineux qui voyage en ligne droite dans l'espace effectue une courbe au moment où il dépasse l'étoile. Il traverse toujours l'espace en ligne droite, mais l'espace lui-même est incurvé. On peut comparer cela à une feuille de caoutchouc en deux dimensions. Une force gravitationnelle importante a le même effet qu'un ballon lourd qu'on lâche au milieu de la feuille, et qui l'étire et la déforme. En appliquant cette image aux trois dimensions de l'espace, puis aux quatre dimensions, en comptant le temps, on peut comprendre comment la gravité déforme l'espace-temps.

VOIR AUSSI : À PROPOS DU TEMPS PAGE 198, LE PASSÉ ET L'AVENIR PAGE 202

Les étapes de la création de la Terre

Il est généralement accepté que la Terre est née il y a environ 4,6 milliards d'années. Comme les autres planètes du système solaire, elle était tout d'abord un nuage de gaz et de poussière en orbite autour du Soleil. En tournoyant, ce nuage s'est mis à se condenser ou à se regrouper sous l'effet de sa propre gravité. Au moment où il s'est transformé en boule de roche en fusion, sa température a augmenté, avant de se mettre à baisser. Quand les roches ont commencé à se solidifier, elles ont dégagé de la vapeur d'eau qui s'est condensée pour former des nuages ; à leur tour, ceux-ci ont produit des averses torrentielles qui ont duré plusieurs dizaines de milliers d'années. Les météorites qui ont atteint la Terre sont des bouts de roches venant d'autres endroits du système solaire. Elles ont aussi été datées à 4,6 milliards d'années, de même que les roches lunaires ramenées par les missions Apollo.

Gaz chauds et poussière rassemblés sous l'effet de leur propre gravité en tournoyant autour du Soleil

Il y a 4 milliards d'années, des volcans sont entrés en éruption et de l'eau est apparue sous forme liquide

Les roches les plus anciennes datent de 3,8 milliards d'années

Il y a 4,6 milliards d'années, les gaz et la poussière se sont condensés pour donner naissance à une boule brillante

Il y a environ 4,5 milliards d'années, cette boule a commencé à refroidir

Au début, l'atmosphère était constituée de gaz toxiques tels que le méthane, le dioxyde de carbone et le dioxyde de soufre

Très tôt, des formes de vie simples (comme les bactéries et les algues bleu-vert) ont produit de l'oxygène, créant une atmosphère semblable à celle d'aujourd'hui

Le démarrage du temps

Si l'Univers a été créé par un événement appelé le big bang, ceci pourrait aussi être l'instant où le temps lui-même a commencé. Peut-être qu'il n'existait rien du tout avant cela. S'il n'y avait pas d'espace, il ne pouvait pas y avoir de temps non plus.

▶ **0 seconde** L'Univers est au départ une minuscule boule surchauffée d'une grande densité. Il atteint la taille d'une citrouille tout en refroidissant jusqu'à 10 milliards de milliards de milliards de degrés Celsius.

▶ 10^{-35} **secondes** Juste après, l'espace se dilate un millier de milliards de milliards de milliards de fois en une fraction de seconde. Cette période d'inflation cosmique créa l'espace nécessaire à la croissance de l'Univers naissant.

▶ 10^{-32} **secondes** En s'étendant, l'Univers déborde d'énergie et de matière. Les forces de base comme la gravité et l'électromagnétisme sont créées. Il n'y a pas d'atomes, mais une "soupe" de minuscules particules comme les quarks.

▶ 10^{-8} **secondes** Tout est divisé en matière et en son image inversée : l'antimatière. La matière et l'antimatière ne peuvent pas coexister, et elles se détruisent. Comme il y avait légèrement plus de matière que d'antimatière, cette matière survit. L'annihilation matière-antimatière dégage l'espace vide qui constitue la majeure partie de l'Univers.

▶ **3 minutes** Les quarks commencent à s'agglutiner pour former les plus petits atomes, ceux de l'hydrogène. Puis, les atomes d'hydrogène s'assemblent pour former des atomes d'hélium. L'Univers est bientôt rempli de nuages d'hydrogène et d'hélium.

▶ **1 million d'années** Les nuages de gaz se figent sous forme de longues mèches appelées des filaments.

▶ **300 millions d'années** Les filaments s'amassent pour créer des nuages, et les nuages s'amassent pour former les galaxies et les étoiles.

Le passé et l'avenir

Petit à petit, les scientifiques découvrent de plus en plus de choses sur notre monde et notre Univers. Ce n'est qu'au cours des dernières années que nous avons commencé à mieux comprendre comment l'Univers est né, comment les étoiles se sont formées, comment la Terre a changé et comment la vie a évolué. Nous savons maintenant que toute la matière se compose de minuscules particules reliées entre elles par quatre forces de base. La science progresse de plus en plus vite, surtout dans les domaines de la génétique, de l'informatique, des communications et de l'exploration de l'espace.

Mais on est loin d'avoir tout compris. Un jour, les scientifiques espèrent élaborer une "grande théorie sur tout", c'est-à-dire une idée simple et élégante qui donne un sens définitif à toutes les forces, la matière et l'énergie où qu'elles se trouvent.

GRANDES DÉCOUVERTES

Pierre de Fermat (1601 – 1665) était mathématicien à ses heures perdues. Il a travaillé sur des idées complexes en géométrie, dans les probabilités, la théorie des nombres et en physique. En 1637, il élabora un problème sur les nombres que l'on appelle le "grand théorème de Fermat" et qu'il disait avoir résolu. Mais il n'expliqua pas comment. Ce problème a tracassé les scientifiques pendant très longtemps, jusqu'à ce que Andrew Wiles en trouve la réponse en 1994.

Le réseau des communications de demain

Deux technologies liées joueront des rôles déterminants dans l'avenir : les ordinateurs et les télécommunications. Les informaticiens parlent déjà d'une manipulation des atomes qui permettra de construire des ordinateurs puissants pas plus grands qu'un bouton. Reliés par de minuscules systèmes radioélectriques, ils accéderaient directement et instantanément par satellite à un réseau global d'information totale.

Particules reliées entre elles par des forces

Les forces relient les particules entre elles

Les bases de la science

Quelles sont les composantes les plus fondamentales de notre Univers ? Il semble que l'on puisse établir deux principales divisions : la matière ou la substance d'une part, et les forces d'autre part. Concernant la matière, il ne semble pas y avoir de particule plus petite que les quarks et qu'un autre groupe semblable de particules appelées les leptons. En ce qui concerne les forces, on en compte quatre. Il s'agit de la gravité, de l'électromagnétisme, et des forces nucléaires fortes et faibles. Nous supposons que toutes ces forces ont existé depuis la création du temps et de l'espace, c'est-à-dire quand l'Univers s'est formé il y a plus de 12 milliards d'années.

VOIR AUSSI : LES ATOMES PAGE 14, L'UNIVERS PAGE 196

D'une expansion à une contraction ?

Quel est le destin de l'Univers ? Va-t-il se dilater à l'infini ? La réponse dépend partiellement de la quantité de matière qui s'y trouve. La majeure partie de l'Univers pourrait être constitué d'une mystérieuse "matière noire" que nous n'avons pas encore découverte. S'il n'y en a pas beaucoup, l'Univers pourrait continuer à s'agrandir. S'il existe beaucoup de matière noire, sa gravité pourrait mettre fin à cette expansion et commencer à ramener l'Univers vers son centre. Il rétrécirait ensuite de plus en plus vite, comme un big bang inversé, et se terminerait par un big crunch (grande contraction). Cela marquera-t-il alors la fin des temps ?

D'autres mondes

En 1976, deux sondes spatiales Viking ont atterri en douceur sur Mars. Elles ont renvoyé des images de sa surface et testé des échantillons de poussière martienne à la recherche de traces de vie, mais sans aucun résultat. En 1997, une autre sonde, Pathfinder, s'est rendue sur la planète avec un petit robot télécommandé du nom de Sojourner. À mesure que notre exploration de l'espace devient plus complexe et plus sophistiquée, nous découvrons de plus en plus de choses sur notre système solaire. Mais des voyages dans d'autres galaxies nécessiteraient un déplacement à une vitesse supérieure à celle de la lumière, ce qui relève encore pour l'instant de la science-fiction.

SONDE VIKING
ENVOYÉE SUR MARS

IMAGE DE LA SURFACE DE MARS PRISE PAR LA SONDE VIKING

Le génie génétique

Après avoir découvert la structure de l'ADN et déchiffré son code génétique, les scientifiques sont maintenant capables de modifier les gènes des êtres vivants. Les instructions génétiques ont été transférées entre des organismes radicalement différents. Par exemple, un gène "antigel", qui permet au sang de certains poissons de l'Arctique de résister au gel, a été introduit dans une tomate pour la rendre résistante au givre. D'autre part, les chercheurs espèrent effectuer une thérapie des gènes pour traiter les maladies héréditaires. Mais les effets à long terme des manipulations génétiques ne sont pas bien connus. On craint par exemple que des gènes ne soient transférés dans les germes, ce qui permettrait le développement d'une race de super-insectes et provoquerait des épidémies dévastatrices à l'échelle planétaire.

Comment des plantes et des animaux peuvent-ils vivre tout autour de nous, et passer presque inaperçus ?

🔽 **Vous trouverez la réponse aux pages 206-209**

Que sont les cristaux, les mélanges et les solutions ?

🔽 **Vous trouverez la réponse aux pages 210-213**

De quoi l'air est-il composé et comment les ballons, les hélicoptères et les avions arrivent-ils à voler dans l'air ?

🔽 **Vous trouverez la réponse aux pages 214-219**

D'où provient la pluie et où va-t-elle après être tombée ?

🔽 **Vous trouverez la réponse aux pages 220-225**

Pourquoi les sons produisent-ils parfois un tintamarre et parfois une belle musique ?

🔽 **Vous trouverez la réponse aux pages 226-229**

Comment la lumière peut-elle changer la taille des choses, inverser leur sens, ou même indiquer l'heure ?

🔽 **Vous trouverez la réponse aux pages 230-235**

Pourquoi l'électricité et le magnétisme sont-ils si importants dans le monde moderne ?

🔽 **Vous trouverez la réponse aux pages 240-245**

Comment le simple fait de soulever un livre puis de le laisser tomber peut-il expliquer les phénomènes de l'énergie et des forces ?

🔽 **Vous trouverez la réponse aux pages 236-239**

Expériences scientifiques

LA MÉTHODE SCIENTIFIQUE implique la formulation d'une idée ou d'une théorie, la prédiction d'un certain résultat, et la réalisation d'expériences pour la tester. Par un processus d'essais et d'erreurs, on écarte les anciennes théories pour en élaborer de nouvelles, ce qui permet de progresser vers une meilleure compréhension générale. L'étape concrète qui consiste à réaliser des projets, des tests et des expériences est fondamentale pour le progrès scientifique.

De la lumière pour pousser

LES PLANTES UTILISENT L'ÉNERGIE contenue dans la lumière pour produire leur nourriture. Découvre ce qui se passe si les plantes sont maintenues dans l'obscurité.

VOIR : LA VIE SUR TERRE PAGE 164

Il te faut

De la semence de cresson

Du terreau

Un bac peu profond pour faire pousser la semence

Du carton et des ciseaux

1 Remplis le bac de terreau. Saupoudre de la semence de cresson sur la surface et arrose légèrement.

2 Place le bac sur le rebord d'une fenêtre où il sera exposé à la lumière. Observe chaque jour la croissance des semences.

3 Quelques jours plus tard, quand les feuilles se sont formées, découpe une feuille de carton assez large pour recouvrir le bac. Découpe un trou dans le carton, et recouvre le bac avec. Encore une fois, observe chaque jour ce qui se passe. Qu'arrive-t-il aux pousses cachées par le carton ? Comment peux-tu déduire d'après cette expérience que les plantes ont besoin de lumière pour pousser ?

Le phototropisme

LES PLANTES ESSAIENT DE POUSSER vers la lumière vive pour que leurs feuilles obtiennent autant de lumière que possible. On appelle cela le phototropisme.

VOIR : LA LUMIÈRE PAGE 124

Il te faut

De la semence de cresson

Du terreau

Un petit bac peu profond pour la semence

Une boîte en carton et des ciseaux

1 Remplis le bac de terreau. Saupoudre la semence de cresson sur le dessus et arrose légèrement.

2 Pratique une ouverture d'à peu près 10 cm de long sur le côté de la boîte en carton. Place le bac dans la boîte et referme la boîte avec son couvercle. Dépose la boîte près d'une fenêtre de façon à ce que la lumière puisse passer par l'ouverture.

ATTENTION !
Sois prudent avec les moisissures. Si tu les touches, lave-toi les mains et lave aussi le récipient où elles se trouvaient après avoir terminé cette expérience.

3 Observe les semences au moment où elles se mettent à germer. Poussent-elles à la verticale, comme elles le font normalement, ou vers l'ouverture ?

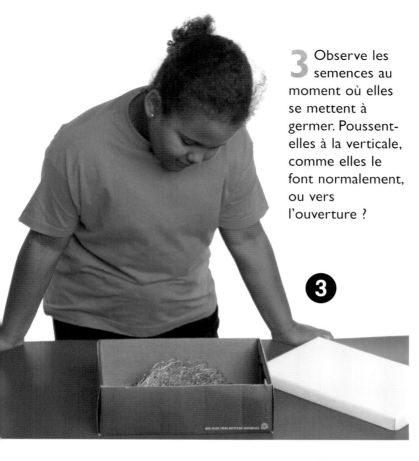

3

La moisissure

LA MOISISSURE est un type de champignon. Elle pousse sur les organismes vieux ou morts, y compris la nourriture avariée.

VOIR : LA VIE SUR TERRE PAGE 164

Il te faut
Une petite assiette
Du film alimentaire transparent
Du pain
Une loupe

1 Dépose quelques petits morceaux de pain dans le récipient. Laisse-les à l'air libre pendant quelques heures. Ajoute quelques gouttes d'eau au pain pour le rendre humide. Recouvre le récipient avec le film et laisse-le dans un endroit tiède.

1

Tout comme la moisissure, les fougères se reproduisent à partir de spores. Mais le processus est différent. Tout d'abord, les spores germent en donnant de petites feuilles en forme de cœur, appelées des prothalles. Ceux-ci se développent ensuite pour donner une nouvelle fougère.

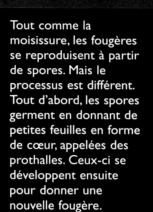

2

2 Quelques jours plus tard, tu dois normalement trouver plein de moisissures sur le pain. Observe la moisissure à travers le film transparent. Utilise la loupe pour l'étudier de plus près. Vois-tu les minces filaments qui s'étirent sur le pain, ainsi que les minuscules excroissances noires et sphériques ? Cette moisissure est de type saprophyte. Les "têtes d'épingle" noires dégagent de minuscules spores, aussi petites que des grains de poussière. Ces spores germent pour donner à leur tour de la moisissure.

De minuscules bestioles dans le sol

LE SOL D'UN JARDIN abrite beaucoup de minuscules créatures. Essaie de les trouver et de les étudier.

VOIR : LA VIE SUR
TERRE PAGE 164

Il te faut

Des gants en caoutchouc

Un déplantoir

Un bocal

Une feuille de papier vierge

Un vieux crayon

Une loupe

1 Prélève un peu de terre meuble du jardin dans le bocal. Étale-la sur la feuille de papier. Mets tes gants en caoutchouc et émiette le sol à l'aide du crayon. Regarde s'il y a de quelconques petites créatures.

ATTENTION !
Méfie-toi des germes dangereux qui se trouvent dans l'eau ou le sol. N'utilise que le sol ou l'eau du bassin qui se trouvent dans ton jardin. Porte toujours des gants et lave-toi les mains quand tu as fini.

2 Observe les créatures à la loupe. Essaie de les dessiner. Les animaux qui vivent dans le sol jouent un rôle important. Ils aident à décomposer les parties mortes des plantes, comme les feuilles. Ceci les transforme en éléments nutritifs dont les autres plantes ont besoin pour pousser. Certains animaux, tels les vers, ameublissent et aèrent le sol. Après avoir étudié ces créatures, remets-les ainsi que le sol là où tu les as trouvés.

La vie aquatique

DE MINUSCULES CRÉATURES vivent dans les ruisseaux et les bassins. Essaie d'en voir en examinant une petite quantité d'eau et de boue.

VOIR : LES FLEUVES ET LES LACS PAGE 158

Il te faut

Des gants en caoutchouc
Des bocaux vides et de la ficelle
Une assiette en verre
Une feuille de papier vierge
Une loupe
Un microscope
(si tu peux en emprunter un)

1 Après avoir mis tes gants en caoutchouc, utilise un bocal attaché à la ficelle pour prélever un peu d'eau du bassin. Si possible, prélève aussi un peu de boue du fond du bassin. **N'effectue surtout pas cette opération sans la présence d'un adulte.**

2 Pose l'assiette sur la feuille de papier blanc, puis verse un peu d'eau dedans. Regarde maintenant l'eau à travers la loupe. Vois-tu des petites créatures dedans ? Étale aussi une petite quantité de boue dans l'assiette et examine-la. Si tu as un microscope à ta disposition, utilise-le pour observer une goutte d'eau du bassin.

Toutes les créatures vivant dans les étangs ne sont pas minuscules. On trouve par exemple des bébés libellules, ou nymphes. Ils vivent sous l'eau et ne sortent qu'après quelques mois. Ils grimpent alors le long d'une tige puis ils muent pour laisser sortir leurs ailes, comme la libellule adulte sur la photo.

Les temps de réaction

LES ANIMAUX RÉAGISSENT quand quelque chose se produit. Cette expérience te permet de tester ton temps de réaction.

VOIR : À PROPOS DU TEMPS PAGE 198

Il te faut

Une règle
Un crayon et du papier

1 Travaille avec un ami. Place tes paumes face à face, à quelques centimètres de distance l'une de l'autre.

2 Demande à ton ami de tenir la règle de sorte que le zéro de la règle se trouve au niveau de tes pouces, comme le montre l'illustration.

3 Quand ton ami lâche la règle, essaie de l'attraper en claquant tes mains. Note l'endroit sur la règle où se trouvent tes pouces au moment où tu attrapes la règle. Moins le résultat est élevé, plus ton temps de réaction est rapide !

Voir est-il croire ?

NOS YEUX peuvent nous jouer des tours, ou créer des illusions d'optique.

VOIR : LA DÉTECTION DE LA LUMIÈRE PAGE 130

Il te faut

Une petite balle (de golf)
Un ballon (de basket)

1 Positionne la petite balle devant le ballon de façon à ce qu'ils aient l'air d'avoir à peu près la même taille.

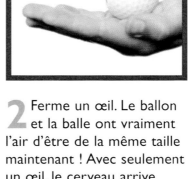

2 Ferme un œil. Le ballon et la balle ont vraiment l'air d'être de la même taille maintenant ! Avec seulement un œil, le cerveau arrive difficilement à évaluer les distances. Mais tu sais quand même que le ballon de basket est plus éloigné, parce que tu te souviens qu'il est plus grand.

Illusion d'optique 2

Il te faut

L'image ci-dessous

1 Fixe les cubes dans l'image. Les faces blanches sont-elles le dessus des cubes noirs ? Ou alors sont-elles les dessous de la face supérieure des cubes ? Comme les animaux, nous utilisons aussi bien nos yeux que notre cerveau pour juger la forme et la position des objets. Mais il arrive que les yeux ne fournissent pas assez d'informations au cerveau. L'image ci-dessous n'offre pas assez d'informations pour permettre de déterminer où se situent les faces blanches.

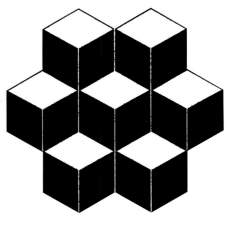

Le mélange et la diffusion

QUAND DEUX LIQUIDES se mélangent, leurs particules se dispersent et se mêlent les unes aux autres progressivement. On appelle ce phénomène la diffusion.

VOIR : LES LIQUIDES PAGE 26

Il te faut

2 bocaux de la même taille

De la vaseline

Des colorants alimentaires

Du papier aluminium

Un plateau

I Enlève les couvercles des bocaux. Étale un peu de vaseline sur les bords de chaque bocal.

2 Remplis un bocal à ras bord d'eau du robinet. Recouvre-le de papier aluminium. Assure-toi que la vaseline le maintient bien en place.

3 Remplis l'autre bocal d'eau du robinet. Ajoutes-y quelques gouttes de colorant. Dépose-le sur le plateau (au cas où il déborde).

4 Renverse soigneusement le bocal recouvert de papier aluminium de façon à le faire tenir sur l'autre bocal.

5 Après quelques instants, retire très lentement le papier aluminium en le faisant glisser.

6 Observe les bocaux toutes les 15 minutes. Que se passe-t-il avec le colorant ?

Les minuscules particules de colorant sont trop petites pour être visibles individuellement. Mais tu peux assister à la façon dont elles se mélangent, même sans être remuées. Il s'agit là du phénomène de la diffusion.

La préparation de solutions

UNE SOLUTION SE FORME quand une substance se dissout dans une autre.

VOIR : LES SOLUTIONS PAGE 34

Il te faut

Du sel ou du sucre

Un bocal d'eau

I Remplis le bocal aux trois-quarts d'eau froide. Trace une marque sur le bocal pour indiquer le niveau d'eau. Ajoute du sel ou du sucre dans l'eau, une cuillerée rase à la fois. Mélange l'eau jusqu'à ce que le sel ou le sucre se dissolve et disparaisse. Continue jusqu'à ce que tu n'arrives plus à dissoudre de sel ou de sucre. Note le nombre de cuillerées.

2 Répète l'expérience, mais cette fois-ci, en utilisant de l'eau tiède dont tu rempliras le bocal jusqu'à la marque que tu as faite. Arrives-tu à dissoudre plus ou moins de sel ou de sucre dans l'eau tiède ?

Quand une substance se dissout dans un liquide, elle éclate en minuscules particules. Celles-ci se mélangent avec les particules du liquide pour former une solution.

Des cristaux qui grandissent

LES ATOMES OU MOLÉCULES de certains solides sont agencés en structures ou motifs saisissants.

VOIR : LES CRISTAUX PAGE 30

Ces roches incroyables en Irlande du Nord se sont formées il y a des millions d'années quand de la roche en fusion s'est lentement refroidie. Des cristaux de haute taille et de forme hexagonale (à six côtés) se sont formés à la suite du regroupement des particules rocheuses en formations régulières. On appelle cette formation rocheuse la Chaussée des Géants.

Il te faut

De l'alun en poudre (que tu peux obtenir en pharmacie)

Des bocaux de taille moyenne

Du fil à coudre et des ciseaux

Une paille

Un élastique

1 Demande à un adulte de remplir un bocal d'eau tiède à l'aide d'une bouilloire. Ajoute la poudre d'alun, une cuillerée à la fois, puis mélange. Laisse le temps aux cristaux en surplus de se déposer au fond, puis verse soigneusement le liquide dans un autre bocal.

2 Attache un morceau de fil au milieu de la paille. Mesure sa longueur pour qu'il pende jusqu'aux trois quarts dans le bocal quand la paille repose sur le bord. Replie les extrémités de la paille et fixe-les contre les parois du bocal à l'aide de l'élastique.

3 Quelques jours plus tard, tu remarqueras que des cristaux d'alun ont poussé sur le fil. Essaie de dessiner leur forme.

CRISTAUX D'ALUN
(VOIR PAGE 30)

LE SAVAIS-TU ?
Tu peux sentir des choses comme le pain qui cuit, parce que leurs particules se déplacent rapidement dans l'air. Tu sens ces particules avec le nez quand tu respires.

La séparation des couleurs

LA PLUPART DES ENCRES ET TEINTURES sont en fait des mélanges de différents pigments (substances colorées) dans un solvant. Le processus de chromatographie sépare ces différents pigments.

VOIR : LA LUMIÈRE PAGE 124

Il te faut

Du papier filtre ou buvard

Des ciseaux

Des petites baguettes

De la ficelle

Des pinces à linge ou des trombones

Un bac ou autre récipient peu profond

Un long élastique

Des échantillons de colorants, comme par exemple des colorants alimentaires, des encres de stylo ou de la gouache.

1 Place l'élastique autour du petit bac. Insère les baguettes entre l'élastique et le bac de façon à créer deux montants. Remplis le bac d'eau.

2 Attache la ficelle entre les deux montants. Découpe des bandes de papier buvard assez longues pour toucher l'eau du bac à partir de la ficelle.

3 Pour tester un échantillon, places-en une goutte près de l'extrémité d'une petite bande de papier buvard. Accroche la bande avec une pince à linge ou un trombone de sorte que seule son extrémité trempe dans l'eau.

4 L'eau va monter dans le papier petit à petit, entraînant avec elle les couleurs de l'échantillon en quantités différentes. Tu pourras alors déterminer combien de couleurs ont été mélangées pour produire cet échantillon.

Les réactions chimiques

AU COURS DE CETTE transformation chimique, le vinaig et la levure vont réagir l'un à l'autre et produire un ga

VOIR : LES MÉTAMORPHOSES CHIMIQUES PAGE

Il te faut

Une petite bouteille en plastique robuste (de boisson gazeuse par exemple)

Un ballon

Du vinaigre

De la levure

Un entonnoir

1 Verse un peu plus d'un centimètre de vinaigre dans une petite bouteille. En t'aidant de l'entonnoir, verse deux cuillerées à café de levure dans le col du ballon.

2 Étire le col du ballon pour recouvrir le goulot de la bouteille, en essayant de ne pas laisser échapper de levure du ballon. Et maintenant, soulève le ballon pour faire couler la levure dans le vinaigre. Secoue la bouteille. Que se passe-t-il ?

Quand deux substances réagissent l'une à l'autre, elles créent de nouveaux produits ou substances chimiques. L'un des produits dans cette expérience est le dioxyde de carbone, qui apparaît sous forme de bulles de gaz qui ont gonflé le ballon.

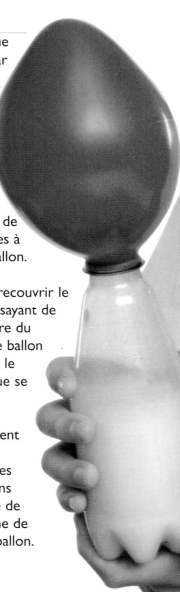

On utilise la levure pour faire lever les gâteaux et les petits pains. En chauffant, la levure relâche de petites bulles de gaz carbonique. C'est cela qui fait lever la pâte à gâteau. Au cours de la cuisson, les bulles de dioxyde de carbone sont emprisonnées dans la pâte, ce qui la rend spongieuse.

L'électrolyse

UNE ÉLECTROLYSE CONSISTE à séparer deux produits chimiques au moyen de l'électricité.

VOIR : L'EMPLOI DE L'ÉLECTRICITÉ PAGE 88

Il te faut

Des mines de crayon (comme celles des porte-mines)
Une pile de 9 volts
Un peu de fil de sonnerie
Une boussole magnétique
Un bocal
Du sel

1 Utilise un morceau de fil de sonnerie de 90 cm de long à peu près dont tu dénuderas les extrémités. Enroule le milieu du fil autour de la boussole 12 fois.

2 Attache une extrémité du fil à une borne de la pile. Enroule l'autre extrémité autour de la mine de crayon. Fais de même avec l'autre borne de la pile, une autre mine et un autre fil.

3 Remplis le bocal d'eau du robinet et mélanges-y quelques cuillerées à café de sel. Trempe les deux mines dans l'eau salée. L'aiguille de la boussole devrait se mettre à osciller, indiquant qu'un courant passe dans le fil.

Vois-tu les bulles de gaz qui se forment sur les mines ?

Un certain gaz, le chlore, a la même odeur que l'eau de Javel et rappelle aussi celle d'une piscine. Il provient du sel, qui est constitué de chlore et de sodium, d'où son symbole NaCl. Du chlore est produit par l'une des électrodes (les mines de crayon). Le gaz produit par l'autre électrode est de l'hydrogène, qui provient de l'eau, H_2O.

Les effets du feu sur l'air

LE FEU A BESOIN D'AIR pour brûler. Plus précisément, il a besoin d'un gaz se trouvant dans l'air : l'oxygène. Cette expérience avec une bougie montre quelle quantité d'air est utilisée avant que la bougie ne s'éteigne. (Demande à un adulte de t'aider au cours de cette expérience).

VOIR : L'ATMOSPHÈRE PAGE 152

Il te faut

Une petite bougie

De la pâte à modeler

Une assiette

Un bocal

De l'eau

1 Place la bougie au centre de l'assiette. Pour la faire tenir debout plus facilement, utilise trois ou quatre bouts de pâte à modeler. Assure-toi que le haut de la bougie dépasse le rebord de l'assiette.

ATTENTION !
Fais très attention en grattant l'allumette pour allumer la bougie, et n'approche pas tes doigts trop près de la flamme de la bougie. Demande à un adulte de t'aider.

2 Place trois ou quatre petits morceaux de pâte à modeler dans l'assiette, à distance égale de la bougie. C'est sur eux que tu vas reposer le col du bocal.

3 Remplis l'assiette d'eau. Allume avec prudence la bougie, puis renverse très vite le bocal par-dessus. Fais tenir le col du bocal sur les morceaux de pâte à modeler, en s'assurant que le rebord est totalement submergé.

4 Que se passe-t-il ? Attends que la bougie s'éteigne, puis observe le bocal. Que s'est-il passé avec le niveau d'eau ?

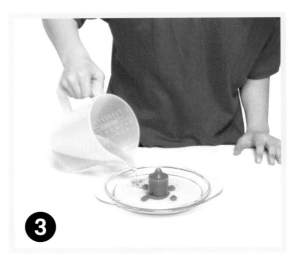

Les sapeurs pompiers pulvérisent parfois une mousse spéciale sur un feu d'incendie. Ceci empêche l'oxygène d'atteindre le feu et il n'arrive plus à brûler.

L'eau s'engouffre dans le bocal, mais ne le remplit que partiellement. Ceci montre qu'une partie de l'air a été utilisée dans la combustion. L'eau a occupé l'espace où il était. La partie de l'air qui a été utilisée est le gaz appelé oxygène. Il est nécessaire à la respiration et à la combustion. Le reste de l'air qui n'est pas utilisé dans la combustion est composé d'autres gaz. Le nitrogène est le plus abondant, et est présent dans quatre cinquièmes de l'air ambiant.

Une carte météorologique à la télévision indique les zones de haute et de basse pression. Une pression élevée annonce généralement le beau temps. Une pression basse indique que la pluie n'est pas loin.

Il te faut

Un bocal

Un ballon dont tu auras coupé le col

Un élastique robuste

Une paille

Un bout de carton épais

Du ruban adhésif

De la colle à papier

Un stylo

I Étire le ballon jusqu'à recouvrir la partie supérieure du bocal. Place l'élastique autour du col du bocal pour empêcher le ballon de glisser.

2 Colle une extrémité de la paille sur le ballon. À l'aide du ruban adhésif, fixe le bout de carton sur le bocal, derrière la paille. Le carton doit être plus haut que le bocal, plus large que la paille et ne doit pas toucher celle-ci.

3 Trace une marque sur le carton pour indiquer l'emplacement de l'extrémité de la paille. Écris la date à côté de cette marque. Répète cette opération chaque jour à la même heure. Pourquoi la paille bouge-t-elle ? Quand la pression ambiante baisse, la pression plus élevée à l'intérieur du bocal fait gonfler le ballon, ce qui incline la paille vers le bas.

L'air et le temps

L'AIR EXERCE UNE PRESSION constante sur la Terre. Tu ne peux pas la sentir, mais cette pression est toujours présente. La pression est plus forte quand l'air est sec, et plus faible quand le ciel est humide et pluvieux. On utilise un baromètre pour mesurer cette pression de l'air ou pression atmosphérique. Tu peux te fabriquer un baromètre simple et l'utiliser pour prévoir le temps.

VOIR : LE TEMPS PAGE 154

Un baromètre mesure la pression de l'air en pouces ou en centimètres et en millibars (mb). La pression de l'air varie d'un endroit à un autre et peut changer en quelques minutes.

LE SAVAIS-TU ?
Le désert de Namibie s'étend le long de la côte namibienne, en Afrique Australe. Il a un climat très étrange. L'air est plein d'humidité, et d'épais brouillards arrivent de la mer. Mais il ne pleut presque jamais sur la terre ferme.

Une montgolfière

UNE MONTGOLFIÈRE contient de l'air qui est plus chaud et moins dense que l'air qui l'entoure. C'est pour cette raison que la montgolfière s'élève dans l'air.

VOIR : LA CHALEUR ET LE FROID PAGE 58

Il te faut

Plein de papier de soie

Un bout de carton d'à peu près 45 x 5 cm

Des ciseaux

De la colle

Un sèche-cheveux

1 Découpe soigneusement cinq carrés de papier de soie. Découpe aussi quatre morceaux plus triangulaires, similaires à ceux de l'image ci-dessous. Le schéma montre les tailles respectives de ces morceaux.

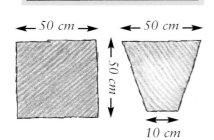

← 50 cm →   ← 50 cm →

50 cm

10 cm

Certaines feuilles de papier de soie font déjà 50 cm de large à l'achat.

LE SAVAIS-TU ?
La montgolfière fut inventée en 1783 par deux français :
les frères Étienne et Joseph de Montgolfier.

2 Colle les morceaux ensemble. Place-les en forme de croix, comme ci-dessous, puis colle chaque bras de la croix l'un à l'autre.

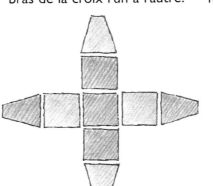

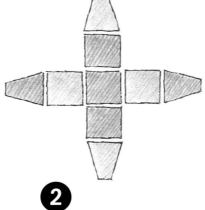

Vérifie que les bords sont collés hermétiquement

La fabrication de la montgolfière peut s'avérer compliquée. Tu peux demander à un adulte de t'aider. Ne te presse surtout pas, pour éviter de déchirer le papier de soie.

3 Colle un anneau en carton autour du col de la montgolfière.

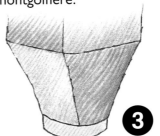

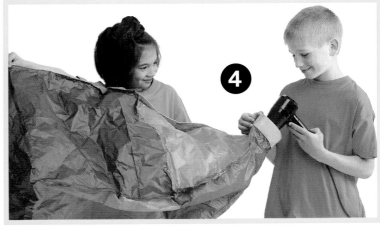

4 Insère le bout du sèche-cheveux dans l'anneau en carton et souffle de l'air chaud dans la montgolfière en papier de soie. Cela facilitera la tâche si un ami maintient la montgolfière pendant cette opération. Quand la montgolfière sera remplie d'air chaud, elle s'élèvera dans l'air.

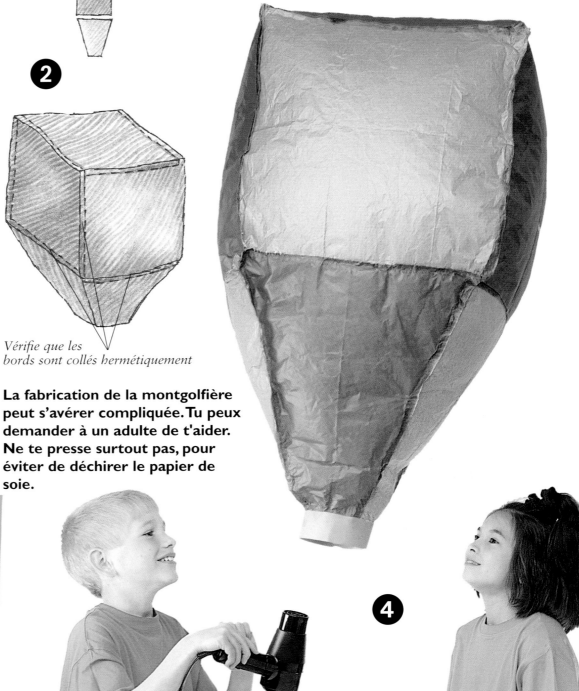

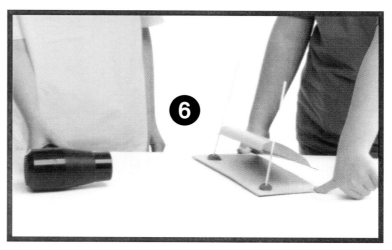

Une aile d'avion

CETTE EXPÉRIENCE montre comment fonctionne une aile d'avion. L'aile constitue une surface portante d'une forme particulière. Quand l'aile se déplace, l'air qui passe au-dessus voyage plus vite que l'air qui passe en dessous. Ceci soulève l'aile dans l'air.

VOIR : L'EAU PAGE 32

Il te faut :

2 pailles

De la pâte à modeler

Du carton mince

Du carton plus épais et solide

Du papier

Un perforateur

Des ciseaux et de la colle

1 Découpe un morceau de carton mince de 25 cm de long sur 10 cm de large environ. Choisis un des longs côtés pour constituer l'avant de l'aile et perce un trou près de chaque bout. Ce carton sera ton aile d'avion.

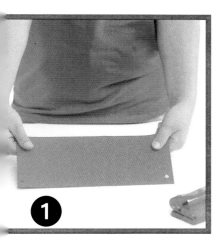

2 Découpe une plinthe (plaque servant de base) de 30 cm sur 10 cm dans le carton épais. À l'aide de la pâte à modeler, fixe les deux pailles sur la plinthe pour qu'elles puissent passer par les trous faits dans l'aile.

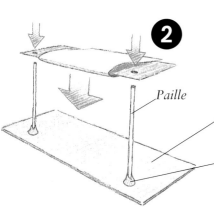

Paille

Plinthe de carton épais

Pâte à modeler

3 Braque le sèche-cheveux sur l'aile à une distance d'un mètre environ. Arrives-tu à faire monter l'aile ? (Quand tu mets le sèche-cheveux en marche, les pailles vont sans doute se plier en arrière et la plinthe elle-même va peut-être glisser vers l'arrière. Ceci est dû à une force appelée la traînée qui repousse l'aile sous l'effet de l'air qui passe au-dessus à grande vitesse.)

4 Et maintenant, transforme cette aile plate en surface portante. Pour cela, découpe un morceau de papier à peu près de la même taille que l'aile en carton, mais fais qu'il soit légèrement plus court et légèrement plus large.

5 Colle le papier sur l'aile comme le montre la photo ci-dessus, de façon à créer une partie supérieure bombée.

6 Braque à nouveau le sèche-cheveux sur l'aile. Que se passe-t-il ? Cette fois-ci, l'aile s'élève plus facilement. Comprends-tu comment la forme de l'aile d'un avion l'aide à voler ?

LE SAVAIS-TU ?
L'aile d'avion s'élève à cause du théorème de Bernoulli. Celui-ci s'applique aux gaz en mouvement – et aux liquides qui coulent aussi. Tente l'expérience ci-dessous pour mieux comprendre cela.

Le théorème de Bernoulli

DE L'AIR OU DE L'EAU en mouvement exerce moins de pression que de l'air ou de l'eau qui est immobile. Ceci fut découvert par le scientifique suisse Daniel Bernoulli, d'après qui ce principe ou théorème a été baptisé.

VOIR : L'EAU 32

Il te faut

Du papier

Un tube en carton

Des ciseaux

Du ruban adhésif

1 Découpe deux bandes de papier de 20 cm sur 3 cm.

En se déplaçant à grande vitesse entre les bandes, l'air exerce moins de pression que l'air qui est immobile. En soufflant donc d'un coup sec, les bandes sont rapprochées de force.

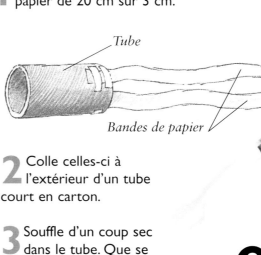

Tube

Bandes de papier

2 Colle celles-ci à l'extérieur d'un tube court en carton.

3 Souffle d'un coup sec dans le tube. Que se passe-t-il ?

Un autogire

UN AUTOGIRE est un aéronef doté d'un rotor sans moteur au sommet. Le rotor tourne sous l'action de l'air qui le traverse et cela aide à soulever l'aéronef.

VOIR : L'ATMOSPHÈRE PAGE 152

Il te faut

Du carton mince ou du papier épais

Un crayon

Une règle

Des ciseaux

2 trombones

1 Découpe un morceau de carton de 40 cm sur 3 cm. Plie-le en deux. Place-le à plat et replie un côté à 10 cm à peu près de l'extrémité. Ce pli sera légèrement incliné, comme le montre l'illustration.

2 Tourne le carton dans l'autre sens et plie l'autre bout de la même façon.

3 Déplie les deux bouts pour former deux ailes. Fixe deux trombones au bas de ton autogire.

4 Lâche l'autogire à une certaine hauteur. Tu le verras tournoyer en descendant. L'air exerce une pression contre les pales inclinées et les fait tourner.

Quelle résistance !

TOUT OBJET qui se déplace dans l'air doit écarter l'air qui est devant lui. Ceci crée une force appelée la résistance de l'air (aussi appelée friction ou traînée) qui essaie de ralentir l'objet. Certaines formes laissent passer l'air autour d'elles plus facilement que d'autres. Ces formes effilées et aérodynamiques provoquent moins de traînée.

VOIR : LA FRICTION PAGE 70

Il te faut

Du carton fin

Du carton solide

Du ruban adhésif

Des ciseaux

1 Crée trois formes en carton, mesurant chacune 10 cm sur 5 cm. Fais-en une en forme de rectangle (une boîte), une autre en forme de tube, et une autre en forme de poisson. Colle-les chacune par la base à un carré de carton solide, comme le montre la photo. Aligne les trois formes. Braque sur elles un sèche-cheveux réglé sur une faible puissance.

2 Commence à une distance de 90 cm à peu près. Rapproche graduellement le sèche-cheveux. Quelle forme a été soufflée le plus loin ? Il s'agit de celle qui offre le plus de

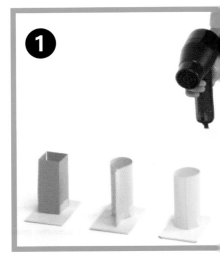

résistance à l'air : elle ne tarde pas à se renverser ou à être propulsée en arrière. Quelle forme offre le minimum de résistance à l'air, produit le moins de traînée et reste debout le plus longtemps ?

Voici un vrai autogire. Il ressemble à un hélicoptère, mais il fonctionne différemment. Au lieu de dépendre d'un moteur pour faire tourner le grand rotor au-dessus, l'autogire a une hélice dans le dos qui le propulse vers l'avant. C'est ce mouvement vers l'avant qui fait tourner le rotor.

Une éolienne

UNE ÉOLIENNE utilise le souffle du vent pour faire tourner ses pales ou ses ailes et entraîner un générateur qui produit de l'électricité. Fabrique-toi des ailes qui tourneront aussi dans le vent, comme celles d'une éolienne.

VOIR : DE L'ÉNERGIE POUR LE MONDE PAGE 72

Il te faut

Une grande bouteille de limonade en plastique

Une tige de rotin mince

Des punaises

Une agrafeuse

Des ciseaux

Du ruban adhésif

1 Demande à un adulte de t'aider à détacher le goulot et le fond de la bouteille pour former un tube. Prends soin de ne pas te blesser en découpant le plastique car les

bords peuvent être tranchants. Fends le tube dans le sens de la longueur pour former deux pales incurvées.

2 Fais se chevaucher les deux bords des pales sur 7 à 8 cm de façon à produire une forme en S. Agrafe-les ensemble le long des bords, comme le montre les photos. Laisse un espace libre au centre du chevauchement.

3 Fais glisser la tige de rotin le long de la fente ainsi créée. Fixe-la avec du ruban adhésif de chaque côté.

4 Enfonce une punaise à chaque extrémité de la tige. Maintenant, fais-la tenir debout sur un doigt ou sur la main. Maintiens-la en place avec l'autre main, comme le montre la photo. Si tu amènes ton éolienne dans un endroit où il fait du vent et si tu la tiens de cette façon, tu verras comment il tourne. Tu peux même arriver à le faire tourner en soufflant doucement dessus.

ATTENTION !
Découper de la matière plastique peut s'avérer une opération difficile. Demande à un adulte de commencer cette tâche avec un canif ou des ciseaux à bouts arrondis. Fais attention aux bords coupés.

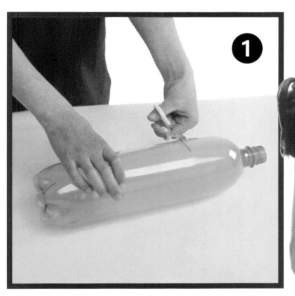

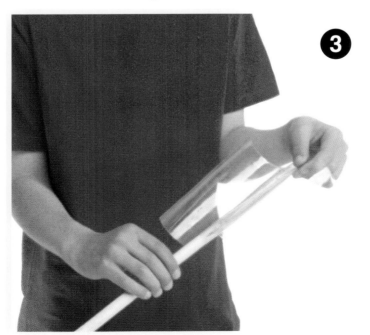

Ce moulin à vent n'est pas vraiment un moulin. Le vent fait tourner les ailes, qui actionnent une pompe qui empêche le champ d'être inondé.

La disparition de l'eau

LES FLAQUES D'EAU de pluie s'assèchent lentement après que la pluie a fini de tomber. Cette eau semble disparaître. En fait, elle se transforme tout simplement en vapeur d'eau invisible.

VOIR : L'EAU PAGE 32, LES SOLUTIONS PAGE 34

Il te faut

Deux soucoupes d'eau

1 Place une soucoupe dans un endroit chaud et verse un peu d'eau dedans. Place l'autre soucoupe dans un endroit frais avec la même quantité d'eau dedans. Que se passe-t-il ?

2 Quand l'eau chauffe, elle s'évapore. Elle se transforme en gaz, la vapeur d'eau, et s'envole dans l'air. Ce phénomène est accéléré dans un endroit chaud.

Que se passe-t-il quand l'eau gèle ?

LA PLUPART DES CHOSES rapetissent, ou se contractent, quand elles passent de l'état liquide à l'état solide. Mais cela n'est pas le cas avec l'eau.

VOIR : LES SOLIDES, LES LIQUIDES ET LES GAZ PAGE 26

Il te faut

Un pot de yaourt

Une soucoupe

Une cruche d'eau

1 Remplis le pot de yaourt d'eau à ras bord. Pour qu'il ne déborde pas, dépose-le soigneusement sur la soucoupe que tu laisseras toute la nuit dans un congélateur.

2 Le lendemain, l'eau se sera transformée en glace. La glace occupe-t-elle plus ou moins d'espace que dans son état liquide d'origine ? En se congelant, l'eau a pris du volume, ou s'est dilatée. Le poids reste le même, ce qui signifie que la glace est moins dense que l'eau.

L'eau prend du volume, ou se dilate, quand elle gèle. Ceci cause des failles et des éboulements rocheux. Ces sommets dentés ont été formés par l'infiltration de la pluie dans les roches, puis à sa dilatation qui a fendu les roches. On appelle ce processus l'érosion glaciaire.

1

De l'eau dans l'air

IL Y A toujours de la vapeur d'eau dans l'air. Tu peux la faire se condenser, ou revenir à l'état liquide.

VOIR : LES FLEUVES ET LES LACS PAGE 158

Il te faut

Un verre

De l'eau glacée

Verse l'eau glacée dans le verre. Observe la surface extérieure du verre. Aperçois-tu la couche brumeuse, ou plus précisément les gouttelettes d'eau sur le verre ? C'est la vapeur d'eau contenue dans l'air qui se condense et se transforme en eau.

La vapeur d'eau invisible qui se trouve dans l'air est un gaz. Elle retourne à l'état liquide quand l'air se refroidit. L'eau glacée refroidit l'air qui entoure le verre et la vapeur d'eau se condense.

LE SAVAIS-TU ?
Au fur et à mesure que le climat de la Terre se réchauffe, à cause du réchauffement de la planète, la glace des pôles pourrait se mettre à fondre. Le niveau des mers pourrait monter et de nombreuses terres basses pourraient être inondées.

❹

❸

La pluie et les fleuves

CETTE EXPÉRIENCE montre comment l'eau tombe du ciel sous forme de pluie, puis retourne dans l'air.

VOIR : L'ATMOSPHÈRE PAGE 152

Il te faut

Une grande boîte en carton avec un couvercle amovible

Un plat à four ou un moule à gâteaux qui puisse tenir dans la boîte

Une petite boîte ou autre support, plus haut que le plat

Des ciseaux

Des glaçons

Un bout de carton rigide de 15 cm de large à peu près

Du film alimentaire et du ruban adhésif

De l'eau chaude

Fais un trou de 10 cm de large à peu près dans une des extrémités du couvercle de la boîte. Utilise le ruban adhésif pour fixer un bout de film par-dessus. Découpe une fenêtre sur un des côtés de la boîte elle-même. Recouvre aussi cette fenêtre de film.

2 Dépose le plat à four dans la boîte, du côté opposé à l'emplacement du trou dans le couvercle.

3 Recouvre le carton de film alimentaire. Replie les ailes pour former une sorte de canal en forme de

U. En utilisant la petite boîte comme support, colle le canal de sorte qu'il soit penché vers le plat. Demande à un adulte de remplir le plat d'eau chaude.

4 Ferme la boîte avec le couvercle et dépose des glaçons sur le film alimentaire qui recouvre le couvercle. La vapeur provenant de l'eau chaude se condense sur le film sous la glace. C'est ainsi que les nuages se forment. Puis ces gouttelettes tombent, comme la pluie, dans le canal. Ensuite, l'eau coule, comme une rivière, dans le plat : la mer.

ATTENTION !
Sois prudent ! Il est nécessaire d'utiliser de l'eau chaude pour cette expérience ; demande donc à un adulte de t'aider. Plus l'eau est chaude, mieux l'expérience marchera.

Une fontaine à pression

L'EAU EST LOURDE et fait pression sur tout ce qui est en elle et autour d'elle. C'est cela qu'on appelle la pression de l'eau.

VOIR : L'ÉNERGIE PAGE 46, LES FORCES PAGE 52

Il te faut

Une bouteille en plastique

Un canif

Un grand plat, une cuvette ou un évier

Des cruches d'eau

Demande à un adulte de t'aider à percer un petit trou dans la bouteille à l'aide du canif. Il doit se situer à 10 cm environ de la base de la bouteille.

2 Place la bouteille dans le grand plat ou la cuvette. Remplis-la d'eau. L'eau va s'échapper de la bouteille en créant une fontaine latérale. Plus il y a d'eau dans la bouteille, plus la fontaine est puissante. Ceci est dû au fait que l'eau pousse dans toutes les directions et s'engouffre dans le trou. Plus il y a d'eau dans la bouteille au-dessus du niveau du trou, plus la pression est grande. Le jet est donc projeté plus loin.

Un siphon simple

COMMENT PEUT-ON transférer de l'eau d'un bol à un autre sans déplacer aucun des bols ?

VOIR : L'EAU PAGE 32

Il te faut

2 bols, de l'eau propre du robinet

Un tube en plastique transparent propre

Une boîte

Du colorant alimentaire

Remplis un bol d'eau et place-le au-dessus de la boîte. Ajoute quelques gouttes de colorant alimentaire dans l'eau pour la voir plus facilement.

2 Place le bol vide sur la table à côté de la boîte. Place un bout du tube dans l'eau colorée qui remplit le bol surélevé.

3 Suce le bout libre du tube pour aspirer l'eau jusqu'à ce qu'elle atteigne presque ta bouche. Enlève le bout du tube de ta bouche et place un doigt dessus. Abaisse ce bout dans le bol vide et enlève ton doigt. L'eau coule du bol du haut vers le bol du bas. On appelle cela un siphon.

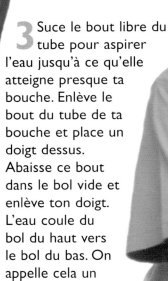

Flotter et couler

LA DENSITÉ est le poids d'un objet par rapport à son volume. Le fait qu'un objet flotte ou coule dépend de sa densité.

VOIR : LA MESURE DES FORCES PAGE 54

Il te faut

Des bouchons en liège

Des billes

Des bouts de bois et de plastique

Des pièces de monnaie

Des balles remplies d'air, comme des balles de ping-pong.

Un bol d'eau

1 Essaie différents objets pour voir s'ils flottent bien ou non. Place-les dans le bol d'eau. Les objets légers flottent, alors que les objets lourds coulent.

2 Essaie d'enfoncer une balle ping-pong sous l'eau. Tu sens la résistance de l'eau qui pousse vers le haut. Si elle est plus forte que le poids de l'objet, celui-ci flotte.

LE SAVAIS-TU ?
Les navires et les bateaux flottent mieux sur l'eau salée de la mer, que sur l'eau douce des lacs et des fleuves. Cela est dû au fait que le sel de l'eau de mer rend celle-ci plus dense que l'eau douce.

La plupart de ces bateaux sont construits avec des matériaux plus lourds que l'eau. Ils flottent parce qu'ils sont creux. Cela veut dire que dans l'ensemble, ils sont beaucoup plus légers que l'eau. Ils ne s'enfoncent dans l'eau qu'un petit peu avant que la poussée d'Archimède soit suffisante pour les maintenir en surface.

Des bateaux miniatures

LES BATEAUX SONT LOURDS, mais ils flottent parce qu'ils sont creux et contiennent de l'air qui est très léger.

VOIR : L'EAU PAGE 32, LES OCÉANS PAGE 162

Il te faut

Un bol d'eau

De la pâte à modeler

1 Place un bout de pâte à modeler dans un bol d'eau. Il coule car il est plus dense que l'eau.

2 Maintenant, modèle la pâte pour produire une forme creuse semblable à celle d'un bateau. Arrives-tu à la faire flotter ? Le poids de la pâte à modeler, ajouté à celui de l'air qu'il contient, rend le bateau moins dense que l'eau.

Les gerris arrivent à courir sur l'eau sans couler. Le poids de leur corps très léger est réparti entre les pattes du milieu et de derrière, et n'est pas assez important pour percer la tension superficielle de l'eau.

La tension superficielle

LES MOLÉCULES D'EAU exercent une forte attraction entre elles. Ceci crée la tension superficielle, qui est comme une peau élastique recouvrant l'eau.

VOIR : LES MOLÉCULES PAGE 22, L'EAU PAGE 32

Il te faut

Des trombones

Un petit bol d'eau

1 Pose un trombone sur le bout de ton doigt et dépose-le délicatement sur l'eau. Arrives-tu à le faire rester à la surface sans qu'il coule ?

2 Regarde de près l'eau tout autour du trombone et tu verras comment la surface s'abaisse tout autour du trombone.

La capillarité

LES MOLÉCULES D'EAU s'insèrent dans les espaces réduits et entraînent l'eau derrière elles.

VOIR : LES LIQUIDES PAGE 26

Il te faut

De l'eau et des colorants alimentaires

Des règles en plastique

Du papier buvard

Du ruban adhésif et des ciseaux

1 Mets un peu d'eau avec du colorant alimentaire dans un verre. Vois-tu comment l'eau monte graduellement contre les parois du verre ? On appelle cela le ménisque.

2 Mesure la profondeur de l'eau à l'aide d'une règle.

3 Scotche une bande de papier buvard sur une règle, à peu près un centimètre au-dessus du niveau atteint par l'eau. Fixe les deux règles ensemble à l'aide du ruban adhésif, en mettant le papier buvard au milieu. Place les règles dans l'eau. Tiens-les de façon à ce que le papier buvard ne touche pas l'eau.

4 L'eau monte normalement entre les deux règles et atteint le papier buvard. Cette montée lente de l'eau le long d'un espace réduit s'appelle la capillarité. Les molécules d'eau s'accrochent à la règle et les unes aux autres, et s'élèvent entre les règles puis à travers les minuscules fibres du papier buvard.

Une roue hydraulique

FABRIQUE ta propre roue hydraulique, comme celles qui sont utilisées dans les centrales hydroélectriques !

VOIR : DE L'ÉNERGIE POUR LE MONDE PAGE 72

Il te faut

6 bouchons à vis de bouteille en plastique

Du plastique souple, comme un pot de margarine

De la colle étanche et des ciseaux

Un fil de fer rigide, comme celui d'un cintre

La bouteille en plastique utilisée pour l'expérience de la fontaine (page 222)

Deux élastiques épais ou du ruban adhésif robuste, comme du ruban isolant

1 Découpe deux disques de plastique d'un diamètre de

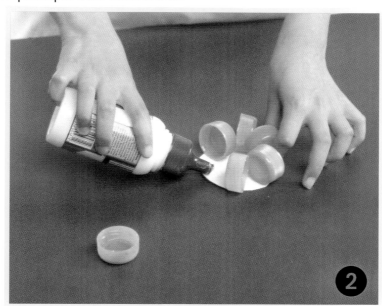

façon à ce qu'ils arrivent à récupérer l'eau quand la roue tourne. Colle l'autre disque dessus

3

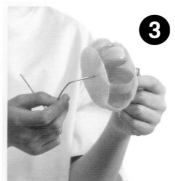

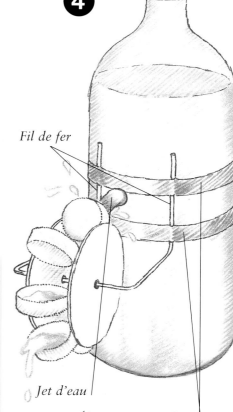

4

Fil de fer

Jet d'eau

Élastiques ou ruban adhésif

2

7,5 cm chacun. Fais un petit trou au milieu de chaque disque. **Demande à un adulte de t'aider dans cette tâche.**

2 Colle les bouchons en rond près du bord d'un des disques. Place-les de

3 Fais passer le fil de fer à travers la roue et plie-le comme le montre le schéma ci-dessous.

4 Fixe la roue à la bouteille à l'aide des élastiques ou du ruban adhésif, ou des deux.

5 Remplis la bouteille d'eau. En s'échappant du trou, l'eau va faire tourner la roue.

Si tu places des fleurs comme celles-ci dans un verre d'eau colorée, elle changeront progressivement de couleur. Les plantes aspirent l'eau le long de leur tige par le processus de la capillarité.

LE SAVAIS-TU ?
Les fleurs et les plantes rejettent de la vapeur d'eau dans l'air. Elles pompent de l'eau par leurs racines et leur tige pour compenser cette perte. Ce mouvement de l'eau s'appelle la transpiration.

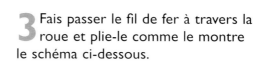

5

La propagation des vibrations

LE SON PRODUIT des vibrations. Cette expérience permet de voir ces vibrations.

VOIR : LES ONDES SONORES PAGE 112

Il te faut

Un ballon

Un tube en carton solide de 10 cm de long à peu près

Un élastique

Du sucre ou du sel

Des ciseaux

I Coupe le col du ballon. Étire le ballon pour recouvrir une extrémité du tube et obtenir un tambour bien tendu.

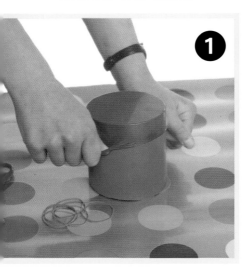

2 Place l'élastique autour du tube pour maintenir le ballon en place. Saupoudre quelques grains de sel ou de sucre sur le ballon. Rapproche ton visage du ballon et fredonne ou chante d'une voix grave. Les grains devraient se mettre à sautiller. S'ils ne le font pas, essaie de chanter plus fort ou essaie différents tons, plus graves ou plus aigus.

3 Essaie de faire d'autres bruits aussi, tels que taper sur un tambour. Quels sons font le plus sauter les grains ?

Des ondes dans un bac

LE SON SE PROPAGE sous forme d'ondes, comme des vagues sur l'eau.

VOIR : À PROPOS DES ONDES PAGE 110

Il te faut

Un grand bac profond

De l'eau

I Remplis soigneusement le bac d'eau jusqu'à ce que le niveau arrive à 1 cm du bord.

3 Laisse l'eau se reposer complètement. Quand elle est calme, soulève un côté du bac très légèrement, puis laisse-le retomber. Tu vois les ondes faire l'aller-retour dans le bac en rebondissant de chaque côté.

2 Plonge un doigt dans l'eau au milieu du bac, puis attends que l'eau se calme. Retire ton doigt d'un seul coup et observe comment les ondes se propagent en cercle, tout comme les ondes sonores dans l'air.

LE SAVAIS-TU ?
Le son voyage à des vitesses différentes selon les substances, ou milieux, qu'il traverse. Il voyage dix fois plus vite dans le bois que dans l'air.

Pourquoi deux oreilles ?

ON A DEUX oreilles pour mieux pouvoir localiser la direction d'un son.

VOIR : LES SONS FORTS ET FAIBLES PAGE 116

Il te faut

Un bandeau

Plusieurs amis

1 On appelle écoute stéréophonique le fait d'écouter les sons avec deux oreilles. Demande à tes amis de faire un cercle autour de toi, à une distance de 3 m à peu près. Place le bandeau sur tes yeux.

2 Recouvre une oreille de façon à ne pouvoir entendre qu'avec l'autre. Demande à tes amis de frapper doucement dans leurs mains, chacun à tour de rôle.

3 Essaie de tendre le bras dans la direction d'où provient le son. Tes amis peuvent se déplacer dans le cercle pour t'embrouiller.

4 Répète l'expérience, mais cette fois-ci, sans recouvrir aucune oreille. Il devrait être plus facile de localiser la source du bruit à chaque fois que tu entends un battement.

Les chauve-souris émettent un son très aigu en volant dans l'obscurité. Les échos leur permettent de détecter les objets à éviter ou les insectes à manger.

Les vagues en mer se déplacent à la surface de l'eau en ondulant de haut en bas, jusqu'à ce qu'elles s'écrasent sur le rivage. Le son voyage aussi sous forme d'ondes, bien qu'on ne puisse pas les voir. Une onde permet de transférer de l'énergie, comme un son ou de la lumière, d'un endroit à l'autre.

Les sons des disques

FABRIQUE un tourne-disque très simple pour reproduire les sons d'un sillon ondulant.

VOIR : L'ENREGISTREMENT DU SON PAGE 120

Il te faut

Un disque en vinyle qui ne sert plus

Du papier

Du carton résistant

Des épingles à tête bombée

Des punaises

Quelques feuilles cartonnées épaisses

Des ciseaux

De la colle et du ruban adhésif

I Avec du ruban adhésif, fixe deux punaises sur le disque, l'une à l'envers à travers le trou central du disque, et l'autre près du centre avec la pointe vers le haut.

Punaises

2 Place le disque au centre de la feuille cartonnée de sorte qu'il puisse tourner sur la punaise du milieu.

3 Découpe un morceau de carton résistant de 5 x 18 cm. À l'aide d'une épingle, perce un trou à 2-3 cm de chaque extrémité. Fais en sorte que le trou soit assez grand pour que l'épingle puisse le traverser aisément.

4 Découpe une bande de carton mince de 10 cm de long. Colle-la sur le côté autour d'un des trous de façon à former un anneau, comme le montre l'illustration.

5 Découpe un disque en papier assez grand pour recouvrir l'anneau en carton. Colle la tête d'une épingle à son centre, comme le montre l'illustration ci-dessous. Quand tout est sec, colle le disque sur l'anneau de façon à ce que l'épingle dépasse à travers le trou fait dans la bande de carton. Ceci constituera ton saphir.

6 Fais un cône à partir d'une feuille de papier comme le montre l'illustration à droite. La partie étroite du cône doit pouvoir entourer l'anneau en carton. Utilise du ruban adhésif pour le maintenir en place.

7 Colle une épingle sur la feuille de carton épaisse, 2-3 cm à l'extérieur du disque, avec la pointe vers le haut.

Anneau en carton

8 Place la bande en carton de sorte que le saphir repose sur la partie extérieure du disque et que cette épingle passe par l'autre trou de la bande. Sers-toi de la punaise à l'envers au centre du disque comme d'une manivelle pour faire tourner le disque. Écoute attentivement et tu entendras des sons !

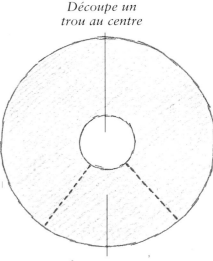

Épingle à tête arrondie

Disque en papie

Anneau en carton

Découpe un trou au centre

Enlève cette partie

❷

❽

Un instrument à cordes

LES SONS de cet instrument sont produits par la vibration de ses cordes.

Il te faut

Une grande boîte en carton

Un long élastique

Des stylos

Du ruban adhésif

Un canif

VOIR : LES SONS AIGUS ET GRAVES PAGE 114

1 Demande à un adulte de découper un grand trou près d'un des bords du couvercle de la boîte.

2 Étire l'élastique pour le faire passer par-dessus le trou et encercler la boîte. Colle les stylos dessous, près de chacun des deux bords.

3 Gratte l'élastique et écoute le son que cela produit. Place un stylo plus gros sous l'élastique, comme le montre l'illustration, et essaie à nouveau. La note est plus aiguë parce que la partie de l'élastique qui vibre est plus courte et bouge donc plus vite.

Quand les cordes d'une guitare vibrent, elles font aussi vibrer l'air et le corps de la guitare près d'elles, produisant ainsi des sons. Les cordes plus épaisses vibrent plus lentement que celles qui sont plus fines, ce qui produit des notes plus graves.

Un instrument à vent

LES SONS sont produits par les vibrations de l'air dans les tubes.

VOIR : LA PRODUCTION DES SONS PAGE 118

Il te faut

Une vingtaine de pailles

Du carton rigide

Des ciseaux

Du ruban adhésif à double-face

1 Découpe un morceau de carton de 15 x 15 cm. Colle des bandes de ruban adhésif à double-face dessus.

2 Colle 20 pailles en rang sur le carton. Taille les extrémités pour produire des tailles ascendantes, comme le montre l'illustration.

3 Place l'extrémité d'une paille près de ta lèvre inférieure et souffle dessus. Une note jaillit ! Les longues pailles produisent des notes plus graves.

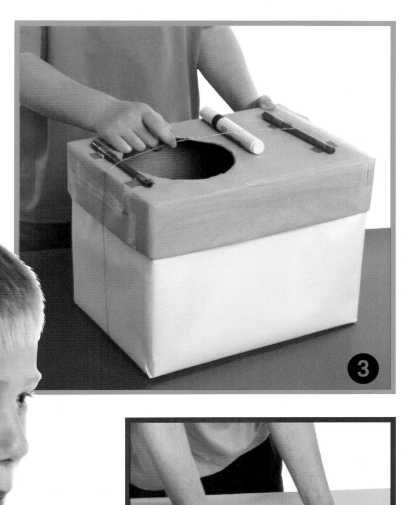

Un cadran solaire

AVANT L'INVENTION DES HORLOGES, les gens mesuraient le temps par le déplacement de l'ombre projetée par le soleil sur un cadran.

VOIR : LA TERRE DANS L'ESPACE PAGE 174

Il te faut

Du carton rigide

Des ciseaux

Un atlas géographique

Un rapporteur, du ruban adhésif

Un compas, pour tracer des cercles

Une boussole magnétique

1 Découpe deux rectangles de 15 × 30 cm dans le carton épais.

2 Trouve la latitude à laquelle tu vis en consultant un atlas. Les lignes de latitude, exprimées en degrés (°), traversent la carte horizontalement.

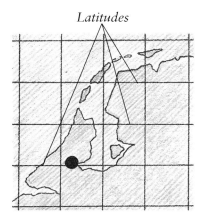

Latitudes

3 Mesure l'angle équivalent à cette latitude avec le rapporteur et trace-le dans le coin inférieur de la carte. Découpe le long de cette ligne.

Angle égal à la ligne de latitude

Sud

Garde cette partie

4 Dessine un demi-cercle dont le centre se trouve au milieu d'une des longueurs, sur l'autre carton.

5 Fixe le triangle de carton à cette base. Utilise des petits bouts de carton et du ruban adhésif pour le maintenir droit.

6 Par une journée ensoleillée, sors ton cadran solaire. En t'aidant de la boussole magnétique, place-le de sorte que la pointe inférieure du triangle soit tournée vers le sud. À chaque heure qui passe, effectue une marque sur le demi-cercle de la base en carton à l'endroit où se trouve l'ombre du triangle. Inscris le temps sur chaque marque en heures.

Tu peux maintenant te servir de ton cadran solaire pour lire l'heure. Quand il fait beau et que le triangle est dirigé vers le sud, l'ombre indique l'heure.

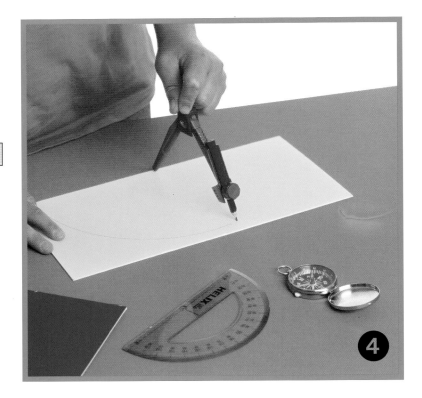

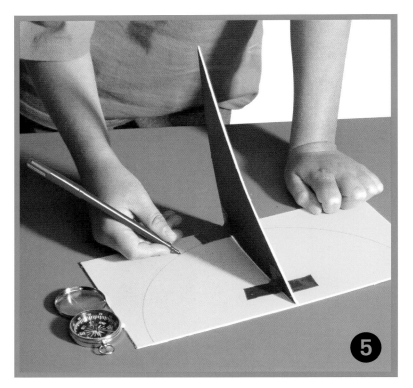

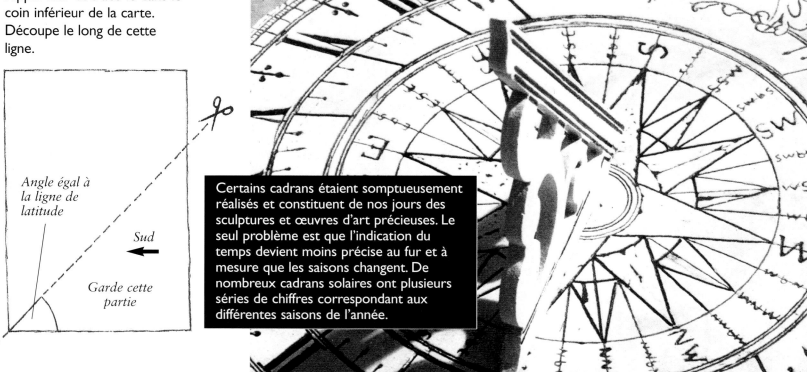

Certains cadrans étaient somptueusement réalisés et constituent de nos jours des sculptures et œuvres d'art précieuses. Le seul problème est que l'indication du temps devient moins précise au fur et à mesure que les saisons changent. De nombreux cadrans solaires ont plusieurs séries de chiffres correspondant aux différentes saisons de l'année.

La réflexion de la lumière

CETTE EXPÉRIENCE montre comment la lumière se réfléchit, ou rebondit, sur un miroir ou une autre surface lisse similaire.

VOIR : LA LUMIÈRE RÉFLÉCHIE PAGE 126

Il te faut

Du carton

Une torche

Un petit miroir

Des ciseaux

De la pâte à modeler

1 Découpe un bout de carton de 15 × 10 cm. Découpe une fente étroite de 5 cm de haut dans l'une des longueurs.

2 Fais tenir le carton debout avec de la pâte à modeler.

4 Réfléchis le rayon de lumière avec le miroir. Fais-le pivoter de droite à gauche et tu verras que la direction du rayon réfléchi change. Mais les angles auxquels le rayon touche le miroir et le quitte sont les mêmes.

Les fibres optiques

LES FIBRES OPTIQUES véhiculent des éclairs de lumière laser, même sur une trajectoire courbe. Un jet d'eau fonctionne d'une façon semblable et démontre ce principe.

VOIR : LA LUMIÈRE LASER PAGE 134

Il te faut

Une bouteille de limonade en plastique

Un canif

Une torche

1 Demande à un adulte de percer un trou dans la bouteille en plastique, comme pour l'expérience de la fontaine à la page 222.

2 Remplis la bouteille d'eau tout en maintenant ton doigt sur le trou. Braque la torche sur la bouteille à l'opposé du trou.

3 Retire ton doigt. Le rayon lumineux suit le jet d'eau en dépit du fait qu'il décrit un arc descendant.

3 Éteins la lumière de la pièce et braque la torche allumée sur la fente pour créer un rayon lumineux étroit qui se projette sur la table.

Jet d'eau

À quelle profondeur ?

QUAND LA LUMIÈRE passe de l'air à l'eau, elle est réfractée, c'est-à-dire qu'elle change de direction.

VOIR : LA LUMIÈRE
RÉFLÉCHIE PAGE 128

Il te faut
Un verre d'eau

Une pièce de monnaie

1 Dépose la pièce au fond du verre.

2 Regarde le fond du verre à travers l'eau. Déplace ton doigt à l'extérieur du verre jusqu'à ce qu'il ait l'air d'être au même niveau que la pièce, puis vérifie à l'extérieur. Est-il au même niveau que la pièce ?

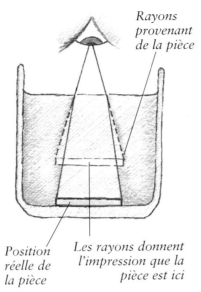

Rayons provenant de la pièce

Position réelle de la pièce

Les rayons donnent l'impression que la pièce est ici

Un appareil photo dans une boîte

ESSAIE DE FABRIQUER un appareil photo sans pellicule. Elle recueille la lumière d'une scène donnée pour recréer son image sur un écran.

VOIR : LA DÉTECTION DE LA LUMIÈRE PAGE 130

Il te faut
Une petite boîte en carton

Une loupe

Du papier-calque

Des ciseaux et du ruban adhésif

1 Tu dois tout d'abord trouver la distance focale de la lentille de ta loupe. Dans une grande pièce, tiens la lentille à environ 3 m d'une fenêtre.

2 Rapproche ou éloigne ta main jusqu'à ce que la lentille produise une image claire de la scène sur ta paume. La distance entre la lentille et la paume de ta main constitue la distance focale de la lentille.

3 La boîte en carton doit mesurer quelques centimètres de plus que la distance focale de la lentille. Découpe la boîte au milieu pour créer deux moitiés.

3 Découpe le long des arêtes d'une des moitiés pour qu'elle puisse être glissée facilement dans l'autre. Fixe les nouvelles arêtes ensemble à l'aide de ruban adhésif comme le montre l'illustration ci-dessous.

Fentes le long des arêtes

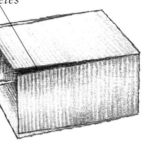

Fenêtre dans le fond de la boîte

Extrémité recouverte de ruban adhésif

Une moitié de boîte glisse dans l'autre moitié

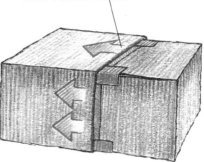

4 Découpe une grande fenêtre au fond de l'autre moitié de boîte et recouvre-la de papier-calque.

5 Découpe un trou de taille légèrement plus petite

que celle de la loupe au fond de l'autre moitié de boîte. Colle la loupe dessus.

6 Pointe l'appareil photo vers un objet bien éclairé. Ajuste les deux moitiés de boîte en les faisant glisser l'une dans l'autre jusqu'à ce que tu obtiennes une image claire de l'objet sur le papier-calque.

Un microscope optique utilise plusieurs lentilles pour grossir jusqu'à un millier de fois. Il arrive à nous faire voir de minuscules germes comme les bactéries.

LE SAVAIS-TU ?
L'image dans ton appareil photo est inversée parce que les rayons lumineux s'inversent en traversant la lentille.

Un microscope avec une goutte d'eau

LES LENTILLES rendent les objets plus gros ou plus proches qu'ils ne le sont réellement. Tu peux fabriquer un microscope simple à partir d'une simple goutte d'eau !

VOIR : L'EMPLOI DE LA LUMIÈRE PAGE 132

Il te faut

Une bouteille de limonade
Une petite boîte
Une perforatrice
Des ciseaux et du ruban adhésif
De l'eau

1 Demande à un adulte de t'aider à découper une mince bande de plastique fin de 10 x 3 cm dans la bouteille. À l'aide de la perforatrice, fais un trou près de l'une des extrémités de la bande. Ensuite, fixe la bande sur une petite boîte de sorte que l'extrémité avec le trou dépasse légèrement du dessus de la boîte.

2 Avec le doigt, dépose une goutte d'eau dans le trou. Elle devrait y former une lentille courbe.

3 Pour utiliser ton microscope, rapproche ton œil de la lentille d'eau. Tiens un objet dessous. Ajuste la position de l'objet (fais la mise au point) jusqu'à ce que tu puisses le voir clairement.

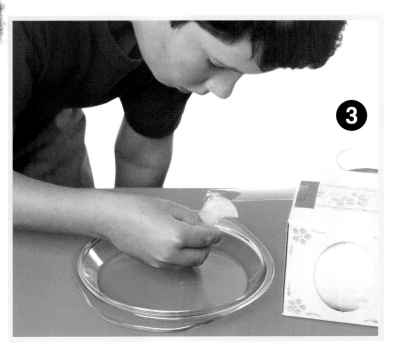

Un spectre de lumière

LA LUMIÈRE SEMBLE être incolore ou blanche, mais elle est en fait constituée d'un mélange de couleurs. Tu peux séparer ces couleurs et créer un spectre.

VOIR : LA LUMIÈRE PAGE 124

Il te faut

Un plat à four ou un moule à gâteau

Du carton blanc

Un petit miroir

Des ciseaux

1 Découpe soigneusement un morceau de carton de 20 x 15 cm. Réalise une fente étroite dans la partie supérieure du carton, comme le montre l'illustration à droite.

2 Remplis le plat d'eau et place-le directement au soleil. Rapproche le carton contre le plat de sorte que la lumière traverse la fente et brille dans l'eau.

3 Maintiens le miroir incliné dans l'eau. Bouge-le jusqu'à ce qu'un spectre ressemblant à un arc-en-ciel apparaisse sur le carton, juste sous la fente. Le ménisque (surface courbe de l'eau) qui se forme contre le miroir joue le rôle de lentille et divise la lumière blanche en ses couleurs constituantes.

Lumière du soleil

Spectre

Fente

Miroir

Voir double

UNE IMAGE de ce que nous voyons se forme dans nos yeux. Mais l'oeil continue pendant un court instant à voir l'image après la disparition de celle-ci. Il s'agit de l'effet d'image récurrente.

VOIR : LA DÉTECTION DE LA LUMIÈRE PAGE 130

Il te faut

Un gros trombone

Du carton, des stylos ou des crayons

Du papier-calque

Des ciseaux

De la colle

Quand de la lumière du soleil traverse des gouttes de pluie, celles-ci jouent le rôle de prismes et divisent la lumière pour former un spectre : l'arc-en-ciel.

1 Dessine une image. Elle doit pouvoir tenir sur un disque de 7 cm de diamètre et être constituée de deux éléments, l'un pouvant se superposer à l'autre. Tu peux par exemple dessiner un oiseau et une cage ou un poisson et un bocal.

2 Découpe deux disques en carton de la même taille. Décalque un élément de l'image sur un disque et l'autre élément sur l'autre disque.

3 Déplie un trombone pour obtenir un bout de fil de fer droit.

4 Colle les deux disques dos à dos de façon à coincer le fil de fer entre eux ; les images doivent toutes les deux être tournées vers l'extérieur et être à l'endroit.

Le carton tourne

Trombone

5 Tiens chaque bout du fil de fer entre le pouce et l'index. Fais-le tourner rapidement pour faire tournoyer les disques en carton. Les éléments de ton image fusionnent-ils pour ne plus constituer qu'une seule image ? Le dessin d'un élément de l'image reste imprimé dans ton œil pendant un moment. Quand le carton tourne, cette image récurrente se combine à l'élément suivant et tu ne vois plus qu'une seule image.

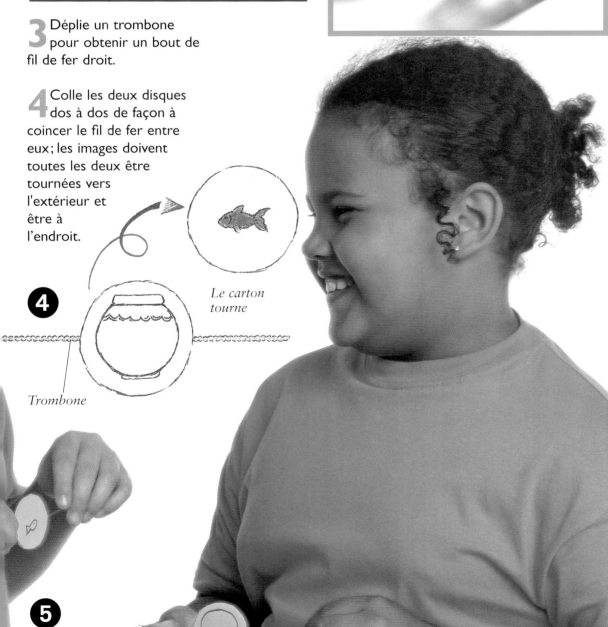

Des filtres colorés

UN FILTRE COLORÉ laisse passer certaines couleurs et en bloque d'autres. Cette expérience montre comment cela fonctionne.

VOIR : LA LUMIÈRE PAGE 124, LE SPECTRE ÉLECTROMAGNÉTIQUE PAGE 136

Il te faut

3 bocaux
Des colorants alimentaires de trois couleurs : rouge, vert et bleu

1 Remplis les trois bocaux d'eau. Ajoute à peu près six gouttes de colorant alimentaire dans chacun d'eux.

2 Place les bocaux près de la fenêtre pour que la lumière puisse passer à travers. L'eau colorée joue le rôle de filtre et bloque toutes les couleurs de la lumière sauf celle de l'eau. Par exemple, l'eau rouge bloque toutes les couleurs sauf le rouge.

3 Place un bocal devant un autre. Beaucoup moins de lumière arrive à traverser les deux bocaux. Avec trois bocaux, presque toute la lumière est bloquée et le dernier bocal a l'air tout noir !

LE SAVAIS-TU ?
Fixe une tache de couleur brillante rouge ou verte pendant 30 secondes, et ferme ensuite les yeux. Tu verras toujours la tache de couleur, mais elle sera de la couleur opposée ou complémentaire.

Les transformations d'énergie

C'EST L'ÉNERGIE qui permet aux choses de se produire. Il existe différents types d'énergie, et l'une peut se transformer en une autre. Cette expérience va démontrer certains types de conversion d'énergie : il s'agira de prendre un livre et de le laisser tomber par terre !

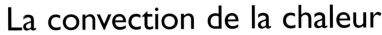

VOIR : LA CONVERSION DE L'ÉNERGIE PAGE 48

Il te faut

Un vieux livre

1 Assure-toi d'abord que personne ne veut plus du livre, car tu vas le laisser tomber par terre et il pourrait s'abîmer !

2 Commence par déposer le livre au sol. Puis soulève-le lentement jusqu'à la hauteur des épaules. En faisant cela, tu donnes au livre une certaine quantité d'énergie potentielle, car tu le soulèves en dépit de la force de gravité qui l'attire vers le bas. L'énergie nécessaire pour le faire tomber est présente, mais elle n'est pas utilisée. On appelle potentiel quelque chose qui ne s'est pas encore passé, mais qui pourrait le faire. L'énergie utilisée pour soulever le livre est produite par des substances chimiques présentes dans ton corps et qui actionnent tes muscles.

3 Maintenant, laisse tomber le livre. L'énergie potentielle emmagasinée dans le livre se transforme en énergie du mouvement pendant la chute. L'énergie du mouvement ou du déplacement s'appelle l'énergie cinétique.

4 Où va l'énergie quand le livre touche le sol ? À cet instant-là, la plupart de l'énergie potentielle que tu lui as donné s'est transformée en énergie du mouvement. Une petite quantité a été perdue sous forme de chaleur pendant la chute, à cause de la résistance de l'air ou friction.

5 Quand le livre touche le sol, le reste de son énergie se transforme en chaleur et en énergie sonore, que tu perçois sous la forme d'un bruit sourd. Au cours de toute l'action de ramasser le livre, de le soulever et de le laisser tomber, il n'y a aucune perte d'énergie, seulement une conversion d'énergie en d'autres formes.

La convection de la chaleur

L'ÉNERGIE THERMIQUE peut voyager d'un endroit à un autre dans des courants d'air en déplacement. On appelle cela la convection.

VOIR : LA CHALEUR ET LE FROID PAGE 58

Il te faut

Une tasse et de l'eau tiède

Du carton

De la pâte à modeler

Une longue épingle

Du ruban adhésif et des ciseaux

1 Découpe un triangle en carton légèrement plus large que la tasse que tu vas utiliser dans cette expérience.

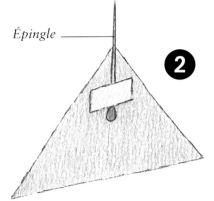

Épingle

2 Colle l'épingle sur le coin supérieur pour qu'elle soit dirigée vers le haut.

3 Remplis la tasse d'eau tiède. Pose le triangle au sommet de la tasse et maintiens-le en place avec de la pâte à modeler.

4 Découpe une longue bande de papier. Plie-la à un certain angle pour pouvoir obtenir une forme de L. Déplie-la à nouveau pour former une hélice.

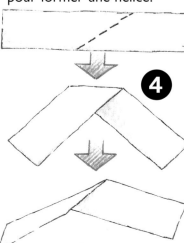

5 Essaie de faire tenir l'hélice en équilibre sur la pointe de l'épingle. Vois comment elle tourne sous l'action des courants d'air chauds montant de la tasse.

Dans les endroits chauds et ensoleillés, les maisons sont souvent peintes en blanc. Ceci aide à réfléchir la chaleur du soleil et à garder l'intérieur des maisons frais.

ATTENTION !
L'énergie thermique contenue dans l'eau chaude ou les flammes peut être extrêmement dangereuse. Demande à un adulte de t'aider dans toutes les expériences qui utilisent la chaleur.

Le rayonnement de la chaleur

LA CHALEUR et la lumière du soleil nous atteignent grâce au rayonnement. La couleur affecte la capacité des objets à absorber le rayonnement.

VOIR : AU-DELÀ DE LA LUMIÈRE PAGE 136

La conduction de la chaleur

LA CHALEUR PEUT TRAVERSER les objets par le processus de conduction de chaleur. Découvre les substances qui constituent de bons conducteurs thermiques.

VOIR : LES MÉTAUX PAGE 40, LES COMPOSITES PAGE 42

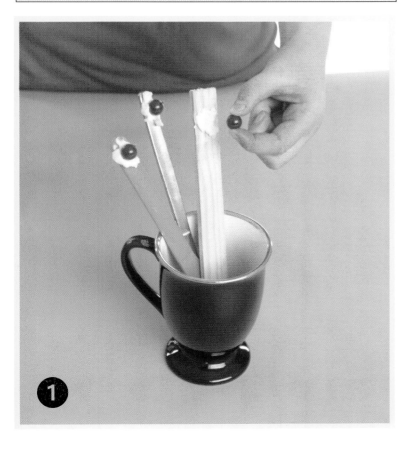

Il te faut

Des objets longs et minces tels que des couverts ou des bandes de matériaux différents : métal, bois, porcelaine, plastique

Une tasse

De l'eau chaude

Du beurre

Des perles en plastique

1 Place les différents couverts ou objets dans une tasse vide. Badigeonne leurs extrémités supérieures de beurre. Colle une petite perle sur chaque motte de beurre.

2 Demande à un adulte de verser soigneusement de l'eau chaude dans la tasse. Regarde bien le beurre et les perles. Au fur et à mesure que chaque matériau conduit la chaleur vers le haut, le beurre qui est dessus fond et la perle tombe. La première perle qui tombe indique le matériau qui conduit le mieux la chaleur.

Il te faut

Du carton blanc et noir

Une boîte et des ciseaux

1 Découpe deux morceaux de carton de taille égale, l'un de couleur noire, l'autre de couleur blanche.

2 Par une journée ensoleillée, pose les deux morceaux contre une boîte de façon à ce qu'ils fassent directement face au soleil. Au bout de 5 minutes, mets ta main sur chaque morceau. Lequel est le plus chaud ?

Les effets des forces

DÉCOUVRE ce qui se passe quand tu appliques des forces dans des directions et des endroits différents.

VOIR : LES FORCES PAGE 52

Il te faut

Une grosse éponge

I Dépose l'éponge sur un dessus de table lisse. À l'aide d'un seul doigt, exerce une pression au milieu de l'un des côtés. Avance-t-elle en ligne droite ?

2 Maintenant, applique une pression à l'une des extrémités de l'éponge. Que se passe-t-il ? Avec l'autre main, pousse sur l'autre extrémité de l'éponge. Arrives-tu à faire pivoter l'éponge sur elle-même ?

3 Appuie sur des côtés opposés de l'éponge en même temps. Elle ne glisse plus car les deux forces s'annulent : elle est écrasée par elles !

Les leviers

LES LEVIERS SONT DES MACHINES TRÈS SIMPLES utilisées dans des centaines d'appareils et de gadgets.

VOIR : LES MACHINES SIMPLES PAGE 62

Il te faut

Une lame de bois de la même largeur qu'une règle, mais plus épaisse, et mesurant 50 cm de long.

Quelques petits livres

Un gros stylo

I Pose le stylo sur une surface plane. Place la lame de bois dessus de sorte que le stylo se trouve juste sous le milieu de la lame. Le stylo constitue maintenant un pivot ou point d'appui. Si tu appliques une force à l'une des extrémités de la lame, elle bougera ou s'inclinera à partir de ce point d'appui.

2 Place deux livres à une extrémité de la lame de bois. Ils constituent la charge à déplacer. Appuie sur l'autre extrémité de la lame avec le doigt pour soulever les livres. Essaie de retenir la quantité de force ou d'effort nécessaire pour déplacer les deux livres.

3 Rapproche maintenant le stylo des livres, aux trois-quarts à peu près de la longueur de la lame. Appuie à nouveau sur l'autre extrémité de la lame. Te faut-il plus ou moins d'effort pour soulever les livres maintenant ?

4 Rapproche maintenant le stylo de ta main, aux trois-quarts de la longueur de la lame. Appuie encore une fois. Il te faut appliquer une force plus importante pour soulever les livres. Mais note aussi qu'ils peuvent être déplacés sur une plus grande distance.

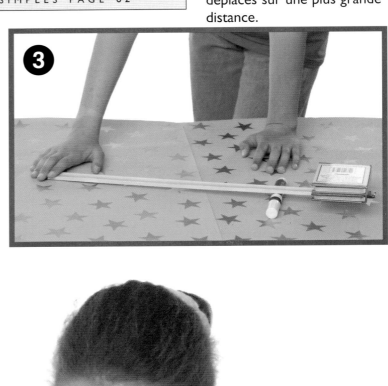

Le stylo se trouve à mi-chemin entre la force et la charge

Pression forte ou faible

LA PRESSION produite par une force dépend de la surface sur laquelle celle-ci est exercée. Essaie d'enfoncer différents objets dans de la pâte à modeler. En fonction de la forme de l'objet, la même poussée exerce plus ou moins de pression.

Tous les balancements du pendule de cette horloge ont la même durée. Le pendule permet à l'horloge de fonctionner avec précision.

VOIR : LES FORCES PAGE 124, LA GRAVITÉ PAGE 56

Il te faut

De la pâte à modeler

Des objets de différentes formes

Modèle la pâte pour obtenir des couches plates et épaisses.

2 Essaie d'enfoncer différents objets dans la pâte à modeler. Emploie la même force à chaque fois. Les objets avec des coins effilés s'enfoncent plus facilement. La force de ta poussée est concentrée sur une surface plus réduite, ce qui crée une pression plus importante.

Les balancements d'un pendule

TU VAS EXAMINER comment marche un pendule et comment il arrive à se balancer de droite à gauche.

VOIR : LA GRAVITÉ PAGE 56, LA TERRE PAGE 142

Il te faut

Un bout de ficelle d'au moins 90 cm de long

De la pâte à modeler et du ruban adhésif

Une montre qui indique les secondes

LE SAVAIS-TU ?
Le scientifique Galilée a étudié les pendules. Quand il s'ennuyait à l'église, il regardait les chandeliers se balancer au bout de longues cordes attachées au plafond.

Attache un bout de pâte à modeler au bout de la ficelle. Attache l'autre bout de la ficelle à un support fixe, tel que le haut d'un encadrement de porte, de sorte que le poids puisse se balancer librement.

2 Quand le pendule bouge, la gravité l'attire vers le bas. Quand le poids atteint le point le plus bas de la courbe de balancement et commence à remonter sous l'effet de son propre élan, la gravité le ralentit jusqu'à ce qu'il s'arrête et retourne dans l'autre sens.

3 Fais balancer le pendule de sorte que chaque mouvement de balancier soit assez grand. Chronomètre le temps que prennent dix mouvements. Puis chronomètre dix mouvements plus petits. Y a-t-il une différence entre les temps du chronomètre ?

4 Ajoute un peu plus de pâte à modeler pour alourdir le poids. Chronomètre les mouvements encore une fois. Comprends-tu maintenant pourquoi on utilise les pendules pour contrôler la vitesse de certains types d'horloge ?

Conducteur ou isolant ?

LES MATÉRIAUX À TRAVERS lesquels le courant arrive à passer sont des conducteurs électriques. Les matériaux à travers lesquels il ne peut pas passer sont des isolants électriques. Tu apprends ici à savoir si un matériau est un conducteur ou non.

VOIR : L'ÉLECTRICITÉ "COURANTE" PAGE 82

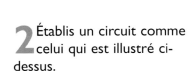
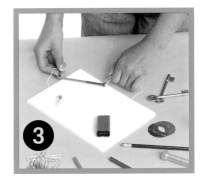

Fil — Ampoule

Douille d'ampoule

Pile

Pinces crocodiles

Ruban adhésif

Fil

Il te faut

Une pile (de torche ou de radio)

Du fil de sonnerie (du fil fin et isolé)

Des ciseaux

Du ruban adhésif

Une ampoule et une douille d'ampoule

Des pinces crocodiles

Quelques objets et matériaux à tester

I Découpe trois longueurs de fil de 50 cm à peu près chacun. Demande à un adulte de t'aider à enlever le revêtement en plastique des extrémités de chaque longueur pour que le fil soit dénudé. Place l'ampoule dans la douille.

2 Établis un circuit comme celui qui est illustré ci-dessus.

3 Coince les différents objets ou matériaux entre les pinces crocodiles. Que se passe-t-il à chaque fois ?

4 Si le matériau est un conducteur, il ferme le circuit et l'ampoule s'allume. S'il est isolant, l'ampoule reste éteinte.

5 Essaie le "plomb" ou la mine de plomb d'un crayon. Est-ce que l'ampoule s'allume légèrement ?

ATTENTION !
Sois prudent ! Il faut utiliser un couteau très tranchant ou la lame d'une paire de ciseaux pour dénuder le fil de sonnerie de son revêtement en plastique. Demande à un adulte de t'aider.

L'électricité statique

LE FROTTEMENT DE DEUX matériaux isolants différents l'un contre l'autre peut produire des charges électriques sur leur surface : on appelle cela l'électricité statique. Cette charge peut attirer de petits objets, presque comme un aimant.

VOIR : L'ÉLECTRICITÉ STATIQUE PAGE 80

Il te faut

Un sac poubelle en plastique

Un morceau de tissu doux

Du papier brouillon et des ciseaux

1 Déchire une feuille de papier brouillon en petits morceaux de moins de 5 mm. Éparpille ces morceaux sur la table.

2 Découpe un bout du sac poubelle à peu près de la taille de cette page. Pose-le à plat sur la table et frotte-le énergiquement et

longuement avec le morceau de tissu. Ceci donne au plastique de l'électricité statique, ce qui veut dire qu'il a de minuscules charges électriques à sa surface.

3 Soulève délicatement le morceau de sac poubelle et rapproche-le des bouts de papier. Que se passe-t-il ?

Des éclairs brillent dans le ciel nocturne. Les éclairs sont produits quand de l'électricité statique, ou une charge d'électricité, saute d'un nuage vers le sol. L'électricité statique se forme quand des gouttelettes d'eau et des cristaux de glace frottent les uns contre les autres à l'intérieur d'un nuage.

Comment fabriquer une pile

CERTAINS PRODUITS chimiques produisent de l'électricité quand ils sont combinés.

VOIR : LES PILES ET BATTERIES ÉLECTRIQUES PAGE 84

Il te faut

Des pièces en cuivre, des pointes galvanisées, et du papier aluminium

Des pinces crocodiles

Du fil de sonnerie (du fil fin et isolé) et des ciseaux

Une boussole

Du sel, de l'eau et un bocal

1 Découpe une longueur de fil de sonnerie de 90 cm de long. Avec l'aide d'un adulte, dénude les extrémités du fil de leur revêtement en plastique.

2 Enroule la partie centrale du fil douze fois autour de la boussole. Attache une

Fil
Boussole
Fil

pince crocodile à chaque extrémité du fil.

3 Remplis le bocal d'eau tiède. Mélanges-y du sel jusqu'à saturation.

4 Place une pièce en cuivre dans l'une des pinces crocodiles et un bout de papier aluminium, ou une pointe galvanisée, dans l'autre.

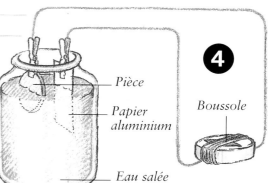

Pièce
Papier aluminium
Eau salée
Boussole

5 Plonge les pinces crocodiles dans l'eau salée. Si l'aiguille de la boussole sursaute, c'est que ta pile produit un courant électrique. Il circule dans le fil et crée un champ magnétique.

Les champs magnétiques

UN CHAMP MAGNÉTIQUE est la zone autour d'un aimant dans laquelle celui-ci attire vers lui les objets contenant du fer. La force d'attraction s'étend tout autour de l'aimant. Tu peux représenter un champ magnétique par un dessin.

VOIR : LES MYSTÈRES DU MAGNÉTISME PAGE 92

Il te faut

Une petite boussole magnétique

Quelques aimants

Des feuilles de papier

Un stylo ou un crayon

| Place l'aimant au centre d'une feuille de papier. Pose la boussole près de l'aimant.

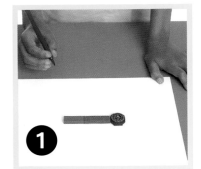

2 Dessine une flèche indiquant la direction de l'aiguille sur le papier.

3 Continue à déplacer la boussole et à dessiner des lignes. De cette façon, tu réaliseras une image du champ magnétique de l'aimant.

Créer le magnétisme

UTILISE UN AIMANT pour rendre un autre bout de métal magnétique. Souviens-toi que ceci ne marche qu'avec des objets contenant du fer.

VOIR : LES AIMANTS PAGE 93

Il te faut

Un aimant

Des trombones en acier (l'acier est essentiellement constitué de fer)

| Soulève un trombone avec l'aimant de sorte qu'il pende.

2 Peux-tu soulever un second trombone à l'aide du trombone qui est déjà collé à l'aimant ? Le premier trombone a été transformé en aimant. On appelle cet effet le magnétisme induit.

LE SAVAIS-TU ? L'aiguille d'une boussole est elle aussi un aimant long et mince. Elle s'aligne avec le champ magnétique faible de la Terre. Mais ceci peut être facilement surmonté par un véritable aimant situé à proximité.

Pour régler une boussole, il faut laisser son aiguille tourner librement. Fais pivoter la base de la boussole jusqu'à ce que l'aiguille s'aligne sur le nord et le sud du cadran.

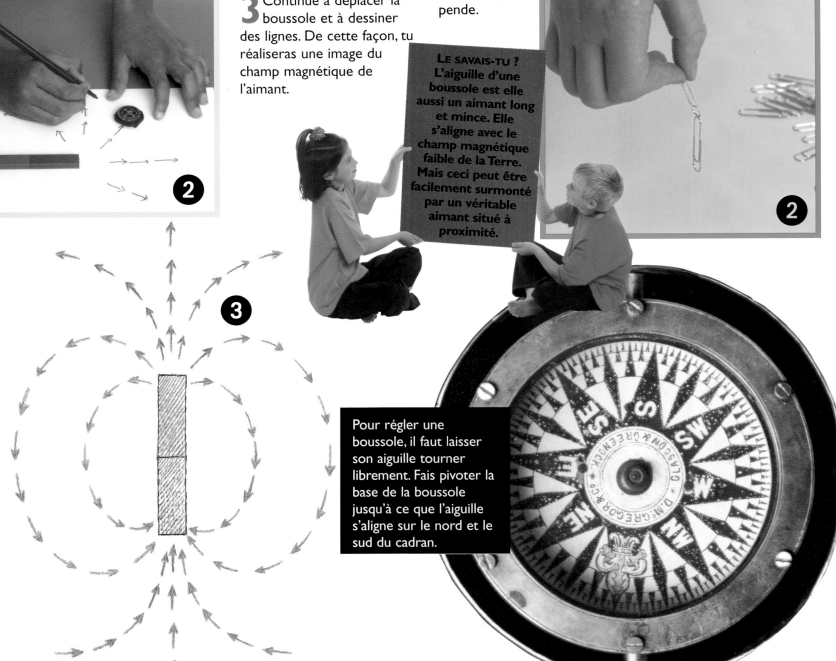

Une boussole simple

L'AIGUILLE D'UNE BOUSSOLE est un aimant qui s'aligne sur l'axe nord-sud.

VOIR : UNE TERRE MAGNÉTIQUE PAGE 180

Il te faut

Une assiette et de l'eau

Un bouchon en liège et un canif

Une aiguille en acier

Un aimant, une boussole

Du ruban adhésif

1 Demande à un adulte de découper une rondelle du bouchon de 5 mm d'épaisseur. Fixe l'aiguille sur cette rondelle avec du ruban adhésif.

2 Frotte l'aiguille plusieurs fois dans le sens de la longueur et dans la même direction avec le même bout de l'aimant.

3 Fais flotter le liège sur l'eau. L'aiguille s'aligne-t-elle sur l'axe nord-sud ? Vérifie-le à l'aide de la vraie boussole !

Les ondes radioélectriques

LES ONDES RADIOÉLECTRIQUES sont produites quand un courant électrique change d'intensité ou de direction. Produis toi-même de faibles ondes radioélectriques.

VOIR : AU-DELÀ DE LA LUMIÈRE PAGE 136

Il te faut

Une radio qui reçoit les ondes AM

Du fil de sonnerie (du fil fin et isolé) et des ciseaux

Une pile de 3 volts maximum

1 Demande à un adulte de découper une longueur de fil de sonnerie de 90 cm environ et d'en dénuder les extrémités. Allume la radio et règle-la jusqu'à ce que tu n'entendes plus d'émission de radio, juste un sifflement ou un bourdonnement. Pose le fil sur la radio.

2 Maintiens une extrémité du fil contre une borne de la pile. Gratte l'autre extrémité contre l'autre borne. La radio grésille-t-elle ? Ceci est dû au changement d'intensité du courant électrique dans le fil qui crée de très faibles ondes radioélectriques près de la radio.

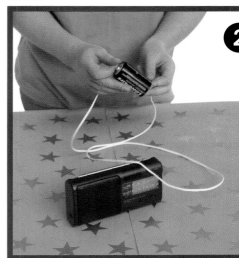

Les téléphones mobiles émettent et reçoivent de très faibles ondes radioélectriques. Celles-ci sont transmises vers, ou en provenance d'une station émettrice, généralement située à quelques kilomètres de là seulement.

Un électroaimant

TU PEUX fabriquer un aimant qui marche à l'électricité et que tu peux allumer et éteindre.

VOIR : L'ÉLECTRICITÉ ET LE MAGNÉTISME PAGE 90

Il te faut

1,8 m de fil de sonnerie (du fil fin et isolé)

Des ciseaux ou un canif

Une grosse pointe ou vis en acier

Des trombones ou d'autres petits objets métalliques

Une pile de 3 ou 6 volts et du ruban adhésif

1 Demande à un adulte d'enlever à peu près 2,5 cm de revêtement plastique à chaque extrémité du fil de sonnerie pour dénuder le métal qui se trouve au-dessous.

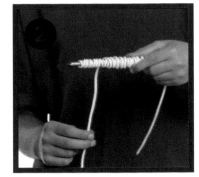

2 En commençant à environ 20 cm de l'une de ses extrémités, commence à enrouler le fil autour de la grosse pointe ou vis en acier pour former une bobine. Va de haut en bas et de bas en haut jusqu'à ce qu'il ne reste plus que 20 cm de fil.

3 Avec du ruban adhésif, colle les extrémités du fil sur les bornes de la pile. Arrives-tu à attirer des trombones avec ton électroaimant ?

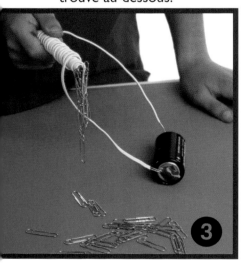

Ce monorail à Sydney, en Australie, évite les rues bondées au-dessous et transporte les passagers rapidement dans toute la ville. Le train est propulsé par des moteurs électriques.

Un moteur électrique

TU PEUX UTILISER un électroaimant pour fabriquer un moteur électrique simple.

VOIR : DE L'ÉLECTRICITÉ AU MOUVEMENT PAGE 96

Il te faut

Un goujon

Du carton mince mais robuste

Des trombones et des épingles à tête arrondie

2 piles de 1,5 volts

2 aimants droits puissants

2 mètres de fil de sonnerie (du fil fin et isolé)

Du papier aluminium

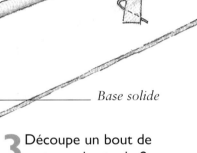

Épingle à tête arrondie

Trombone

Base solide

Des ciseaux, de la colle et du ruban adhésif

1 Découpe une plaque de carton robuste de 30 x 20 cm pour constituer la base. Découpe une longueur de goujon de 20 cm et enfonce une épingle à tête ronde dans chaque

extrémité, laissant dépasser à peu près 5 mm de l'épingle.

2 Déplie deux trombones et colle-les à la base pour faire des supports, comme dans l'illustration ci-dessous. Le goujon doit pouvoir tourner librement.

Goujon

3 Découpe un bout de carton robuste de 8 x 1 cm. Plie-le au milieu et colle-le au centre du goujon avec du ruban adhésif pour donner une forme de croix.

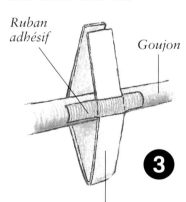

Ruban adhésif

Goujon

Carton fixé au goujon

LE SAVAIS-TU ?
"Monorail" veut dire un rail, et non pas deux, comme avec les trains habituels. Certains monorails roulent sur leur rail unique. D'autres sont suspendus sous le rail.

Carton

Enroule le fil dans le même sens jusqu'à obtenir une bobine

4

Extrémités du fil

4 Découpe une longueur de fil de sonnerie de 1,8 m et demande à un adulte d'en dénuder à peu près deux centimètres à chaque extrémité. En commençant près d'une extrémité du fil, enroule celui-ci autour du carton jusqu'à ce qu'il ne reste plus qu'un petit bout. Fixe les deux bouts au goujon. On appelle cette bobine de fil l'armature.

5 Découpe une bande de carton mince de 5 x 15 cm. Colles-en une extrémité au goujon, puis enroule la bande pour former un rouleau ou une forme cylindrique. Rabats et colle l'autre extrémité.

Papier aluminium

Rouleau de carton

Espace aligné avec l'armature

Ruban adhésif

6 Colle deux morceaux de papier aluminium au rouleau de carton. Laisse des espaces entre eux qui soient alignés avec l'armature. Avec du ruban adhésif, fixe chaque bout de fil qui pend à un morceau de papier aluminium.

6

LE SAVAIS-TU ? Les moteurs électriques sont très efficaces dans la transformation de l'énergie en mouvement. Ils arrivent à convertir 90 pour cent de l'énergie électrique qui leur est fournie en mouvement utile.

La pile est placée ici

Tiens les deux fils de sorte que chacun touche un bout de papier aluminium

Aimants droits

7

7 Colle les aimants à une feuille de carton rigide que tu auras pliée en forme de U, en mettant les pôles contraires face à face. Fixe cet ensemble à la base.

8 Découpe deux bouts de fil mesurant 30 cm chacun. Demande à un adulte de dénuder à peu près 2 à 3 cm à chaque extrémité. Avec du ruban adhésif, colle une extrémité de chaque fil à l'une des bornes de la pile. Maintiens les autres extrémités des deux fils contre le papier aluminium de chaque côté du rouleau, comme le montre l'image ci-dessous. Le courant circule et transforme la bobine en électroaimant qui se met à tourner dans le champ magnétique des aimants droits.

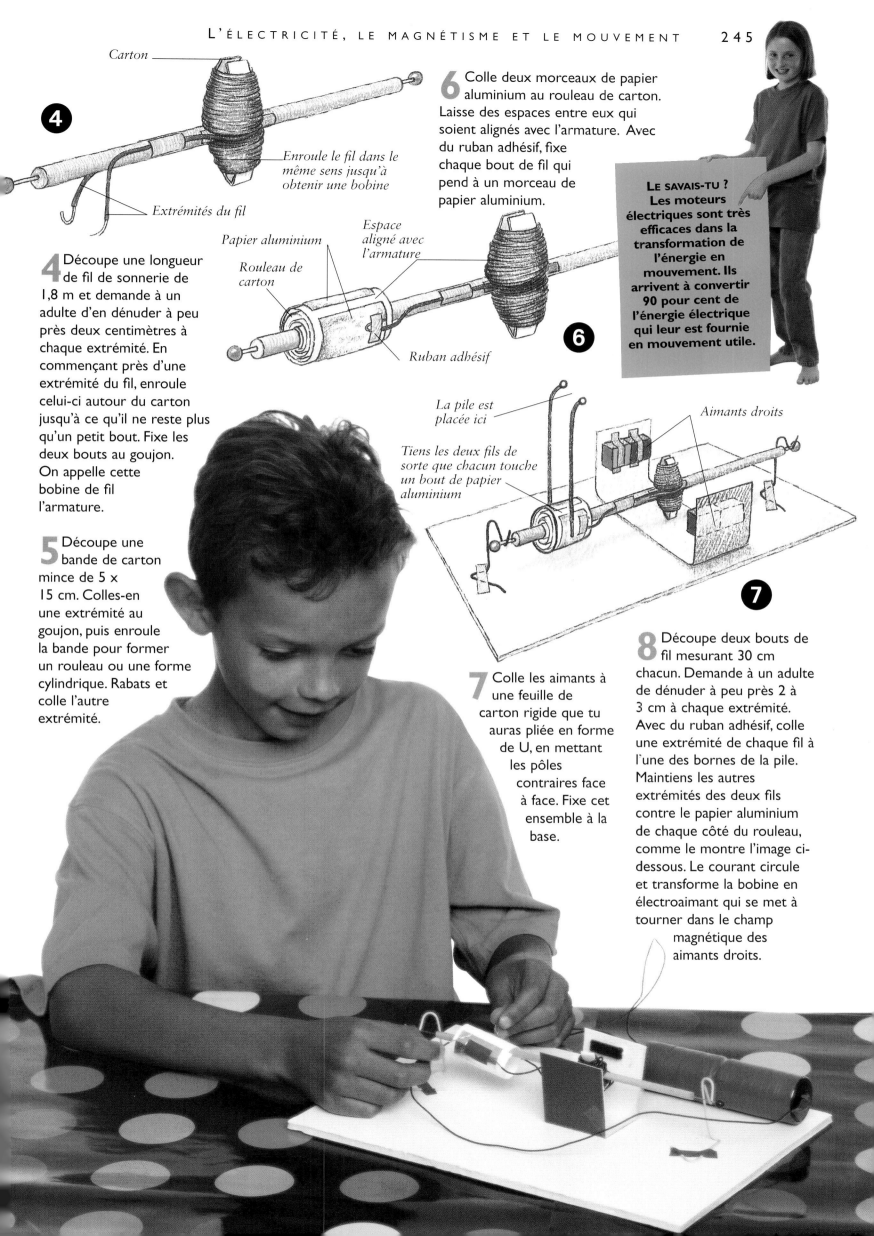

Glossaire

ANNÉE-LUMIÈRE
Distance parcourue par la lumière en un an, qui est de 9,46 millions de kilomètres.

ATOME
Particule ou composante la plus petite d'un élément chimique (substance chimique pure) qui a les propriétés et les caractéristiques de cet élément.

COMPOSÉ
Corps formé par la combinaison chimique de deux ou plusieurs substances de sorte que leurs atomes soient combinés ou associés les uns aux autres.

DISSOLUTION
Quand une substance, le soluté, est réduite à ses molécules ou atomes individuels et se disperse dans une autre substance, le solvant, pour former une solution.

ÉLECTRON
Particule à charge négative qui tourne ou orbite autour du noyau d'un atome. Le mouvement des électrons constitue une décharge ou un flot de courant électrique.

ÉLÉMENT
Une des quelque 112 substances chimiques, telles que le fer, le silicium ou le charbon, qui ne peut pas être divisée en substances chimiques plus simples. Les atomes d'un élément sont tous les mêmes et sont tous différents des atomes d'autres éléments.

ÉNERGIE
Capacité d'agir, de provoquer des événements et des changements. L'énergie existe sous de nombreuses formes, dont la lumière, la chaleur, l'électricité, le son, le mouvement et la matière ou les substances chimiques. Quand de l'énergie est "utilisée", elle ne disparaît pas, elle est transformée en d'autres formes d'énergie.

FORCE
Toute influence ou action qui contribue à modifier le mouvement d'un objet, en le ralentissant, l'accélérant ou en changeant sa direction. On la mesure en newtons.

ION
Atome ou groupe d'atomes ayant une charge positive (cation) ou négative (anion).

LEPTONS
Un des principaux groupes de particules de base ou fondamentales. On compte parmi eux les électrons et les muons, ainsi que d'autres particules. (Voir aussi QUARKS).

MATIÈRE
Tout type de substance qui a une masse et peut être détectée. La matière est essentiellement constituée d'atomes.

MÉLANGE
Fait de réunir ou mêler physiquement deux ou plusieurs substances, sans que leurs atomes soient associés ou combinés entre eux au niveau chimique.

MOLÉCULE
Assemblage de deux ou plusieurs atomes. Ils peuvent appartenir au même élément chimique, comme une molécule d'oxygène, qui est composée de deux atomes d'oxygène (O_2), ou à différents éléments chimiques, comme une molécule de sel de table, qui est constituée d'un atome de sodium et d'un atome de chlore (NaCl).

NEUTRON
Particule neutre ou sans charge électrique dans le noyau d'un atome.

PRESSION
Effet d'une force qui s'exerce sur un objet ou une substance, mesurée en pascals (newtons par mètre carré).

PROTON
Particule à charge positive qui se trouve dans le noyau d'un atome.

PUISSANCE
Quantité d'effort ou d'utilisation d'énergie.

QUARKS
Un des principaux groupes de particules fondamentales ou élémentaires. Des particules telles que les protons et les neutrons sont constituées de différents types et combinaisons de quarks. (Voir aussi LEPTONS).

RAYONNEMENT
Phénomène par lequel de l'énergie ou des particules sont rayonnées, émises, ou envoyées depuis une source quelconque.

RÉFLEXION
Phénomène par lequel des rayons, des ondes ou d'autres formes d'énergie rencontrent une surface et sont renvoyés par celle-ci, comme quand des rayons lumineux sont renvoyés par un miroir.

RÉFRACTION
Phénomène par lequel des rayons, des ondes ou d'autres formes d'énergie sont déviés à un certain angle quand ils passent d'une substance à une autre, comme quand des rayons lumineux passent de l'air à l'eau.

SOLUTÉ
Toute substance (telle que le sucre) qui se dissout dans un solvant pour donner une solution.

SOLUTION
Liquide (solvant) contenant un corps dissous (soluté).

SOLVANT
Toute substance (telle que l'eau) dans laquelle se dissout un soluté pour donner une solution.

SPECTRE ÉLECTROMAGNÉTIQUE
Gamme des ondes ou rayons qui sont de nature électromagnétique, étant composés de forces électriques et magnétiques. Elle comprend les ondes radioélectriques, les micro-ondes, les infrarouges, les ondes lumineuses, les ultraviolets, les rayons X et les rayons gamma.

TRAVAIL
Mesure du transfert d'énergie qui cause le déplacement d'un objet. Si l'objet ne bouge pas, aucun travail n'a été accompli techniquement parlant.

Unités de mesures scientifiques et conversions

LONGUEUR
mètre *symbole* : **m**

AUTRES UNITÉS DE LONGUEUR
1 pouce (in) = 2,54 cm
1 pied (ft) = 12 pouces = 0,3048 m
1 yard (yd) = 3 pieds = 0,9144 m
1 mille terrestre (m) = 5 280 pieds = 1,61 km

MASSE
gramme *symbole* : **g**

AUTRES UNITÉS DE MASSE
1 once (oz) = 28,35 g
1 livre (lb) = 16 oz = 0,45 kg
1 tonne (t) = 1000 kg

QUANTITÉ DE MATIÈRE
mole *symbole* : **mol**
1 mole contient le même nombre d'atomes que 12 g de carbone–12

TEMPS
seconde *symbole* : **s**

AUTRES UNITÉS DE TEMPS
1 minute (min) = 60 s
1 heure (h) = 60 minutes
1 jour (j) = 24 heures
1 an = 365,2 422 jours

TEMPÉRATURE
kelvin *symbole* : **K**

AUTRES UNITÉS DE TEMPÉRATURE
degré Celsius (°C) = kelvin + 273,15
degré Farenheit (°F) = 9/5 degrés Celsius (°C) + 32

COURANT ÉLECTRIQUE
ampère *symbole* : **A**

LUMINANCE
candela *symbole* : **cd**

Mesures dérivées

SUPERFICIE
mètre carré *symbole* : $\mathbf{m^2}$

AUTRES UNITÉS DE SUPERFICIE
1 are (a) = 100 m^2
1 hectare (ha) = 1 000 m^2
1 barn (b) = 10^{-28} m^2

VOLUME
centimètre cube *symbole* : $\mathbf{cm^3}$
litre *symbole* : **l**
mètre cube *symbole* : $\mathbf{m^3}$

AUTRES UNITÉS DE VOLUME
1 pinte britannique (UK pt) = 0,568 l
1 gallon britannique (UK gal) = 8 UK pt = 4,546 l

DENSITÉ (masse par unité de volume)
gramme par centimètre cube
symbole : $\mathbf{g/cm^3}$

VITESSE OU VÉLOCITÉ
(distance parcourue sur une période)
kilomètre par heure
symbole : **km/h**

AUTRES UNITÉS DE VITESSE
mille terrestre par heure *symbole* : **mph**

ACCÉLÉRATION
(changement de vélocité sur une période)
mètre par seconde carrée
symbole : $\mathbf{m/s^2}$

FORCE OU POIDS
(masse multipliée par accélération)
newton *symbole* : **N** ou $\mathbf{kgm/s^2}$

FORCE VIVE
(masse multipliée par vitesse)
kilogramme *x* mètres par seconde
symbole : **kgm/s**

PRESSION
(force par unité de superficie)
newton par mètre carré
symbole : $\mathbf{N/m^2}$

AUTRES UNITÉS DE PRESSION
1 mm Hg = 133,32 N/m^2
1 atmosphère normale = 760 mm Hg

ÉNERGIE
(force multipliée par distance parcourue)
joule *symbole* : **J**

PUISSANCE
(énergie consommée sur une certaine période)
watt *symbole* : **W**

Index

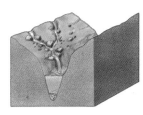

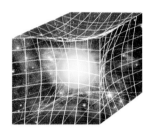

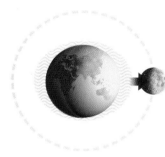

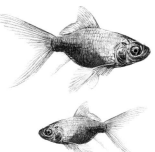

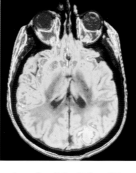

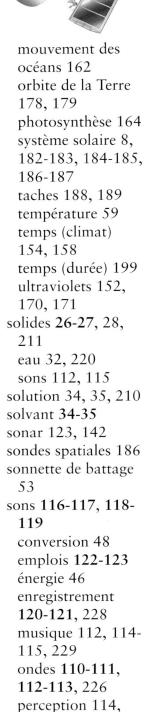

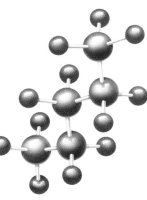
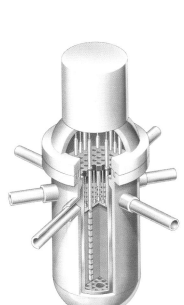

Remerciements

Artistes
Mike Atkinson
Julian Baker
Julie Banyard
Andy Beckett
Kuo Kang Chen
Contour Publishing
Ron Dixon
Andrew Farmer
Mike Foster/Maltings Partnership
Jeremy Gower
Rob Jakeway
Roger Kent
Aziz Khan
Alan Male
Janos Marffy
Gillian Platt
Terry Riley
Peter Sarson
Mike Saunders
Guy Smith
Roger Smith
Roger Stewart
Techtype
Darrell Warner
Mike White
Alison Winfield

Photographie des enfants
Mike Perry, David Lipson Photography Ltd

Enfants
Kate Birkett,
Alison Cobb,
Sam Connolly,
Alexander Green,
Jack, Robert and Sally Hutchinson,
Karen Jolly,
Sian Liddell,
April McGhee,
Alice McGhee,
Nicky Maynard,
Ned Miles,
Aaron Phipps,
Joshua Phipps,
Katie Reeve,
Nicholas Seels,
Naomi Tayler,
Chelsea Taylor.

Autres accessoires
Vivienne Bolton and Peter Bull

Les éditeurs souhaitent remercier les organisations et personnes suivantes qui ont fourni les photographies de l'ouvrage :

Page 8 (B/G) Mary Evans Picture Library ; Page 17 (H/G) Archives photographiques scientifiques/David Parker ; Page 23 (H/D) Archives photographiques scientifiques/Dr Jeremy Burgess ; Page 31 (B/G) Pat Spillane chez Creative Vision ; Page 35 (H) The Stock Market ; Page 41 (B/G) The Stock Market ; Page 47 (D) Dan McCoy/The Stock Market ; Page 50 (B/D) The Stock Market ; Page 51 (H/G) Archives photographiques scientifiques/Martin Bond ; Page 56 (B/D) The Stock Market ; Page 60 (H/G) avec l'aimable autorisation de Capital Shopping Centres plc ; Page 62 (H/D) The Stock Market ; Page 69 (G) avec l'aimable autorisation de Honda ; Page 73 (H/D) The Stock Market ; Page 74 (B/G) avec l'aimable autorisation de Nuclear Electric plc ; Page 75 (B/D) The Stock Market ; Page 82 (H/C) avec l'aimable autorisation de BICC plc ; (B/G) Archives photographiques scientifiques ; Page 85 (B/D) Archives photographiques scientifiques/Département de radiologie clinique, Salisbury District Hospital ; Page 91 (B/G) Archives photographiques scientifiques/Taheshi Takahara ; (B/D) The Stock Market ; Page 95 (B/D) Dezo Hoffmann/Rex Features ; Page 97 (H/G) Archives photographiques scientifiques/James King Holmes ; Page 99 (H/D) avec l'aimable autorisation de National Power ; Page 105 (B/D) Archives photographiques scientifiques/Peter Menzel ; Page 106 (H/G) Archives photographiques scientifiques/David Parker ; Page 112 (H/D) Leon Schadeberg/Rex Features ; Page 113 (H/D) The Stock Market ; Page 115 (B/G) The Stock Market ; Page 119 (H/G) The Stock Market ; Page 130 (B/G) Archives photographiques scientifiques/Omikron ; Page 131 (C) AKG, Londres ; Page 135 (H/D) Nils Jorgensen/Rex Features ; Page 136 (H/D) SIPA/Rex Features ; Page 138 (C) The Stock Market ; Page 139 (B) The Stock Market ; Page 142 (H/G) Archives photographiques scientifiques/NASA ; Page 143 (B/G) Mary Evans Picture Library ; Page 145 (B/D) avec l'aimable autorisation de Eurotunnel ; Page 152 (B/G) Archives photographiques scientifiques/NOAA ; Page 153 (C/D) Chris Bonnington Picture Library ; Page 155 (B/D) SIPA/Rex Features ; Page 158 The Stock Market ; Page 161 (H/G) The Stock Market ; Page 163 (H/D) Rex Features ; Page 167 (G/C) Rex Features ; Page 171 (H/G) Rex Features ; Page 198 (C) NASA/Rex Features ; Page Nina Bermann/Rex Features ; Page 185 (H/G) Rex Features, (C) The Stock Market ; Page 194 (H/D) SIPA/Rex Features ; Page 196 (H/D) NASA ; Page 187 (H/C) Mary Evans Picture Library ; Page 198 (B/G) Rex Features ; Page 199 (H/D) SIPA/Rex Features ; Page 207 (H/D) Gary Lewis/The Stock Market ; Page 208/209 (C) The Stock Market ; Page 214 (B/G) Stansted Airport Ltd ; Page 215 (B/G) Justitz/The Stock Market ; Page 218 (B/C) Mike Vines/Photolink ; Page 224 (H/G) Claude Nuridsany et Maria Perennou ; Page 229 (H/D) Susanne Grant ; Page 242 (B/D) B. Benjamin/The Stock Market.

Toutes les autres photos proviennent des archives de MKP